ホラーは誘う

ダーウィンに学ぶホラーの魅力

マティアス・クラーゼン 著
小沢 茂 訳

WHY HORROR SEDUCES

MATHIAS CLASEN

風媒社

ホラーは誘う

ダーウィンに学ぶホラーの魅力

WHY HORROR SEDUCES

◉

目次

第3部 ホラー・エンターテイメントとホラー研究の将来の進化について 243

謝辞

本書はわたしがホラーやモンスターに長年魅了され、何年も研究を行ってきた結果として生まれた。30年前には、わたしがホラーについての本を書くなどとは誰も想像もできなかっただろう。ほんの少しでも怖そうなものなら何でも避けて通っていた怖がりの子どもだったからだ。墓場のそばを通ることもなかったし、ごくたわいもない幽霊の話を聞いても悪夢にうなされる始末だ。1992年の夏、14歳のとき、何人かの友人が一緒に『スリープウォーカーズ』（1993年 コロンビア＝トライスター）を見に誘ったことがある。スティーヴン・キングが脚本を書いた吸血鬼／狼男ものである。わたしは途中で我慢できなくなって映画館を抜け出さなければならなくなり、ついにその後（臆病者という）汚名返上はできなかった。2年後、新しい友人が映画を見ないかと言ってきた。その新しい友人マイクはやはりスティーヴン・キングの作品の映画化である『ザ・スタンド』（1992年 東宝東和）のレーザーディスクを手に入れていた。これにわたしは―よい意味で―まいってしまった。その日からわたしはホラーの魅力の虜になった。1994年のあの秋の日、すべてを変えてくれたマイクに感謝したい。わたしのホラーの理解を深めてくれた巨匠たち―とりわけスティーヴン・キング、ピーター・ストラウブ、デニス・ジュルゲンセン、そしてジョン・カーペンターにも感謝を捧げる。数え切れない悪夢を、そして最良の研究材料をありがとう。

長年にわたってわたしを支え、力になってくれ、またアイデアを批評したり、改善するように促したりしてくれた多くの同僚たちにも感謝したい。ジョー・キャロルは最初からもっとも辛辣な批評家、もっとも頼りになる援助者、もっとも容赦がなく同時に寛容な編集者であった。彼の援助と励ましなくしては本書は決して書かれることはなかっただろう。スティーヴン・ピンカーは援助とインスピレーションを与えてくれ、筆者のような若い研究者に対して過分なほどの助力を惜しまなかった。ジョン・ゴッツチョールはわたしが右も左も分からない大学院生だったころにいろいろと世話をしてくれ、規模は小さいけれども来たる者拒まずの雰囲気がある進化論批評家のサークル―その中にはブライアン・ボイド、ジュディス・サンダース、ブレット・クック、ダーク・ヴァンドルビーク、そしてマーカス・ノードランドがいた―に紹介してくれた。彼らはみな研究者仲間の義務を越えてわたしを助け、支えてくれた。わたしはエミリー・ジョンソンとの友情から非常に多くを得ることができた。彼女は賢明であると同時に寛大な若き進化論批評家である。レダ・コスミデスとジョン・トゥービー、そしてUCSB進化心理学センターの彼らの同僚たちにも感謝したい。彼らはわたしが2011年に客員研究員としてそこに滞在した際、居心地良く動機づけを与えてくれるような知的環境を整えてくれた。イェーテボリ大学での大衆文化に関する研究ネットワーク、ゴットポップ（GotPop）の友人と同僚、特にジョー・トロッタとホーマン・サドリに刺激的な会話を感謝し、知の巨人トッド・プラッツとスティーヴン・アスマに感謝したい。

オーフス大学英文学科の同僚たちはホラーの進化論的な背景についてのわたしの自論に注意深く

耳を傾けてくれた。老師ピーター・モーテンセンには特別な謝意を表したい。彼は（わたしの文学的嗜好は思春期以前の少年のものだという合理的な確信を持っていたにもかかわらず）わたしに手を差し伸べ続けてくれた。また学部生時代に進化心理学を教えてくれたオック＝シュウェン・ボーン、素晴らしい学部作りに寄与してきたほかのすべての同僚たち―とりわけジェーン、マーティン、マリアンヌ―に感謝したい。オーフス大学は学際的な進化論に基づく研究に対してきわめて寛容な知的環境を整えてくれた。進化論に理解のある同僚たちに、実りある議論と協力を感謝する。宗教認知文化研究室のヤスパー・スレンセン、マーク・アンデルセン、イフェ・シュジョルト、クリストファー・レガード・ニェルボ、そしてアーミン・ゲルツ、生物文化学史センターの同僚たち、ピーター・C・シャルゴール研究グループの戦友たち―キャスパー・アンデルセン、ヤコブ・ベク＝トムソン、スタイン・スロース・グラムゼン、ハンス・ヘンリック・イェルミツレフ、そしてK御大、インタラクティング・マインズ・センターのアンドレアス・ロルツトフとその情熱的な研究チーム、そして「詩と進化」研究室のマイケル・バング・ピーターセンとその仲間たちに感謝する。そしてわたしのアイデアを一緒に議論してくれた数え切れないほどの英文学科の学生たち、とりわけ修士課程の大学院生たち、選択科目「命を救う恐怖」（2016）「アメリカの悪夢50年史」（2014）、そして「魔物、堕落、そして悪魔の申し子」（2013）を履修してくれた学生たちに感謝したい。

わたしは幸運にも、何人かの専門家に完全原稿を読んでもらい、思慮深く批評的なフィードバックを受けることができた。ジョー・キャロルとエミリー・ジョンソンはすべての原稿を読んで、書き直し、よりよくするようにと常にはげましてくれた。自分の考えを明確に一貫性のあるものとして表現するのに苦労していた時は、いくつかの章を何度も読み直してくれた。イェンス・キエルドガール・クリスティアンセンはすべての原稿を読み、本書に含まれている画像について卓越した助言と提案をし、助けてくれた。オックスフォード大学出版局に委託された四人の匿名査読者はそれぞれ励ましと有用なコメントを寄せてくれた。

オックスフォード大学出版局のノーマン・ハーシーとそのアシスタント、ローラリー・イェリーに感謝したい。彼らは〔出版に至る〕すべてのプロセスを通してとても親切で、一緒に仕事をしていて楽しい存在だった。ノーマンはそれほどホラーが好きというわけではないが、だからといってこのプロジェクトに対する、周囲の人まで元気にしてくれるような彼の熱意がそがれることはなかった。わたしはローラリーと、子どものころとても怖かったホラー・ストーリーの思い出を楽しく語り合った。何千マイルも離れて育ち、数年間の年の差はあっても、わたしたちはともに、郵便受けや空気孔から無警戒な人々のアパートに入り込み、住人の肝臓を引き裂いて食べてしまう、『Xファイル』のエピソードに登場するモンスターのエピソードに恐怖を覚えていた。〔『羊たちの沈黙』のハンニバル・レクターのように〕ソラマメなどのお洒落なつけあわせを添えて食べるわけではない、むき出しの捕食衝動。これは人間の本性に古来から備わっている警戒システムに訴えかける強力なシナリオだ。

最後に、最大の感謝をわが家族に――ローラ、トビアス、カミラに――捧げたい。彼らなくしては人生は、ロバート・ネヴィルの言葉を借りれば「不毛で侘しい試練」になっていただろう。わたしがひとりでこの問題に取り組みたくないことを知っていたから、彼らは忍耐強くわたしと一緒に多くのホラー映画を鑑賞し、ホラービデオゲームをプレイし、お化け屋敷にも同行してくれた。わが妻カミラのことは特別ありがたく思っている。彼女はわたしにとって無条件の援助と適切な批評を与えてくれ、研究が行き詰まって悪夢のような日々を送っていた時にはいつも寄り添ってくれた。

第十章は若干異なる形で（「ぬぐいがたい人間の本性：キングの『シャイニング』の進化論批評」というタイトルで）*Style* 51(1)(2017): 76-88で発表されたものである。編集者のジョン・ナップと出版社のペン・ステート大学出版局に、この論文をここに収録することを許可していただき感謝する。

はじめに　ホラー、恐怖、そして進化

あなたが最後に、本当に怖い思いをしたのはいつだろう。ここで「怖い」というのは、重要な会議を控えて不安であるとか、玄関に鍵を置きっぱなしにしたかもしれないと心配だとかいったことではなく、心拍数が上がり髪が逆立つような心の底から怖い思いをしたことだ。おそらく多くの人々にとって、最後に本当に怖い思いをしたのは映画館の暗闇の中か、テレビやコンピュータの画面の前、あるいは小説を片手に寝転んでいるベッドの中だろう。〔国家によって〕統制された、比較的安全な環境に暮らしているわたしたちの大部分が本当の恐怖に遭遇するのは主として自ら望んでそれを―たとえばフィクションの中に―探し求めたときである。わたしたちの多くは映画館に並んでホラー映画を見たり、スティーヴン・キングの新作を待ち望んだり、ノートパソコンに最新のサバイバル・ホラー・ゲームを手に汗を握りながらダウンロードしたりする。なぜなのか。それがこの本が答えようとしている問いのひとつである。〔この本が取り組む〕別の問題は、わたしたちはそれがフィクション、「ごっこ遊び」であり、〔キャラクターは〕怖がっている演技をしている俳優、コンピュータが生成したモンスター、スクリーン上のピクセル、紙の上のインク、手の込んだプログラムに過ぎないと知っているのに、ホラー・フィクションがなぜ機能するのか、という点である。しかしいかなる媒体においても上手に語られたホラーのストーリーはきわめて現実的できわめて強い感情的生理学的反応を引き起こし、わたしたちは進化のジェットコースターに乗って時間を逆行し、他の肉食獣に追い回されていた遠い祖先たちの時代へと帰っていくのである。そして、わたしたちはそれが大好きなのだ。

いかなる媒体においてもホラーはずっと人気のある、売れるジャンルのひとつであり続けている（Prince 2004）。アメリカだけで見ても、1995年から2015年までの間で、ホラー映画は8兆ドルに迫る市場であった。8のあとに0が9つ並ぶのだ。これはスリラーとサスペンスという、時に重複するジャンルを除いた数字であり、これらを含めると同じ時期には15兆ドルの一大市場となる（The Numbers 2015b）。低予算のホラー映画ですら興行的に大成功することがある。あっと驚くような大ヒット映画の一部はホラー映画だ。2009年のインディペンデント映画『パラノーマル・アクティビティ』（Peli 2009）〔2010年 プレシディオ〕はわずか1万5000ドルの予算で撮られたのに、世界中でその制作費の1万3000倍の売り上げを記録した。これは2億ドルに近い（The Numbers 2015d）。1999年のホラー映画『ブレア・ウィッチ・プロジェクト』（Sanchez and Myrick 1999）〔1999年 アスミック・エース、クロック・ワークス、松竹〕も同様の例である。これは60万ドルの製作費で作られたが世界中で2億5000万ドルの収益を上げた（The Numbers 2015a）。少ない製作費で巨額の収益を上げようともくろむ映画製作者たちはホラー映画を作るのがおそらく最善の選択肢であろう。もっとも利益を上げた映画のリストの4分の1が正統派ホラーなのだ。『ジョーズ』

(Spielberg 1975)〔1975年 CIC〕、『インシディアス』(Wan 2010)〔2011年 ショウゲート〕のようなタイトルが席巻しているのである(The Numbers 2015c)。

デンマークの国民を対象にした2013年のある研究は、500人の参加者のうち47パーセントが媒体を問わずホラーが好きだと回答した。32パーセントは文脈によってホラーを好むと答えた—たとえば親しい友達と一緒ならホラー映画を見るが、ひとりでは絶対に見ない、などである。ホラーは全く好きではないと答えたのはわずか21パーセントであった(Johansen 2013)。新しい研究も似たような結果を出している。メディア研究者のイェンス・キエルドガール・クリスティアンセンと心理学者のジョン・A・ジョンソンというふたりの同僚とともに、わたしはアメリカ人のホラーに対する志向と性格についての大規模な調査を行っている。わたしたちは1000人以上のアメリカ人の無作為標本群に、ホラーと自分自身の関係—使用パターン、志向、性格特性—を尋ね、現在集計中であるが、確かに言えることはひとつある。たいていの被検者はホラーが好きだと回答しているということだ。わたしたちは参加者に「わたしはホラーのジャンルを好む傾向にあります」という文に対し、1(まったく当てはまらない)から5(とてもよく当てはまる)まで5段階で評価するよう求めた。過半数の54・4パーセントが「当てはまる」と答え、4か5を選んだ。17パーセントは「どちらともいえない」と答え、286パーセントだけが否定的な回答(1と2)をした。つまりアメリカ人もデンマーク人もたいていの人々はフィクションで怖い思いをするのが本当に好きなのだ。ばかばかしいほど起こりそうにない出来事、森に棲む魔女、人間にとりつく悪魔、復讐に燃えるサメなどといった荒唐無稽なキャラクターについてのストーリーを好むのである。ここでも先述の問いは残る──なぜなのか？

なぜホラーは魅力的なのか。

悲劇のパラドックス──否定的な感情を引き起こす芸術が持つ魅力──は長い間哲学者たちを悩ませてきた（Smuts 2009）。文学や映画の研究者たちは何十年もこの問題に取り組んでいる。ホラーの研究者はとりわけ、わたしたちが恐怖を催させるストーリーに魅力を感じる理由を、今や時代遅れとなったフロイトによる精神の働きについての考えに求めている。ホラーの魅力をフロイト流に解釈すれば、このジャンルがわたしたちをひきつけるのは幼児期の性的ないし（あるいは及び）殺人的衝動といった抑圧された願望を隠喩の形で提示するからだという。チェーンソーを振り回す異常者によって切られた四肢を見てスリルを感じるのは、そのような行為が幼児期の去勢不安を引き起こすからであり、四肢──たとえば腕──はペニスの象徴である、という。フロイトの見方によれば、「禁じられた」抑圧されたものに遭遇することには快楽がともなうが、それには代償を支払わなければならない。その代償とは、ストーリーによって生まれる否定的な感情である。この説明によれば、わたしたちはそれが生み出す否定的な効果にかかわらずこのジャンルにひきつけられるということになる（Carroll 1990, 168-178, Freud 2003 [1919], Schneider 2004）。しかしフロイトの精神分析は1世紀以上にも及ぶ科学的検証の結果崩壊しつつある。フロイトが提示した心理学的メカニズムやプロセスを立証するための証拠が存在しないことが明らかになったり、存在することが確認できなかったりしたためだ。正統派精神分析を基盤としてホラーの魅力に関する説を構築することは、砂の上に家を建てるようなものである。フロイトとその流れをくむ研究者たちは、現在ほとんどすべての重要な側面で誤っていることが明らかになっているような心理モデルを合わせて用いている。エディプス・コンプレックス—精神分析理論の礎石—はどうやら存在していないようだ（Daly and Wilson 1990）。幼児期の女の子は本当は男根羨望を持っていることはない。夢は無意識に宿るおせっかいでホムンクルスのような〔記憶の〕保管者からの暗号化されたメッセージではない。夢は確かに一定の機能を果たしている。たとえば記憶を強化したり経験をシミュレートしたり（Gottschall 2012）といった機能であり、あらゆる人間の認知作用と同様、しばしば隠喩も活躍する。そして夢の内容や感情的な色彩を分析することで精神的な生活への洞察を得られることもあるだろう。しかし、無意識からの暗号化されたメッセージであるなどという機能を支持する証拠は皆無である。存在しないことが証明された（あるいは存在が証明されていない）フロイトの学説はまだほかにもあり、そのリストは非常に長い（Erwin 1996, Macmillan 1997）。フロイトの精神分析と、フロイトの仮説の上に建てられた心理学的機能のモデルに代わるものはあるだろうか。答えはイエスだ。過去数十年にわたって、科学者たちは進化生物学、社会・愛情神経科学、人間行動環境学、その他多くの科学的領域からの発見を統合するモデルを構築することにおいて長足の進歩を遂げてきた。このモデルは垂直方向に統合されているという強みがある。つまり、さまざまな範囲の学問領域と科学から得られた証拠を融合することによって維持され統制されているのだ。さらに、それはホラー・エンターテインメントの形式と機能を理解することときわめて親和性が高いのである。

この本でわたしはホラー・フィクションの研究をより大きな進化社会科学という枠組みの中に位置づけようと思う。ここでは「ホラー」とは、受容者を恐れさせたりその感情をかき乱したり、あるいはその両方の機能を果たすために意識的にデザインされたフィクションであると定義したい。わたしは「フィクション」という言葉を文学、映画、テレビの連続ドラマ、コンピュータゲームにおけるフィクションのストーリーテリングを含む広義の意味で用いている。多くの批評家は超自然的ホラーと心理学的ホラーを区別している。超自然的ホラーは不気味なモンスターや幽霊といったある種の超自然的行為主体によって通常具現化される、物理法則の一時停止ないし侵犯を伴う。スタンリー・キューブリックの『シャイニング』（1980）〔1980年 ワーナー・ブラザース〕やブラム・ストーカーの『ドラキュラ』（1997）が良い例である。一方心理学的ホラーは物理法則の侵犯は含まず、（しばしば説明しがたいほどのものがあるけれども）自然に起こりうる脅威や場面設定を用いている。トマス・ハリスの『羊たちの沈黙』（1988）〔1991年 ワーナー・ブラザース〕やアルフレッド・ヒッチコックの『サイコ』（1960）〔1960年 パラマウント映画〕が適切な例として挙げられる。この本ではわたしは主として超自然的ホラーに焦点を当てるが、これは二重の意味で逆説的だ。気分を悪くさせるようにデザインされたエンターテインメントに人々がひきつけられるというのも十分不思議なことだが、教養も知性もある人々がなにゆえ科学以前の迷信に満ちた忌まわしい伝説から抜け出してきたようなモンスターを扱うストーリーに関心を持つのだろうか。わたしの意見としては、人間精神が働く仕組みについての現代の最良の科学的理解の中に研究を位置づけなければ、この問いに、そして上で取りあげたほかの問いに、決して答えることはできないだろう。

わたしの主張の中心は、ホラー・フィクションは人間の中核をなす神経システムの進化した特質に極度に依存しており、したがってホラー・フィクションを繊細に、また科学的に妥当な方法で理解するためには、人間の進化の歴史と真剣に向き合わなければならない、ということだ。進化心理学は何年もの間かなりの批判を受けてきた—なかには正当なものもあるし、誤解に基づいたものもある(Laland and Brown 2011, Kenrick 2013)—けれども、進化社会科学者たちは精神が機能する構造を特定し説明することにおいて大きな進歩を遂げてきた。彼らは、わたしたちの種の進化の歴史は種に特有の心理学的構造をもたらしたと主張しているが、わたしはこの構造が基本的に、わたしたちが想像し、また魅了されるホラー・ストーリーやモンスターの種類を規定しているのだと主張したい。ホラー・フィクションは脳内に古くから存在し長年にわたって維持されてきた防衛メカニズムを標的にしており、脊椎動物の進化に根差した、過剰に反応する危険察知回路、すなわちわたしたちの先祖が危険な環境で生き残る手助けをするために進化した回路を発動させることで機能するのである。人間はごっこ遊びに喜びを見出す適応的な傾向を持っており、それによってかなりの強度を持つ否定的な感情を安全な文脈で経験することができる。そしてこれこそがホラーが提供するものなのだ。

ホラー・ストーリーはとりわけ、顕著な社会文化的不安の反映であったりそれらに対する反応であったりする場合には、進化した危険管理回路を効果的に刺激する。わたしたちは恐怖を感じるように生まれついているが、その恐怖の対象は文化によってある程度変化しうる。このためにホラー・

フィクションは時代ごとに、文化ごとに変化してきたのだ。たとえば、なぜ吸血鬼がある時代、ある文化で人気がある一方、別の時代や文化ではゾンビが人気なのか。ホラーの作品は恣意的に変化しているわけでもないし、際限なく変化するわけでもない。むしろホラーの作品は人間の生物学的制約の中で変化しているのである。このような多様性は文化的側面から説明することができる。たとえばある文化は郊外を舞台にしたスラッシャー映画をとりわけ魅力的に思うかもしれないし、別の文化は異国情緒あふれる環境での異国風の脅威を扱ったストーリーにとりわけ反応するかもしれない。したがって、わたしがこの本で展開する分析の枠組みは生物学的であると同時に文化論的でもある。個々のホラーの作品が社会文化学的な問題をどのように反映しどのように扱っているかを論じているけれども、そのような分析は進化論に根差した社会科学の枠組みの内部に位置づけられているのだ。

この本は三部構成である。第一部ではホラーと、ホラーに対する学術的なアプローチについて概観したうえで、わたしの理論的枠組みを提示する。否定的な感情を生み出す進化論的プロセス、これらの感情を虚構のストーリーがどのように刺激するのか、なぜそうしたストーリーが機能するのか、それらの心理学的な効果はどんなものなのか、そしてなぜこれほど多くの人々がそれらに引き付けられるのかを明らかにしよう。第二部ではその理論的枠組みをひとつの特定的な文化的領域、すなわち現代アメリカのホラー・フィクションに分析的に適用する。このように対象を絞ることで、ホラーという想像的な表現の内部での歴史的文脈と、進化の結果として獲得された心理学的メカニズムとの相互作用に焦点を当てることができる。第二部は歴史的文脈としてのアメリカのホラーの歴史を簡潔に振り返るところから始まる。それから有名な戦後の小説や映画を取り上げ、これらの作品が恐怖と不安を引き起こすためにどのように構成されているかを明らかにする。これらの恐怖や不安は作品の文化的文脈に潜んでいるものだが、進化の結果として得られた人間の気質に深く根差したものでもある。そして、進化論的視点がどのようにその意味の検証の助けになるかも考察したい。本書の第二部はテーマ別ではなく作品別に構成されており、そうすることでわたしはこれらの重要な作品を深く議論し、進化論的アプローチが作品解釈を実践するうえでいかに機能するかを示すことができると考えている。わたしは極めて人気のある、「正典」的な作品を選んだ。ホラー映画の人気ランキングの常連のような作品である。というのもそうした作品は多くの人々の関心をひきつけ、また現在もそうし続けているからで、それはそうした作品がホラーの機能をとりわけ効果的に発揮していることを示している。わたしは分析の対象を選ぶ際にはなるべく範囲を広げ、異なる種類の恐怖を描き、異なる種類の否定的な感情（極度の恐怖から軽度なもの、あるいはショック、程度のさまざまな嫌悪など）を刺激し、異なる種類のモンスターを扱っている小説や映画を選ぶように心がけた。中には小説版と映画版の両方があるストーリーもあったが、そのような場合にはより美的に完成されており興味深いと思われるものを選んだ。（たとえば、スピルバーグの『ジョーズ』がベンチリーの小説よりも優れているというのは衆目の一致するところだろうし、ジャック・トランスの心理学的軌跡を繊細に描く点ではキューブリックの映画化に比べてキングの『シャイニング』に軍配が上がるのも同様だろう）。わたしが選んだ分析の対象はリチャード・マシスンの『アイ・アム・レジェンド』（1954）（小説）、アイラ・レヴィンの『ローズマリーの赤ちゃん』(1967)(小説)、ジョージ・A・ロメロの『ナイト・オブ・ザ・リビングデッド』(1968)〔日本劇場未公開〕(映画)、スティーヴン・スピルバーグの『ジョーズ』(1975)(映画)、スティーヴン・キングの『シャイニング』(1977)(小説)、ジョン・カーペンターの『ハロウィン』(1978)〔1979年ジョイパックフィルム〕(映画)、そしてダニエル・マイリックとエドアード・サンチェスの『ブレア・ウィッチ・プロジェクト』(1999)(映画)である。

第三部では、わたしはこれまでの論をまとめ、今後の研究を展望し、ホラー・フィクションの未来についても考察する。文学から映画、そしてインタラクティブなエンターテインメントに至るまでの最近のホラーの歴史をたどってみれば、よりストーリーに没頭し、受容者が参加できるような形に向かう傾向が見て取れる。思うに将来、技術の発展によってより没入度が高まると同時に、受容者はより分断されるのではないだろうか。というのもホラーの一部はあまりにも効果的になりすぎて限られたニッチな受容者にしか魅力を与えなくなるからだ。たとえばヴァーチャルリアリティの技術によってプレイヤーは虚構の世界に入り込むことができるようになるが、これはだれにでも魅力的に映るわけではないし、たいていのホラーのファンでさえしり込みしてしまうだろう。また、お化け屋敷型のホラー・アトラクションの高まる人気についても触れる。これは受容者が怖い思いをするために高い料金を払って入る、俳優が演じる商業的なホラー施設だ。ホラーのコンピュータゲームと同様、そうしたアトラクションでは受容者は自分たちがホラー・ストーリーの文字通りの主人公であるという幻覚を抱く。安全な文脈で怖い思いがしたいというわたしたちの願望はより効果的な方法で満たされつつあり、この傾向は変わりそうもない。技術の発展によって疑似的な恐怖体験は非常に強度の高いものとなり、ごくわずかな人々しかそれらを求めようとしなくなるかもしれないが、ホラーというジャンルが基本的な人間の気質と密接な関係があることを考えれば、わたしたちのホラーを求める欲求はすぐに消えることはありそうもない。恐怖を掻き立てるようなフィクションはなにがしかの形で何万年も存在していたし、人類が人類であり続ける限り、つまり恐怖を抱く種、ホモ・サピエンスであり続ける限り、ホラーもまた人類とともにあるだろう。人間の本性についての最近の科学研究の進歩をもってすれば、今、その理由を解明できるときがようやく来ているのである。

第１部　ホラーの進化論的分析

1. 獣の評価：ホラーの定義と研究史

　ホラーの研究者たちはホラーというジャンルが18世紀後半にゴシック小説の登場とともに現れたと考えたがる（Bloom 2010, Botting 1996, Kendrick 1991, Punter 1996, Ska 2001）。〔この考えによれば〕常軌を逸した英国の作家ホレス・ウォルポールが１７６４年のゴシックロマンス小説『オトラント城奇譚』（井口濃訳・講談社）でこのジャンルをほぼ独力で発明したということになっている。『オトラント城奇譚』は古く朽ち果てつつある城で生じる奇怪な幽霊譚を扱った疑似ドキュメンタリー形式の小説である（Walpole 1996）。ウォルポールの小説はゴシック小説を特徴づけることになるいくつかの要素を扱って人気を博した。すなわち遠い昔の遠い土地という異国情緒あふれる舞台設定、おどろおどろしい古い城、暗い秘密の通路、悪意を持った敵においかけられる無垢なヒロイン、暗澹としたメロドラマ的な雰囲気づくりに貢献する説明不可能で不思議な出来事、などである。ゴシック小説は１７９０年から１８３０年にかけて絶頂期を迎え、この間アン・ラドクリフ、M・G・ルイス、チャールズ・マチューリンなどが恐怖をそそるストーリーを出版し、ひろく読まれた。そうした小説は、神秘的で明らかに超自然的な出来事や生物を扱い、何千もの読者に安全地帯で楽しめるスリルを提供した。ゴシック小説は19世紀を通して人気のあるジャンルでありつづけた。クライヴ・ブルームによれば19世紀は「偉大なゴシックの時代」であり、彼はこの種の作品を「19世紀のもっとも人気のあるジャンル」であるとした(2012, 212)。

ゴシック小説は明らかに今日の多くのホラー・ストーリーの先祖であり、現在のホラーは少なくとも二世紀前に確立された技法を再利用している。恐ろしい古い建物というモチーフはヘンリー・ジェイムズの1898年の心理学的ゴーストストーリー『ねじの回転』(1969)から人気のあるテレビ番組『アメリカン・ホラー・ストーリー』(Murphy and Falchuk 2011-)、そして映画『死霊館』(Wan 2013)〔2013年 ワーナー・ブラザース〕に至るまで、ほとんどすべての「死霊が憑いた家」を扱ったストーリーに共通している。超自然的な出来事や恐ろしいモンスターは、さまざまなホラーに充満している。たとえばテレビシリーズ『スーパーナチュラル』(Kripke 2005-)などがその一例だ。不吉な雰囲気、隠されたアイデンティティ、危機に陥ったヒロイン、地下の迷宮などについても、現在の作品に多く見られる。たとえば批評家に絶賛されたテレビシリーズ『トゥルー・ディテクティブ』(Pizzolatto 2014)の第一シーズンはそれらすべての要素を用いている。しかしゴシック小説はなぜ19世紀に生まれ、なぜこれほどまでに人気になったのだろうか。ホラー研究、ゴシック研究においてよくみられる仮説は、ゴシック小説は啓蒙運動の抑圧の結果生じたというものである。この仮説はおおむね以下のようなものだ。合理的な形で知覚できる宇宙を前提とし、教義的な信仰と非科学的な直観を経験的な観察と実験で置き換えようとした科学革命の後、啓蒙運動が17世紀中盤から18世紀後半まで西ヨーロッパを席巻した。啓蒙運動の思想家たちは理性、合理性、科学を重視し、迷信と学問的、宗教的正統性に戦いを挑んだ。この知的風土の中で、基本的な人間の情動、すなわち荒々しい感情、奔放な想像力、野性味あふれる奇想は抑圧されてしまった。こうした情動は18世紀後半から19世紀までヨーロッパで栄え、純粋な感情、崇高で半ば宗教的な経験、自然のままの想像力の躍動を称揚したロマン主義に結実した。ロマン主義のより暗い側面、すなわちより暴力的で不穏な傾向と志向はゴシック・フィクションとなって表れた（Baldick and Mighall 2012, Jackson 1981, Punter 1996）というのだ。仮説は理路整然としているが、いささか単純なものである。

ゴシック小説がロマン主義の情動、すなわち進化の結果得られた人間の感情的創造的領域と共鳴しているという考えには、おそらくいくばくかの真実があるだろう。それらの領域は啓蒙時代には少なくとも部分的に抑圧されていたからである。そして、現代のホラーがゴシック小説を先祖に持っているという考えも多分に正しい。一部の批評家は「ゴシック」という用語をスティーヴン・キングのストーリー（Hoppenstard and Browne 1987, Sears 2011）のような現代のホラーを記述するときに用いたり、ホラー全体を包含するような用語として用いたりしている。「ゴシック」と「ホラー」は類義語であると主張する批評家もいれば、しばしば類義語として用いられると指摘する批評家もいる（Bloom 2012）。わたしの見方としては、「ホラー」は包括的な用語であり、受容者に不安や恐怖といった否定的な感情を引き起こすように作られたフィクションを含むカテゴリーである。そして、ゴシック・フィクションは単にホラーのひとつに過ぎない。ゴシックは受容者にある種の感情的反応を引き起こしたり、ある種のテーマを表現したりといったある種の機能を非常にうまく果たす一連のコンヴェンションである。ゴシックは歴史的現象であり、スラッシャー映画と同様、ホラーが歴史的にひとつの姿をとって表れたもののひとつに過ぎない。一方ホラーとは機能的な呼称であり、歴史を超越するものである。

批評家たちは、ホラーの定義が非常に難しいということで意見を一致させている（Bloom 2012, Hutchings 2004）けれども、このジャンルが情動的に定義されている、すなわち意図された受容者の反応という点で定義されるという点について彼らの見方は同じである（Cherry 2009, 54, Reyes 2016）。批評家のダグラス・E・ウィンターが有名な１９８８年のホラー・アンソロジー『プライム・イーヴル』の序文で言っているように、「ホラーはミステリーやサイエンス・フィクション、ウェスタンのようなジャンルではない。それは図書館や書店の特定の棚にとじこめるためのフィクションの分類ラベルではない。ホラーは感情なのである」（1988, 12）。ウィンターはおそらく大ぶろしきを広げすぎていたのだろう。彼がこれを書いていたのは１９８０年代後半であり、当時は多くのホラー・ファンは、ホラーというジャンルが商業化と文学的な断片化というふたつの弊害にさらされており、その結果質の悪い書き手と強欲な出版社によって粗製乱造された低レヴェルの作品があふれ、そのために批評家たちはホラーを価値ある文学形態としてみなさなくなっていると感じていた。しかし彼の主張の要点は今でも有効である。ホラーは感情的に定義されるのだ。そして、ホラーの消費者たちがホラー映画のチケットを買ったり書店で「ホラー」のラベルのある書棚からペーパーバックを手に取ったりするときには、自分たちが怖い思いをすることを期待しているという点は疑いようがない。

ホラーに対する志向と性格についての調査でわたしたちは被検者に、どの程度怖いホラーを好むかを尋ねた。たいていの被検者は怖いホラーが好きであるようにわたしたちは考えがちだが、そう決めつけるのは早計である。知的な、あるいは美的な刺激のみを求めているのかもしれないし、友人に勧められてその作品を鑑賞することを選んだのかもしれないし、作品によって否定的な感情を喚起されるのを避けようとする気持ちはあるけれども好奇心の方がまさっていたのかもしれない。しかしふたを開けてみれば、まったく怖くないホラーが好きだと答えたのは3・8パーセントに過ぎなかった。17・2パーセントの被検者が「中程度の怖さ」、25・5パーセントが「かなりの怖さ」、15・5パーセントが「極度の怖さ」を求めていた。明らかに、大部分のホラーの消費者にとって、否定的な感情のシミュレーションがこのジャンルの主要で欠くべからざる魅力となっているのである。『パラノーマル・アクティビティ』(Peli 2009)の衝撃的な劇場用トレイラーが良い例証となろう。この短いトレイラーは劇場で映画を見ている観客と映画の場面そのものを交互に映す。グレインの目立つ緑色のナイトヴィジョンのイメージの中で、トレイラーは観客が恐怖に身を引きつらせ、目をおおい、神経質に笑い、恐怖に叫ぶ様子をとらえている(図1・1)。その合間に熱狂的なレヴューがさしはさまれる。その中には「『パラノーマル・アクティビティ』は史上もっとも怖い映画だ」や「真に迫る恐怖」といった賞賛が含まれる。ホラー小説、映画、ビデオゲームの「怖さ」はマーケティングでの明

図 1.1 :『パラノーマル・アクティビティ』(Peli 2009) の劇場用トレイラーのスクリーンショット。観客が叫び、身もだえし、目をつむっている様子をうつしだし、映画を非常に高く評価したレヴューを挿入している。ホラーの受容者は怖い思いをしたいのであり、ホラーの作品の怖さはマーケティングでのセールスポイントとしてしばしば用いられる。

白なセールスポイントとして、あるいは批評家、消費者による承認のしるしとしてしばしば用いられている (Clasen 2016)。

たいていのホラー研究者はホラーを純然たる文化的現象、つまり特定の文化的条件によってのみ形成され、その文化的条件に言及することでのみ説明しうるものであるとみている。しかしゴシック・ロマンスという名のホラーが純然たる文化的発明であり、特定の文化的条件の生んだ偶然の副産物であるという暗黙の了解は擁護できないレヴェルの還元主義である。還元主義というのは、この見方がホラー・ストーリーが依拠している強固な心理学的気質を考慮していないからであり、問題であるというのは、こうした見方が嵩じるとホラーがより古いストーリーテリングの伝統に根ざしているという事実を無視してしまうことになるからだ。たとえばウォルター・ケンドリックは

「わたしたちが今日知っているような恐怖をかきたてるエンターテインメントは18世紀中盤にその萌芽を見た」（1991, xxii）と書いている。しかしモダン・ホラーの根は1764年をはるかにさかのぼる。有名なホラー研究家のジェイムズ・B・トウィッチェルはその影響力のある1985年の本『恐ろしき快楽』で、「モダン・ホラーは18世紀後半に起こった、印刷と挿絵は極度の『恐ろしき快楽』を引き起こすことにより、人間精神の内奥にある強力な感情を喚起しそれを利用することができるという発見に端を発する」と記している。彼は「わたしたちはホラーという技法の起源を19世紀初頭以前に求めることができる」と認めることで文化主義者の陥りがちな過ちを逃れており、さらに続けて「ホラーのいかなる包括的な研究も（本書はそのようなものを意図したものではないが）、洞窟の中で始めなければなるまい。疑いもなくわたしたちの先祖はそうした暗い洞窟で岩々に囲まれながら、明滅する影が壁の上を動くのを見て、突進する獣に見立てていたであろう。最古の『怪物』である」（4）と論ずる。トウィッチェルは数ページを費やして何万年も前に人類によって洞窟の壁に描かれた奇怪な合成モンスターのような石器時代の洞窟壁画に見られるホラーの要素を議論している（Wengrow 2014）けれども、それから先史時代を置き去りにして18、19、20世紀のホラーへと筆を走らせる。

ホラーの勃興を18世紀に求める批評家とは対照的に、アメリカの作家でホラーの理論家でもあったH・P・ラヴクラフトがその小論『文学中における超自然の恐怖』〔大瀧啓裕訳、学研〕で、「主要な感情に密接に結びつく表現形式に当然のこととして期待できるように、恐怖譚は人間の考えや話す能力と同じくらい古いものである」（1973,17）〔大瀧 11〕と述べたのはよく知られている。ラヴクラフトがこれを書いていたのは1920年代後半であった。20世紀も後半になると、ホラーやゴシック小説について論ずる一握りの学究にとっては、このジャンルを「原始の感情」から切り離して、そうしたストーリーに至る道を切り開き、それに形を与えたとされる文化的な力に焦点を当てることが流行となった。この決別は文化の基盤に生物学的な要素があることを無視ないし軽視する一般的な知的傾向によっていっそう拍車がかかった。この傾向は20世紀の大部分にわたって社会科学と人文科学に多大な影響を及ぼし、一部の領域では依然としてその影響力を持ち続けている（Carroll 2011, Pinker 2002）。しかしラヴクラフトの意見は自身が考えていたであろうよりも正鵠を射たものであった。彼は常識─素朴心理学─と文学の伝統についての深い知識を用いてホラーの理論を構築したのだが、最近の神経科学と宗教についての認知科学の進歩は彼の理論が正しかったことを証明し、彼の洞察により深い説明的枠組みを与えている（Clasen 2017）。ラヴクラフトは人間の本性をホラー・ストーリーの魅力を説明するための基盤として提示し、人間は生物学的に、迷信に基づく恐怖に弱いと主張した。この傾向はラヴクラフトとその仲間たちによって書かれた「奇妙な話」（weird tales）を含む超自然的なホラー・ストーリーが利用しているものである。彼が書いているように「非常にまじめな頭脳であっても、その暗い片隅では時として想像力が興味深い暴走を見せることがある。その結果いかなる合理化や意識改革、フロイト的な分析も、暖炉の隅のささやきや、さみしい森で感じるスリルを否定することができないのである」（1973,13）。人々は実際「自動的に」行為主体を検知する（Atran and Norenzayan 2004, 714）。つまり、無作為な視覚的、聴覚的ノイズにパターンを当てはめ、深夜の奇妙な物音といった説明不可能な出来事の背後に行為主体を想定するのである。進化の過程でわたしたちは、危険を示唆しているかもしれない不明瞭な刺激にさえ恐怖をもって反応するよう進化してきたのだ（Atran and Norenzayan 2004, Marks and Nesse 1994）。

ホラー・ストーリーは本質的には古代からの―おそらくは想像上のシナリオを作り共有するという人類に備わった能力と同じくらい古い―芸術形態であるにもかかわらず、ホラーの学術的な研究が始まったのはごく最近、１９７０年代後半になってからである。ホラーの学術的研究はホラー・フィクションの商業的ブームに乗る形で生じた。すなわち英語圏での第三次ホラー黄金時代である（Luckhurst 2005）。最初の二回の黄金時代は１８００年代のゴシック・ロマンス人気、そして19世紀後半のヴィクトリア朝世紀末小説の人気である。この時期にロバート・ルイス・スティーヴンソンの１８８６年の小説『ジキル博士とハイド氏の奇妙な事件』（2002）、オスカー・ワイルドの１８９０年の小説『ドリアン・グレイの肖像』（2003）、ブラム・ストーカーの１８９７年の小説『ドラキュラ』（1997）ほかの多くの作品が書かれた。第三次ホラー黄金時代はロマン・ポランスキーの『ローズマリーの赤ちゃん』（1968）〔１９６９年 パラマウント映画〕とウィリアム・フリードキンの『エクソシスト』（1973）〔１９７４年 ワーナー・ブラザース〕などの有名でできのよい映画で華々しく幕を上げた。１９７４年にスティーヴン・キングが『キャリー』（1999）でデビューし、その後も商業的に成功したホラー・フィクションを量産したことで、このジャンルは大変人気のあるものとなった。１９７０年代にはホラー・フィクションの台頭はほとんど無視することのできない文化的傾向となっていた。そここに、ポップ・カルチャーやロウブロウ、ミドルブロウのエンターテインメントに焦点を当てたメディア・スタディーズやカルチュラル・スタディーズの勃興が加わり、権威ある研究者たちも長椅子の上の時間をホラー・ストーリーの文化的重要性、イデオロギー的影響、そして性心理学的意義について考えることに費やすようになったのである。

ホラーやゴシック・フィクションについての学術的研究の数は過去数十年の間に爆発的に増加している。毎年、何十冊もの新刊書—アンソロジー、学術書、ガイドブック、入門書—が出版されている。『ゴシック・スタディーズ』や『ホラー・スタディーズ』といったホラー・エンターテインメント研究に特化した査読つきの学術誌も何点か存在している。これらのテーマに興味を持つ研究者たちの学会や研究会も定期的に催されている。研究者がホラー・フィクションに真剣に取り組むことはきわめて「まっとうな」ことになり、彼らはさまざまな理論的視点をホラーに適用している。

2009年の学術論文でジェロルド・E・ホーグルとアンドリュー・スミスは「文学と映画におけるゴシック』への真剣な批評的関心」は「デーヴィッド・パンターの『恐怖の文学』にもっとも力強く示されている（1）」としている。『恐怖の文学』〔石月正伸ほか訳、松柏社〕は1980年に出版され、1996年には増補された二巻本の形で出版された（Punter 1996）。パンターの本は「1765年から1872年までの英米ゴシック文学の歴史」というサブタイトルがつけられており、ゴシックやホラー・フィクションの歴史的展開をたどり、このジャンルが表面的にはメロドラマのように見え、超自然的要素が非常に多く存在しているにもかかわらず、現実的で重要な心理学的、社会的問題に取り組んでいることを明らかにした。パンターは暗黙のうちに、このジャンルが単なる逃避主義であるという広く見られる誤解に挑戦したのである。彼はフロイトの精神分析を用いて、これらのテクストに潜んでいるように見える奇妙で規範を打ち破るような性的要素、抑圧された心理学的コンプレックスに焦点を当て、マルクス主義理論を援用してゴシック・フィクションの奥で重要な役割を果たしている階級闘争に光を当てた。十分にフロイト主義、マルクス主義的ではないという批判（Kosofsky Sedgwic 1982）、精神分析や唯物論的歴史学を表面的に、単に伝統的な文学、文化分析への踏み石として用いているだけであるという批判を受けたけれども、パンターの著作はゴシックやホラー・フィクションが真剣で持続的な学術的関心に値するものであることを示したという点でひろく評価されたのである。ジーナ・ウィスカーが述べているように、パンターの研究は「ホラー批評を尊敬しうるものにした」（2005, 232）のであった。

初期の、きわめて影響力のあるもうひとつの論考、ロビン・ウッドの「アメリカンのホラー映画概論」（1979）も精神分析とマルクス主義を用いてホラーに現実世界での重要性、とりわけイデオロギーを伝える媒介としての重要性を与えている。ウッドはホラー映画はモンスターとして造形される「他者」と関わりを持つ様態において進歩的ないし反動的でありうるとしている（1979, 11）。ウッドのフロイト的視点においてはモンスターは文化が抑圧し圧迫している何らかの存在の具現化である。たとえば、ある文化は同性愛、女性、そして（あるいは）プロレタリアートを抑圧するかもしれない。これらの抑圧された概念がホラー映画のモンスターとしてあらわれる、というのだ。この視点からすれば、『エクソシスト』（Friedkin 1973）のような映画は女性のセクシュアリティに恐るべき性質を与えていることになる。リーガンが悪魔に取り憑かれるのは思春期の始まりにおいてであり、その理由はおそらく父親が不在で母親が性的、政治的にリベラルな考えを持っているからである。そして彼女は十字架で自慰行為をしたりきわめて汚い言葉を使ったりし始める。したがってこの映画は有害で反動的な性の政治学を広めていることになる。この性の政治学によれば、女性のセクシュアリティはそれが怪物的なものにならないように、きわめて厳格な家父長的束縛のもとに抑制されなければならないのだ。ウッドはパンターのように、ホラー映画に真剣に取り組む方法とその理由を示している。しかし、彼は客観的な学術研究の対象として映画を扱うのではなく、自らのホラー映画分析をイデオロギー的闘争におけるラディカルな武器として用いることに興味を持っていた。彼はフロイト主義とマルクス主義を混合して理論的な土台を作り、そこにイデオロギー批評を大量に加えて、次のような企てが必要であると主張した。「ここにおいて、精神分析理論という媒体を通してフェミニズムと同性愛解放運動がマルクス主義と手を携え、家父長的資本主義イデオロギーを打倒するという共通の目的に向かって進むのだ」（Wood 1979, 7）。ウッドはホラーに登場するモンスターをイデオロギー的な行為であるとして捉えたために、ホラーの政治学的色彩に——偏ってはいたが——狙いを定めることができた。しかしその結果として、こうしたモンスターたちは首肯できないような性心理学的重要性を与えられ、その文学的、視覚的重要性は見逃されてしまうことになったのである。

ウッドは世界を変えたいと願い、アメリカのホラー映画研究をその目的に対する手段であると見た。彼の論考は20世紀後半における文学、映画研究におけるより大きな傾向、ジョナサン・ゴッツチョールが「解放主義者のパラダイム」（2010）と呼んだ傾向を示している。ゴッツチョールは学術的な文学研究はその黎明期より、時には必死になって、自らの存在理由、存在意義を探してきたと述べている。科学者たちが人類を月に送るのに忙しく、生物学者たちが致命的な病気に対するワクチンをこしらえようとしているとき、文学研究者は何の役に立つというのか。こうした充足感の欠如と劣等感のために、１９６０年代後半の文学者たちは「学問的手段を通してラディカルな、ないし進歩的な政治的目的を遂げようと能動的に関わりを持つようになった」（462）。ウッドは確かにそのような試みを念頭に置いていたであろう。彼の論考が掲載された『アメリカの悪夢』の２５年後に出版された、当時を回顧する論考の中で、ウッドは以下のように振り返っている。「『アメリカの悪夢』において決定的だったのはわたしたちの政治的関与である。それは左翼的でラディカルで、マルクス主義への〔傾倒と言わぬまでも〕少なくとも関心と、とりわけマルクスとフロイトの１９７０年代の思想における融合の色彩を帯びていた。この関与は「ホラー映画についての『真実、真実のみ』を語ろうとするいかなる願望よりもわたしたちにとっては非常に重要だったのである」（2004, xiv）こうした映画研究の正当化はゆがんだ偏見に満ちた学術研究を引き起こす温床となりうる。政治運動は確かに必要だが、映画研究、文学研究の原動力となるべきではない。わたしたちの基盤は研究対象についての真実を明らかにするものであるべきだ。

ゴッツチョールの分析では、解放主義的パラダイムへの関与は通常、ポスト構造主義的認識論や社会構築主義への関与と結びついており、生物学を人間の社会的想像的生活における重要な因果関係として認めない姿勢を伴う（2010）。上で述べたように、文科系の研究者たちは何十年にもわたって生物学を無視し、あるいは生物学が人生を形成する役割を果たしていることを熱心に否定してきた。学術的なホラー研究も例外ではない。ポスト構造主義的な考え方、主としてフーコー的な文化批評はフロイト的な精神分析やマルクス主義的な社会理論と融合してホラー研究の分野できわめて影響力のあるパラダイムを作り上げてきた。そのパラダイムとはホラーのテクストからイデオロギー的、性心理学的ダイナミクスを発掘することに焦点を当てるパラダイムである。バーバラ・クリードの、「怪物的な女性性」についての影響力のある論考を例として取りあげてみよう。クリードは「怪物的な女性性」を「ショッキングで、恐怖を催させるような、卑しいものとしての女性性」（1996, 35）と定義している。クリードは理論家ジュリア・クリステヴァの論考に立脚しているが、クリステヴァの論考はフロイトを再解釈したラカンに拠っている。クリードはそこにラディカルなフェミニズムを加えてホラー映画のジェンダー・ポリティクスを批判する。クリードによれば、ホラー映画は家父長制ないし「男根による秩序」（43）―これはクリステヴァの概念をラカン風にアレンジしたものである―を脅かすような女性のモンスターを描く傾向がある。フロイト的な、あるいはネオ・フロイト的な視点をとるほかの多くの批評家と同じように、クリードは抑圧されたコンプレックスを至るところに見ている。彼女は「ホラー映画が血、とりわけ女性の出血する肉体―描写の中では女性の肉体は「大きく口を開けた傷」〔すなわち月経時の女性器〕へと変容している―を偏執的に描きたがることは、去勢不安がホラー映画の中心的な関心事であることを示唆している」（44）という。この主張が説得力を持たないのは、疑わしいフロイトの学説の前提をすべてア・プリオリに受け入れた場合にしか有効とはなりえない、貧弱な象徴的謎解きに基盤を置いているからである（Tudor 1997, 450-451）。

ホラーに対するフロイト的な視点はしたがって、きわめて歪曲的な性質を持っている。次の主張を見てみよう。「ホラー映画は常に非合理性を利用しているが、非合理性とは精神分析的な視点からすれば常に性的なものに起源を持っている」（Dumas 2014, 22）。こうした主張は精神分析的な視点からは当を得たものかもしれないが、精神分析的な視点そのものが誤りなのである。後の章で議論するように、危険な、超自然的な、あるいは精神障害のある行為主体―デュマが「非合理性」という言葉で意味したもの―への恐怖は性心理学的な抑圧ではなく、環境における脅威に対抗するために進化してきた心理学的性質に起因している。さらに、ホラーが常に非合理性を利用しているという主張はあまりにも範囲が広すぎて実質的にはほとんど意味をなさない。このジャンルについて何ら興味深いことを伝えていないのである。また、次の主張を見てみよう。「ホラー映画のあらゆる暴力は常に去勢と罰をめぐるものであり、したがって常にジェンダーにまつわるものである、と言えるだろう」（Dumas 2014, 26）。これもまたフロイト的な歪曲である。フロイト自身（2003）、体の一部をなくすことに対する恐怖を去勢に対する特定的な恐怖に十把一絡げに結びつけている。しかしこの主張は架空の象徴的照応関係―目を失うことは男根を失うことである―に拠っており、実験で証明される科学に依拠するものではない。この主張をつきつめていけば、女性（そして男根を持たないほかの人々）は手足を切断する場面のあるホラー・ストーリーに接してもなんとも思わないことになるが、もちろんそのような事実はない。

精神分析的な視点の歪曲的効果を示す別の例として、『ジョーズ』(Spielberg 1975)のサメが本当は「歯の生えた女性器/子宮」である、というバーバラ・クリードの主張を考えてみよう(Creed 1996, 56)。ホオジロザメはもちろん歯がある。それもたくさんの歯がある。その口は女性器と同様、中に向かって開かれており、子宮のように中空になっている。しかしサメを見て無意識的にでも、歯の生えた女性器や子宮を連想する視聴者がわずかでもいるだろうか。サメの姿が意識的ないし無意識的に、歯の生えた女性器や子宮の概念を見る者に惹起するという実証的な証拠、あるいは状況証拠が存在するのか。もし存在しないのであれば、クリードのこの読みはいかなる認識論的、あるいは解釈上の価値を持つのか。ほとんど価値はない、とわたしは考える。それにもかかわらず、こうした読みは精神分析的な解釈の典型例となっている。精神分析の視点においては、恐怖は本当は恐ろしいものごとに対するものではなく、メタフォリカルに偽装された抑圧された願望に関するものであり、そのためにわたしたちは自分たちのもっとも隠された抑圧された願望の象徴的な描写に対して恐怖をもって反応するのだとされる。

フロイトの遺産は、それが本家のものであれ修正的なものであれ、今日のホラー研究で花形となっている(Schneider 2004)が、これは興味深いことである。正統的精神分析は心理学部においては歴史的な価値を持つものとしか見なされていないけれども、大学の文学部ではどういうわけか生き残っており、映画やメディアを研究する学部でも程度は低いながらもまだ見ることができる。これはおそらくフロイトの理論がきわめて創造的で生産的な力を持っているためであろう。それはループ・ゴールドバーグ・マシンのように、その一端からテクストを入力するともう一方の端から、スリルに満ちた、奇怪で直感に反する説明を出力するからくりとして機能するのだ。一部の文学批評家やメディア批評家がなぜフロイト的な枠組みを魅力的なものだと感じるのかを理解するのは難しいことではない。それによって彼らは高度な訓練を受けた専門家にのみ知覚しうるテクストの隠された層に特権的にアクセスできるという幻想を抱くことができるからである。また、このおかげで彼らは性器について絶え間なく、しかし大真面目に、語り続けることができるのだ。マーク・ヤンコヴィッチは別の説明をしている。彼はホラーに精神分析的にアプローチすることで「ホラーに真剣さが与えられる。

精神分析を通して、多くのホラーのプロットが持つ奇想天外な性質が逃避主義としてではなく抑圧されたものごとに向き合う試みとして読むことができるのだ」(2002, 21) と言っている。マルクス主義やジェンダー・ポリティクス、クイア理論といったイデオロギー批評と精神分析が融合すると、批評家は自分たちがホラーの深層構造を理解し、それを喧々囂々たる政治的な議論に結びつけることができるような気分になるのだ。

当然のことながら、議論されている作品が精神分析的な思考によって作られた場合には、精神分析が解釈の実践において有効となる。フロイトの理論は20世紀の知的シーンに多大なる影響を与えたから、多くの芸術家たちはその科学的な妥当性にかかわらず彼の考えに影響を受けた (Schneider

2004)。これらの芸術家の作品を理解するには精神分析を理解しなければならない。しかし、もし文学者、ないしメディア学者が正統派精神分析を解釈の枠組みとして使用した場合は重大な過誤が生じうる。それはちょうど、プロの天文学者が占星術を使用することができないのと同じことである。最小限の認識論的必要条件として、他の分野の理論（たとえば心理学、社会学、言語学の理論）にもとづく文学理論、メディア理論はその基盤となる学術分野で実証的に妥当性が証明されたもののみを用いるべきである。正統派精神分析が心理学の分野で説明の枠組みとして否定されたのであれば、文学やメディアの研究でそれを使い続けることが正しい、あるいは妥当なことであろうか。わたしにはそうとは思えない。精神について議論している文学やメディア研究者たちは心理学者たちと同じ存在論的対象を議論しているのである。正統派精神分析が文学研究、メディア研究において解釈の枠組みとして妥当性を持つと主張することは、「科学と文学がお互いにまったく切り離された存在論的認識論的範疇を占めている」（Carroll 2008, 329）と仮定しなければ、つまり、ストーリーの世界に没頭し、映画を楽しむ精神が、心理学者たちが研究している精神とはまったく質的に異なるものだと仮定しなければ意味をなさない。これは明らかに誤ったことである。

パンターやウッドの黎明期の努力によってホラーは学術研究の立派な一分野となった。彼らの後継者たちの多くはラディカルな主張の森に迷い込んでしまっているが、20世紀の終わりまでに解放主義的パラダイムの無数の批評的分派が学術的なホラー研究を埋め尽くしているという事実は変わらない。これは「修正版精神分析、マルクス主義、フェミニズム、ジェンダースタディーズ、ポスト構造主義的ディコンストラクション、『ニュー』ヒストリシズム、カルチュラル・スタディーズ、そしてこれらすべて、とりわけカルチュラル・スタディーズをクイア理論、批評的人種研究、ポストコロニアル研究に発展させたもの」（Hoge and Smith 2009, 1, また Baldick and Mighall 2012, Brewster 2014, Hogle 2006, Hughes 2006 も参照）といった批評的分派である。わたしが見るに、ホラー・フィクションが現在、学術的な分析対象としてまじめに扱われているのはよいことであるが、理論的基盤が乱立しているのは手放しで喜ぶべきことではない。ジョナサン・ゴッツチョールは人文学研究において「可能な説明の範囲を狭めること」を強く主張している（2010, 464）。可能な説明の範囲を狭めるひとつの方法は、ほかの学問分野で時代遅れとなってしまった理論にもとづくアプローチを駆逐することである。心理学と精神医学が科学的に妥当でないという理由で正統派精神分析を否定したのであれば、文学、メディア研究者は正統派精神分析を説明のための枠組みとして用いるべきではない。経済学者がマルクス主義を放棄したのであれば、人文科学者もそうすべきである。ほかの理論についても同じことだ。ゴッツチョールの主張の延長線上に立って、わたしは現在の大半のホラーに対する学術的アプローチは誤った認識論的仮定に立って機能し、理論的に時代遅れとなった心理学的基盤に依拠しているか、大半の歴史主義者のアプローチにおいてそうであるように、ホラーの心理学的根拠を無視しているかのどちらかである、と考えている。

精神分析などの科学的に時代遅れとなった精神の機能についての理論に拠って解釈を実践し理論を構築するホラーの研究者たちは、このジャンルの心理学的基盤を探究する際にはフロイトやその後継者たちを忘れて現代の自然主義的な心理学（naturalistic psychology）に目を向けることで利益を得ることができるだろう。エディプス・コンプレックス、女性器／子宮、そして男根の異常なまでの重要性といった認識論的存在論的に疑わしい主張を必死になって再利用するのではなく、進化心理学、人間行動環境学、愛情認知神経科学などの最新の発見に活路を見いだすべきである（Carroll 2010）。同様に、多くのジェンダー理論に立脚したホラーの研究者を含む、精神の機能の生物学的進化論的基盤を無視する学者たち（たとえばGrant 1996, Humphrey 2014）と、歴史主義的（Loewenstein 2005, Phillips 2005, Skal 2001）ないし哲学的（たとえばCarroll 1990, Schneider and Shaw 2003）枠組みで研究しているホラー学者たちは進化論的パラダイムによる、より深い説明的な理解から利益が得られるであろう（Clasen 2012d）。フィリップスの言葉を借りれば、歴史主義的なホラー学者たちはホラー映画がそれらが生まれた文化の側面、とりわけ映画の中で隠喩的に表現されている不安と「共鳴」するありようを探す傾向にある（2005, 7）。たとえば、フィリップスはロメロの荒涼たる『ナイト・オブ・ザ・リビングデッド』（1968）を、１９６０年代後半の社会的政治的緊張に対する想像的反応であると読んでいる。そのような「症状」としての読みにはいくばくかの真実があるだろうが、わたし自身のその映画についての章で示すように、進化論的アプローチはより包括的で分析的に豊かな枠組みの中にそうした読みを包摂することができる。確かに、ロメロの映画はある種の幻滅した時代精神を表現しているけれども、危険な環境において生存するために進化したメカニズムに効果的に働きかけるような感情的にも想像的にも強力な表現を用いてそうしているのである。この映画が観客を引きつけ不安をかき立てる力の少なくとも一部を、１９６０年代後半のアメリカから社会的政治的にかけ離れた環境においても保持しているのはそれが理由なのだ。

本書においては、先行研究—わたしのものもほかの研究者によるもの（Boyd 2005, 2009, Clasen 2004, 2007, 2010a, 2010b, 2012a, 2012b, 2012c, 2012d, 2012e, 2016, Carroll 1995, 2004, 2011, Carroll et al. 2012, Carroll 2012b, Gottschall and Wilson 2005, Gottschall 2012, Grodal 2009, Plantinga and Smith 1999, Swanger 2008）もある—を踏まえつつ、ホラーの生物文化学的アプローチを提唱したい。そのようなアプローチは生物学に基づく枠組みの内部で文化的な詳細にも目配りを行き届かせることができる。そうする目的の一部は進化社会学の進歩を利用するためであり、また一部は擁護できないほど還元主義的で原因を単一のものとする説明の枠組み（文化構築主義の変種）と、神秘的で非科学的な心理学に長い間どっぷりとつかってきた学術的ホラー研究を正しい道筋に戻そうとしてのことである。しかし学術的ホラー研究がさまざまな目的、方法、理論的基盤を持った数多くの多様な批評理論に満ちているとすれば、本当に別のアプローチ、生物文化学的アプローチが必要なのか、という声もあるだろう。この修辞疑問は早計である。なぜなら生物文化学的アプローチは単なる「もうひとつの」アプローチではないからだ。これは社会科学や、究極的には自然科学と垂直的に統合された枠組みの中に有効な既存のアプローチを包含しようとする試みなのである（Carroll 2010）。そのような枠組みはわたしたちのホラー・フィクションへの理解を改善することができるし、だからこそわたしたちにはそれが必要なのだ。

わたしはこの研究を、Ｅ・Ｏ・ウィルソンの「学術的統合」（consilience）（Wilson 1998）への呼びかけに対する答えと考えている。学術的統合とはあらゆる知識を物理学のもっとも基本的なレヴェルから人間の文化のもっとも複雑なレヴェルまで、因果関係によって結びつけられた統一された枠組みに統合しようというものである。生物文化学的アプローチを採用したり、学術的統合に参加したりすることは、芸術が心理学、生理学、分子生物学、素粒子物理学に還元されてしまうということを意味しない。複雑性のそれぞれのレヴェルにはそれぞれの固有の属性がある。芸術には心理学に還元されない属性があり、心理学は脳化学に還元されないカテゴリーで機能している（Boyd, Carroll, and Gottschall 2010）しかし精神は脳の産物であり、芸術は精神の所産だ（Carroll 2013）。したがって、精神と脳を正確に理解し、それらを形成した進化の力を正しく把握することは、ホラー研究をより豊かにすることはあっても損なうことはないのである。学術的なホラー研究を統合された因果関係の説明に位置づけることは、ホラー研究をほかの科学と同じ土俵に上げ、ホラー・フィクションの構造と機能を理解したいと思っている人々にとって啓蒙的なものにするであろう。

2. ホラーの作用　その一　否定的な感情の進化と刺激

人間は恐怖する生物である。わたしたちは殺されること、攻撃されること、病気に感染すること、愛する人を失うこと、発狂すること、地位を失うこと、嘲笑されることを恐れる。全面的核戦争、テロ攻撃、自然災害を恐れる。モンスターや精神異常者を恐れる。怒れる神々や悪意を持った精霊のような目に見えない行為主体すら恐れる。わたしたち人間は自分たちが万物の霊長、食物連鎖の頂点、最後のアルファ捕食者であると考えているかもしれない。しかし実際は、わたしたちは弱く傷つきやすい生物なのである。ネコ科の捕食者のような必殺の牙もなく、蛇の毒もなく、ほかの大型哺乳類の体力もない。暗闇でははっきりものを見ることすらできない。もちろん人間には大きな脳があり、それを自慢にして自らをホモ・サピエンスすなわち賢い人と呼んでいる。しかしわたしたちの大きな脳と他に類を見ない形で発達した想像力の逆説的な側面は、わたしたちが現実的で起こりうる危険に対してだけでなく想像上の危険―すなわち精神の中にしか存在しない（Dozier 1998）けれども、だからといって脅威が減じるわけではない―に対しても恐怖するということだ。産業化された世界に暮らす人々はたいていの自然界の危険、少なくとも捕食者や毒をもつ動物から生じる危険の大半を打倒し、夜の闇を電灯で駆逐したにもかかわらず、その精神は昼夜を問わず恐怖を紡ぎだしているのである。哲学者のスティーヴン・T・アスマが述べているように「大脳新皮質の拡大は再帰的で象徴的な、事実に反する思考ができる余地を生み出し、その大いなる特権とともに底知れぬ脅威を感じるようになった」（2015, 957）のである。それではなぜわたしたちはそのような「底知れぬ脅威」に対して恐怖するように進化してきたのだろう。そしてホラー・エンターテインメントは恐怖や不安といった否定的な感情を惹起するためにどのようなデザインがされているのだろうか。

地球上にいるあらゆるほかの生物同様、人類は自然選択と適応という進化のプロセスの結果である。チャールズ・ダーウィンが一世紀半前に記しているように、あらゆる生物は環境との適応的な関係において進化した（Darwin 2003 [1859]）。ランダムな変異―遺伝物質にもたらされたコピーミス―のために、一部の個体は他の個体よりも環境によりよく適応できるような形質を持って生まれてくる。これらの幸運な個体は生存と繁殖の可能性が高く、そのよりよく適応した遺伝物質を次の世代に受けつぐ確率も高い。十分な時間と十分に強い自然選択圧があれば、きわめて複雑な適応も生じうるし、またそれらが種全体に広がることも可能なのである。たとえば人間の心臓や立体視を例にとってみよう。いずれもホモ・サピエンスが普遍的に備える形質である。これらの形質は明らかに適応的であり、遺伝的変異が長い時間をかけて蓄積され、ついに複雑で機能的なメカニズムを生んだために生じたのだ。

解剖学的に見れば現代の人類―すなわちわたしたちの種であるホモ・サピエンス―はおよそ20万年前にあらわれた（Wade 2006）。しかし人類のストーリーはそれよりもずっと古い。わたしたちのストーリーは3兆5千億年前に地球上に生命が生まれたときから始まる。2億年前になってようやく最初のほ乳類が生まれ、最初のヒト属が誕生したのは250万年前まで待たなければならない。この気の遠くなるような地質学的時間を考えれば、現代の人類はごくごく最近になってこの地上に姿を現したことになる。しかし、わたしたちの解剖学的な「装備」は〔最近になって現れたものではなく〕何百万年、何兆年にもわたる進化の過程で先祖から受け継がれたものだ。ヒト属はそれに先行するほかの種から進化したのだし、そのほかの種はまた別の先行する種から進化した。進化の糸は現代の人類から初期の生命体まで辿ることができるし、わたしたちが人類に見ることができる進化の結果としての構造はほかの種の中にもまったく同じ、あるいは似たような形で見られるのだ。たとえば、多くのほかの種は人類と同じ心臓や立体視できる目を持っている。わたしたちは母と子の絆という古くからのほ乳類の適応を依然として有しているし、基本的な「闘争か逃走か」という反応はは虫類や魚類とも共有している（Shubin 2008）。事実、人間の感情―人間の本質とされる気質―の背後にある神経生物学的な装置は、ほ乳類の系統史に深く根ざしているのだ。

恐怖―ラヴクラフトが言ったように（1973, 12）〔大瀧６〕「人類のもっとも古く強烈な感情」―はほ乳類の防衛システムに起源を持ち、その防衛システムはほ乳類が環境内での脅威に対応するために進化してきた（Ohman 2008）。あらゆる動物は生存を脅かすような、繰り返し生じる脅威に対処するためのメカニズムを進化の結果として備えている。人類においても他のほ乳類においても、否定的な感情がそのような機能を果たすのだ。それらは生物を害から守り、危害を与えうるものから遠ざかるような動機づけを与えるように進化してきた。わたしたちは恐怖や不安を厄介な存在、健康を損ない野心の成就を阻止する不快な感情であると思うかもしれないが、もし進化の過程で否定的な感情が生まれていなかったら、わたしたちは今ここにはいないだろう。わたしたちの祖先が暮らしていた環境の中で、仮に恐怖を感じないヒトがいたとすれば、そうした環境が危険に満ちていたことを考えれば、たちどころに死んでしまったに違いない。

何百万年にもわたって、人類、ヒト属の生物（そしてそれらに先行する初期のほ乳類）は、捕食者、目に見えない病原体や毒素、害意を持った同族（自分と同じ種の個体）、社会的放逐、そして崖や深い水といった危険な地形などからもたらされる、命を落としかねない危険に直面して生まれてきた（Dozier 1998, Pinker 1997）。彼らが生きていた世界は脅威で満ちていた。そのような脅威は考古学的な記録から再構築することができる。考古学者たちはしばしば剣歯類の巨大な牙に貫かれた跡のある頭蓋骨のような、明らかな捕食の証拠を示すヒト属の化石を見いだしてきた（Hart and Sussman 2009）。そのような古生物学の発見はわたしたちの祖先が—あるいはより正確に言えば、祖先になれなかった祖先の仲間たちが—時として肉食捕食者の食料として一生を終えたことを示している。科学ライターのデーヴィッド・クアメンの印象的な言葉を借りれば「人類の自意識のもっとも初期のものは、自分が肉であるという認識であった」（2003,3）。

ほかの証拠は現代の狩猟採集民族からもたらされる。文化人類学者や古人類学者たちはしばしば狩猟採集民族をわたしたちの進化論上の祖先の代わりとして用いている。人類の進化史の99％において、祖先は狩猟採集社会で暮らしてきたからだ（Cosmides and Tooby 1997）。人類の進化という視点からすれば、農業や現代テクノロジーはごく最近の発明であって、わたしたちの本性を形成するほど十分な時間存在していない。たいていの人類の適応はより「原始的な」存在によってもたらされる脅威に対応するために生じた（Pinker 1997, Wade 2006, また Cochran and Harpending 2009 も参照）。それでは現代の狩猟採集社会を見ることで何がわかるのだろうか。現代の狩猟採集社会にまつわるもっとも驚くべき事実は、単なる老衰で死ぬ人がほとんどいないことである。ある研究は、３０００人以上の構成員からなる狩猟採集社会の七つの集団における死因を調査した。これらの個人のうちで老齢のため死んだ者はほとんどいなかった。老衰による死はわずか９・５パーセントにとどまった。圧倒的多数――72・４パーセント――は病気のため、５・２パーセントは事故、11パーセントは〔捕食を含む〕暴力のために亡くなっていた（Gurven 2012, 297）。今日の狩猟採集社会がわたしたちの祖先の人類、ヒト属の社会の反映であると考えれば、こうした数字と考古学的証拠を合わせて、わたしたちの祖先が実に危険な生活を送ってきたと結論づけることができるだろう。

そのような〔脅威の〕存在は人間の心理に深く刻み込まれている。わたしたちは常に周囲の危険に気を配るように進化してきた。心理学者のアーン・オーマンとスーザン・ミネカは、彼らが進化した「恐怖モジュール」（2001）と呼ぶものを注意深く論じている。これは小脳扁桃のような、その目的に特化された脳の構造によって支えられた、進化の結果として生じた防衛システムである。このシステムの機能は生物を害から守ることであり、このシステムはその進化論的系譜を示す数多くのデザイン的特徴を備えている（LeDoux 1996）。そのような機能のひとつはシステムの領域特化性ないし「選択性」（Ohman and Mineka 2001, 485）である。これは、わたしたちがある種の刺激に対してほかの刺激よりもより恐怖をもって反応するという事実、そして、わたしたちが恐怖をもって反応する刺激が必ずしも現代において非常に危険な刺激ではなく、進化論的に関連性の深い刺激である傾向があるという事実を意味する。たとえば人類にとって、芝刈り機を恐怖するよりも蛇を恐怖することの方がたやすいが、産業化された世界においては蛇より芝刈り機の方がずっと危険なのである。詳しくは次の章で述べよう。

おそらくもっとも印象的なのは、人間の恐怖システムが危険を示す兆候に対して過剰に反応するよう進化してきたという事実である。これはわたしたち人類がかくも容易に恐怖を感じてしまう理由、ちょっとした影にもおびえて飛び上がってしまう理由である。このデザイン的特性の背後にある生物学的論理は「用心に越したことはない」(Better safe than sorry) という警句に要約されよう。危険で予測不可能な環境においては、偽陰性—危険があるのに危険がないと推定すること—は、偽陽性—危険がないのにあると推定すること—よりもはるかにコストがかかる (Marks and Nesse 1994)。言葉を換えて言えば、生存という見地から考えれば、たとえば森の中を黄昏時に歩いているような場合、葉ずれの音のような危険を知らせるかもしれない曖昧な兆候に対して恐怖をもって反応した方が、それを無視するよりもずっとよい。シェイクスピアが『真夏の夜の夢』でテーセウスに言わせたように、「夜にびくついていれば、藪も容易に熊に見える」(1.5.22-23) のだ。だから恐怖システムの標準設定は影に驚いて飛び上がることなのである。真夜中に危険な音を聞いた場合、恐怖システムはわたしたちの体内に一連の生理学的、認知的変化を引き起こす。その結果わたしたちは闘争か逃走かという反応に備え、危険を示すかもしれない兆候により強い注意を払うのである。つまり心拍数は上がり、戦闘や回避に備えてすぐに使えるエネルギーを用意するために血糖値も上がる。血流は消化器—捕食者や落石などが迫っているときにはそれほど重要でない—を迂回して、より大きな筋群に向けられる。そういうわけで口が渇いたり胃が落ち着かない感じがしたりするのである。瞳孔は拡大して、できるだけ多くの視覚情報を取り入れようとする。鳥肌が立つのは遠い祖先時代の名残である。そのころには体は毛皮に覆われており、鳥肌を立てることによって毛が逆立ち、その結果からだが大きく、より恐ろしく見えて、防衛に役立つというわけだ。注意は脅威に向けられ、ほかの心配事は忘れてしまう（Dozier 1998）。これらの生理学的、認知的プロセスのすべては速やかに自動的に、何ら意識的なコントロールをせずに行われる（Dozier 1998, Ohman and Mineka 2001）。

恐怖システムの過剰反応は非合理的な行動を引き起こすように見えるかもしれない。たとえば真夜中に奇妙な音が聞こえた場合、確率論的に考えれば誰か悪意を持った行為主体が侵入してきたのではなく、特に行為主体のない機械的な出来事―床板のきしみや冷蔵庫のモーターの音など―が原因である可能性が高い。しかし恐怖システムは統計論で動いているわけではない。そのモットーは「用心に越したことはない」なのだ。何ものか、危険な行為主体が家に侵入したという仮定に立って恐怖心をかきたて、万一の場合に備えて闘争ないし逃走の準備を進めた方がよいのだ。さらに、そのような自動的な過剰反応は実際のところ、危険で予測不可能な環境においては非合理的なものではなく、その正反対なのだ。何かしらの兆候に対して恐怖や不安を抱いて反応し、その結果特に有害なものでないとわかったとしても、若干のエネルギーと時間を浪費しただけですむ。しかし何らかの捕食者の存在を示す兆候に反応できなかった場合は、文字通り肉塊になってしまう。したがって危険が高く時間が切迫している場合、恐怖システムによって発動する、自動的ですばやい、防衛的な行動が適応的なのである。

恐怖は祖型的な否定的感情、人類に普遍的な要素であって、ホモ・サピエンスの、正常に発達したあらゆる個体に見ることができる（Brown 1991, Ekman 2005）。恐怖は不安と密接に結びついており、不安もまた害から身を守るために進化した否定的感情である。しかし恐怖が差し迫った脅威に対する適応的反応であるのに対し、不安はより遠くおぼろげで抽象的な脅威に対する適応的反応である（Ohman 2008）。恐怖と不安は似たような生理学的変化を生み出すが、その結果として現れる行動は異なっている。恐怖のためにわたしたちは闘争や逃走の準備ができるが、不安の結果わたしたちは周囲を注意深く探索し調査することになる。ドジエは不安を恐怖の一類型であるとし、不安は未来志向の感情であり、危険や脅威の予測に対して生じる感情であるのに対し、恐怖は差し迫った危険ないし脅威に対する反応として生じると論じている（1998, 16）。

人間の恐怖システムのもうひとつの印象的な特徴はその堅牢性、つまり意識的にコントロールしようとしてもできないという性質である（Ohman and Mineka 2001）。恐怖反応が生じている場合、意識の力でそれをなだめようとしてもなかなかできない。たとえば蜘蛛が嫌いな人が視野の端に何か動くものを捉えたとしよう。それは一見、床を這う大きな蜘蛛のように見える。クモ嫌いの人は強い恐怖反応を起こす。脈拍が上がり、手に汗を握り、胃が落ち込むような感じがする。「クモ」から飛び退いたり、大声で叫んだりするかもしれない。しかし蓋を開けてみれば、それは単に大きな埃が風に吹かれていただけだった、としよう。しかしそれがわかったときですら彼の心臓の鼓動はおさまらないし、頭の中は忌まわしいクモのイメージでいっぱいになっているのだ。似たようなことは高所恐怖症の人がグランド・キャニオン・スカイウォーク（キャニオンの谷底から800フィートのところに設置された透明の足場）に足を踏み出せないときにも生じる。また、犬の糞に似たチョコレートを食べられない人の心中にも同じ原則が働いている（Bloom 2010, Rozin, Haidt, and McCauley 2005）。頭の中ではこのガラスの建築物は安全で数多くの安全規定に堪えるものであること、そして犬の糞ではなくただのチョコレートであるとわかっているのだ。だが、脳の奥深くにある古来からの防衛メカニズム、外見以外誰も、何も信用しないように進化してきたメカニズムにそう言い聞かせてみても無駄なのだ。

安全であると頭では理解していても安全ではないと感じてしまう場合には奇妙な葛藤が生じる。理性的には、飛行機での旅行は現代世界においてもっとも安全な交通手段であると理解しているのだが、やはり飛行機に足を踏み入れると恐怖で震えてしまうということがありうる。ラッシュ・W・ドジエ・Jrはこのパラドックスの神経生物学的基盤を概説し、危険そうに見えるけれども安全であると知っているようなものを知覚したときに脳内で生じる並行処理の仕組みを説明している。太古の昔より大事に保存されてきた、主として大脳辺縁系―ほかのほ乳類にもある、進化論的に見れば古い構造―に存する原始的な回路は、危険を示しているかもしれない兆候を知覚して恐怖反応を引き起こす。一方前頭前野―感情的反応を統制し衝動をコントロールする脳の部分―に位置する、進化論的に見て最近にできた構造は、慎重に兆候を評価して、古い恐怖システムによって生み出された反応を制御することができる。逃げ出したいという衝動を理性的に抑えて水面から15フィート上ある飛び込み板にのぼり、大脳辺縁系が「死ぬぞ」と警告しているが、頭の中では数秒間スリルに満ちた自由落下を楽しむことができると理解しているものに向かって真っ逆さまに飛び込むことができるのである。しかし前頭前野が恐怖システムを制御できると言っても限度がある。ドジエが言うように、「前頭前野と大脳辺縁系は絶えずわたしたちの行動を支配しようと競い合っている」（1998, 68）のだ。これは原始的、感情的衝動と理性的な意志決定の間の絶え間ない闘争である。

ダーウィンはその著書『人および動物の表情について』〔浜中浜太郎訳、岩波書店〕で、ロンドン動物園で行った興味深い実験のことを記している。「私は「動物園」のパッフ・ダー〔訳者註。飯匙倩（ハブ）の一種）の前で、厚い硝子板に顔を密接し、仮令《たとい》蛇が打ちかかっても、決して逃げ出すまいと堅く決心していた。ところが、蛇が硝子《ガラス》板を打つや否や、私の決心は一向役に立たなかった。私は驚くべき速さで一、二ヤード（一ヤードは約九一センチメートル）飛び退いた。私の意志や理性は、未だ経験したことのない危険の想像に対しては無力であった。」（1998 [1872] 43-44）〔浜中58〕。ダーウィンの小話は大脳辺縁系にあるメカニズムが全力で生み出す恐怖反応を前にしては前頭前野の理性的なメカニズムは比較的無力であることを例証している。彼は「厚いガラス板」が自分を守ってくれるだろうと知っていたけれども、大脳辺縁系は言うことを聞かなかった。大脳辺縁系から見れば、急速に近づいてくる蛇はガラスがあろうとなかろうと蛇以外の何ものでもないのである。

ホラー映画やホラー小説に見られるすぐれた「こわい場面」、あるいはホラーゲームのとりわけ総毛立つようなシークエンスは、ダーウィンのパフアダーと同じように働く。古くから進化によって備わっている防衛メカニズムと、即時的に作用する前頭葉前部のメカニズムを見事に狙い撃ちするのだ。言葉を換えて言えばホラー・フィクションは受容者の中枢にある神経回路に電線を投げ込むことによって作用する。それは恐怖システムに関与することで関心を捉え、保持する。恐怖システムはいったん作動すれば対象がフィクションであろうとごっこ遊びであろうと幻想的な手品であろうとお構いなしなのだ。わたしたちは頭の中ではそれがフィクションであると「知って」いる。そういうわけでわたしたちは恐怖に駆られて映画館から逃げ出したり、自衛のためにスティーヴン・キングの小説を放り投げたりはしない。しかし時として、映画、小説、コンピュータゲームによって引き起こされる原始的な恐怖反応をコントロールするのに多大な労力を要することがある。１９７２年のレイプに対する復讐を扱ったホラー映画『鮮血の美学』〔１９８７年 日本ヘラルド映画〕の惹句にあるように、「失神しないようにするために、繰り返し自分に言い聞かせてください。これは映画だ、映画だ、映画なんだ、と」。もちろん、映画史をひもとけば一部の注目すべきケースにおいて、ホラー映画の観客たちが恐怖反応に圧倒されて気絶したりスクリーンを攻撃したり、恐怖のあまり映画館から逃げ出したりしたことがあるとわかる。たとえば１９７３年の『エクソシスト』の劇場公開においてそうした事例が見られた（Kermode 2003）。

だからホラーというジャンルは進化の結果獲得された防衛システムである恐怖システムに狙いを定めることによってその感情的目標を達成していることになる。こうしたわけで感情を研究する心理学者たちはホラー映画の映像を研究で使うのだ。人間の被験者の恐怖を調べたい場合、彼らは被験者に『シャイニング』（Kubrick 1980）、『羊たちの沈黙』（Demme 1990）などの映画の場面を見せる（Gross and Levenson 1995, Rottenberg, Ray, and Gross 2007）。これが効果的なのは、フィクションが感情──「擬似的な感情」（Walton 1990）ではなく真正な感情的反応を引き起こすからである（Hartz 1999, Mellmann 2002）。すぐれたストーリーに接するとわたしたちは悲しさ、幸福、驚き、嫌悪、恐怖などを感じる。そうしたストーリーに没頭しているときに抱く感情はほんものの悲しさ、幸福観、驚きなのである。ホラー・フィクションは恐怖や不安を引き起こすような考え──単純なイメージ（巨大なクモ！）から複雑なシナリオ（極秘の軍事実験が次元の間の障壁を破壊して別の時空の現実からモンスターをわたしたちの時空に解き放ち、混沌と社会の崩壊が引き起こされたらどうなるか？）まで──を抱かせることで否定的感情を生み出そうとする。映画やコンピュータゲームは視覚的メディアであるから直接的に恐ろしい視覚刺激──恐ろしいモンスターの描写のような──を与えることができる。そうした視覚刺激はあたかもそれらが現実であるかのように一部の脳構造によって処理される（Grodal 2009, 101-102）。一方ホラー文学は言語的な描写を提示するけれども、それがわたしたちの想像力を一定の方向に導き、他の方向に向かうのを抑制するから、いってみれば特定のイメージをわたしたちの脳に吹き込むことになる。しかし（方法の差異はあっても）あらゆる媒体のホラーは同一の、進化の結果得られた精神的システムを標的にすることで機能するのである。神経科学者のジェフ・ザックスが述べているように、「あなたが本を読むとき、あなたは本の中に描かれている状況のモデルを構築している。それは同じ状況を描いた映画を見ているときに構築するモデルとおおむね類似している」（2015, 42）。映画によって生じる表現は、神経生物学的レヴェルにおいては、文学によって生じる表現と同じなのだ。

たとえば損壊された死体の写真のような気味の悪いイメージを見ると強い感情的、生理学的反応が生じるのは驚くべきことではない。しかし心の中でそうしたイメージを想像するだけでも強い反応が生じうる。サイコパスたちがハロウィン用のリンゴにカミソリを埋め込んで配るという都市伝説を思い出していただきたい。そのような、一見おいしそうに見える赤いリンゴにかじりついたところを想像してほしい。考えただけでも不快なことだ。それはわたしたちの想像力が、仮定のシナリオが認知的に構築されたときにも適切な感情的反応を引き起こすように進化してきたからに他ならない。これは想像力の機能的デザインなのである。デニス・ダットンが述べているように、想像力によって「知的なシミュレーションと予測、すなわち実体験においてコストの高い実験をすることなしに問題の解決法を試してみること」(2009, 105-106) ができるのだ。そのようなシミュレーションは単にハイテクコンピュータなら淡々と合理的に処理するであろう知的、認知的なものではない。仮想シナリオを構築する場合、換言すれば起こらなかった過去や起こりうる未来を想像する場合、わたしたちはそうしたシナリオを感情的に経験するのである (Tooby and Cosmides 2001, Boyer 2007)。わたしたちはクモでいっぱいの水槽に手を入れたり学校内を裸で走り回ったりグランドキャニオンスカイウォークから飛び降りたりしなくても、そうした行動が全体的に見て賢明でないことがわかる。そのような行動を想像するだけで感情的な反応が生じ、わたしたちは理解することができる――「だめだ、これはだめだ」と。

とりわけホラー・フィクションは、わたしたちを引き込み、その関心を保つように作られている。その方法は認識可能な虚構の時空〔舞台設定は超自然的モンスターが登場するストーリーであってもきわめて現実的なものになる傾向にある〕を作り上げ、虚構の世界における「錨」〔ひとり、ないしそれ以上のキャラクター。その視点を通してわたしたちはストーリーの出来事を経験したり、そうしたキャラクターに共感したりする。両方の場合もある〕を設定し、そうした「錨」を忌まわしい出来事に直面させることである。この構造によって受容者が〔虚構の世界へ〕「移動」することができる。つまり、受容者は虚構の世界に移行し、主人公とともに、主人公のために、感情を抱くことができるようになるのである。わたしたちは『シャイニング』(Kubrick 1980)のダニーの恐怖を味わうと同時に、彼が狂った父親の手から逃れて欲しいと望む。『エクソシスト』(Friedkin 1973)で悪魔に取り憑かれたリーガンをかわいそうに思うと同時に彼女に嫌悪感を抱く。そして『羊たちの沈黙』(Demme 1990)でスターリン捜査官が心許ない懐中電灯で暗い倉庫を捜査するときには不安を感じるのだ。さらに、ホラー・フィクションはそのジャンルが持つ典型的な主題のためにわたしたちの関心を引き、それを保つようにできている。進化の結果としてわたしたちは環境—虚構の環境であっても同じである—の中で危険を示す兆候に慎重に注意を払うようになったし、わたしたちの関心はホラーに表現されているような状況にはとりわけ釘付けになるからである。

２００７年のホラー映画『クローバーフィールド／HAKAISHA』(Reeves 2007)〔２００８年 パラマウント映画〕に登場する〔ホラーという〕ジャンルに典型的な場面を見れば、ホラー・フィクションが

図2.1:『クローバーフィールド/HAKAISHA』(Reeves 2007) で、巨大なモンスターから逃げる主人公たち。視点をうまく利用した撮影のために、観客は視覚的にキャラクターと同じ位置に置かれることになる。まるでわたしたち自身が主人公たちとともに暗い地下鉄のトンネルの中にいて、危険がどこからやってくるのかびくびくと警戒しているかのようである。この閉所恐怖を引き起こすようなシーンは闇と捕食者を恐れるという進化の結果生じた感情を標的にしている。

進化の結果として獲得された防衛のための心理学的メカニズムを利用しているという考えが理解できるであろう。この映画では、宇宙から来た巨大なモンスターがマンハッタンの大規模な破壊を引き起こす。主人公のグループはマンハッタン島を脱出しようとしている。彼らは暗い照明しかない地下鉄のトンネルを、光量の十分でない光源しかついていない手持ち式ビデオレコーダーを片手に逃げていく（図２・１）。トンネル内の視界は非常に悪い。突然、登場人物たちはネズミの群れが彼らと同じ方向に走っていくのに気づく。「やつらも逃げているらしい」と登場人物のひとりが言う。「何から？」と別のひとりが尋ねる。そのとき、明らかに彼らの背後から、正体がわからないけれども遠くにある「なにか」が、這いずるような、不安にさせるような音を発し始める。彼らも観客も、この「なにか」が近づいてきており、そのためにネズミが恐怖にかられているのだとわかるけれども、視界が悪いためにこの潜在的脅威の正体がわからない。登場人物たちがビデオレコーダーのナイトビジョン機能を使うことを思いつくと、彼らも観客も数匹の犬くらいの大きさのクモのような形をして鋭い歯を持った生物がトンネルの中をこちらに近づいてくるのが見える。怪物たちは登場人物たちに襲いかかり、彼らは安全を求めて必死に逃げていくが、ひとりは重傷を負ってしまう。

この場面の舞台設定では、わたしたちは閉鎖された場所に閉じ込められており、脱出の手段はごく限られている。そこへもってきて危険なモンスターが迫っていることを知るので、これは壊滅的状況になりそうだとわかり、登場人物たちの不安と同じものを感じることになる。撮影効果（登場人物が操作している手持ち式カメラの使用）と語り方（観客の知識は登場人物の知識の埒外には出ない）によって観客は主人公たちと一緒に暗闇の中に閉じ込められる。暗闇、および遮られた視界はホラー・フィクションの常套である。人類は夜目がきかないため、暗闇で待ち伏せされると弱い。研究によれば、暗闇は不安を増すことがわかっている。暗闇のために脅威の探知がずっと難しくなることを考えれば、これは潜在的に危険な状況に対する適応的な反応である。おどろき反射─生得的な防衛反応─は恐怖や嫌悪を感じている状態ではより強く現れる。これは恐怖増強（fear-potentiated startle）として知られる現象である。ひとつの研究（Grillon and Davis 1997）では、暗い環境に置かれた被験者は明るい環境に置かれた被験者よりも嫌悪を催す環境刺激（短いが大きなホワイトノイズ）に対してより暴力的に─すなわちより大きな驚きをもって─反応した。暗闇は恐怖システムのスイッチを入れる。わたしたちが暗闇が怖いという場合、それは通常暗闇の中に潜んでいるものが怖いという意味である。ラヴクラフトが述べたように、「恐怖のなかで最も古く最も強烈なものは未知なるものの恐怖である」（1973,12）〔大瀧6〕。未知なるものが潜む場所として暗闇ほど好都合な場所はない。『クローバーフィールド／HAKAISHA』の場合、登場人物たちは暗いトンネルに閉じ込められており、迫り来る危険を示す兆候（不気味な耳障りな音）が観客の恐怖システムを発動させる。わたしたちは座席で恐怖に身をこわばらせながら、映画の中の登場人物と一緒になって虚構の環境内に危険の兆候がないかどうかと精査する。ホラー映画の定番として、登場人物たちがはっきりと見えず脅威に満ちた環境を心配そうに調査する様子を描写するというものがあるが、これは進化の結果として獲得された神経認知学的防衛メカニズムのデザイン的特性を考えれば、観客に認知的感情的に作品と関わりを持たせる方法としては効果的である。

作品から切り離して単独で見れば、これらの場面は実はそれほど怖くない。ホラー・ストーリーはストーリーを通して―人間の恐怖システムの進化によって獲得された側面に訴えることによって―次第に感情的反応を強めていくように作られているからである。恐怖や不安を引き起こすような刺激にさらされると、わたしたちはそうした刺激により敏感になり、その後で与えられる刺激に対してより強く反応するようになる。多くのホラー・ストーリーが多かれ少なかれおぼろげにその姿がほのめかされる脅威の存在を示唆するような鮮烈な場面で幕を開けるのはその理由による。『クローバーフィールド／HAKAISHA』でわたしたちが目にする最初の映像は黒い背景に浮かぶ文字列であり、それはこの映像がアマチュアの（したがって、実在の出来事を映した）手になるものであることを示唆している。最初の映像に見える文字は「アメリカ合衆国政府蔵」とある。そして次の映像では「『クローバーフィールド』と呼称される事件の複数の目撃記録。書類番号USGX-8810-B467 デジタルSDカード」という文字が流れる。第三、第四の映像には「カメラは事件現場『US-447』、かつて『セントラルパーク』として知られていた場所で回収された」という文字列が現れる。数秒のうちにこの映画は、わたしたちが何か恐ろしく破壊的な出来事、セントラルパークが破壊され、軍隊の大規模な介入が必要となるほどの出来事についてのストーリーを目にするのだと教えてくれる。しかしわたしたちはその出来事が具体的に何なのかはわからないから、好奇心が刺激されることになる。同様に『エクソシスト』は奇怪な騒擾―屋根裏からの物音、奇妙な前兆―を映画の開幕冒頭の数分で描くことで観客をひきつける。より暗示的な例としては、『ハロウィン』（Carpenter 1978）は、タイトルシークエンスで脅威を示唆する。このシークエンスでは真っ暗な背景にカボチャが現れ、ゆっくりとこちらに迫ってくる。カボチャの不気味に光る目と口、そして不安をかき立てるような音楽によって観客は何か恐ろしいことが起こることを知るのだ（図2・2）。

こうした映画、そしてこれらに似た無数の他の映画は、観客を初期の段階から（恐怖を引き起こす刺激に）過敏にしておく効果がある。文字で書かれたフィクションも同じ戦術を用いている。すなわちストーリーの序盤で危険の明確な、あるいは曖昧な兆候を提示するのだ。ホラーゲームはゲームの舞台となる世界に関する何らかの背景となるストーリーや背景となる知識で幕を開ける傾向にあるが、

図2．2：カーペンターの『ハロウィン』(1978) のタイトルシークエンスに見られる、光る目のついたかぼちゃ。ゆっくりとかぼちゃに近づいていくカメラの動きと不気味な音楽が相まって、不安な雰囲気を作り出している。多くのホラー映画は脅威のおぼろげな姿を暗示しつつ始まり、感作の作用を通して視聴者の恐怖を高めていく。

そのような場合には舞台となる世界は危険をはらんだ世界であることが示唆される。これは効果的な語りの戦術であるが、それは受容者の感覚を過敏にすること、すなわち感作（sensitization）が恐怖の閾値を下げるからである（Dozier 1998）。恐怖はさらなる恐怖を呼び、環境内の脅威に対する関心を高める（Ohman 2008）。これは虚構の環境に対しても同じことである。よくできたホラー・ストーリーに接するとわたしたちは不安に駆られて虚構の環境の中で脅威の兆候を必死になって探し、ストーリーが進行するにつれて感情的な反応もますます強くなるのである。『エクソシスト』（Friedkin 1973）の悪名高いスパイダー・ウォークの場面をYouTubeで見ても、実際に映画の文脈の中で見るよりもずっと恐怖は薄いが、その主な理由はホラー・フィクションが生み出す恐怖の相乗効果によるものだ。（副次的な理由として、その前に来る場面を見ていない場合には登場人物に共感することができず、共感が持てない場合には感情移入ができないから、という点も挙げられる）。映画はわたしたちを恐怖に対して敏感にさせ、漸次的に不安をかき立てるような雰囲気を作り出していく（わたしたちは、この虚構の世界は何かおかしいぞ、何か恐ろしいことが起こりそうだと思い始めるのだ）。ずっと印象的な例は『ブレア・ウィッチ・プロジェクト』（Sanchez and Myrick 1999）のラストシーンである。ふたりの主人公が森の中の荒れ果てた家に入っていく。暗く、彼らは恐怖にとらわれており、わたしたちはこれまでの映画の展開から、何か恐ろしく危険なものが家の中にいることが察せられる。映画のストーリーという文脈の中で見ればこの場面は非常に恐ろしいものだ。しかしそれだけ抜き出して単独で見れば、ほとんど怖くない。サスペンス、予想、共感が映画の中で次第に大きくなっていき、ラストシーンに入る頃にはわたしたちはすっかり登場人物に感情移入してしまっており、彼らを餌食にしようと狙う何らかの存在におびえ、何が起こるか確信は持てないながらも最悪の結果を予測するのである。

ホラー・エンターテインメントはわたしたちを怖がらせ、不安にさせ、嫌悪感を抱かせるように作られている。進化の結果獲得された気質のために、わたしたちが恐怖や不安を覚える方法は有限であることを考えれば―恐怖を催させるようなものは生得的気質によって制限された可能性の空間の中にしか存在しない―ホラー・エンターテインメントのモンスターや恐ろしいシナリオもまた同様に、まったくの無作為の産物ではなく、歴史的によく見られた危険を誇張したり脚色したりする傾向がある。『クローバーフィールド／HAKAISHA』の地下鉄の場面で主人公を襲うクモがそのよい例であろう。クモは現代の産業化された西洋では統計上、死亡率に何ら関わってこないのに、なぜホラー・エンターテインメントのモンスターとしては常連なのだろうか。人類の進化史を深く辿っていくことによってのみ、その問いに答えることができるだろう。

3. ホラーの作用　その二
恐ろしいモンスター、恐ろしいシナリオ、恐ろしいキャラクター

ホラー・フィクションのもっとも効果的なモンスターは、進化の結果として獲得された人間の恐怖を利用するために、わたしたちの先祖が遭遇したであろう危険を提示する。一部の人々にしか訴えないような恐怖―たとえば蛾を怖がるなどの変則的な恐怖―はホラーの書き手、監督、プログラマたちは避ける傾向がある。ホラーを扱う芸術家たちは一般的に可能な限り多くの受容者に訴えかけようとするものだし、そうなればもっとも一般的な恐怖に狙いを定めることになる。作家のトマス・F・モンテレオーネが述べたように、「ホラーの書き手は普遍的な『引き金』になりうるものが何なのかについて無意識的な感覚や知識を有している」（qtd. in Wiater 1997, 119）。あらゆる一般的な恐怖はいくつかの生物学的に限定されたカテゴリー、ないし領域の中に位置づけることができる。進化論的な長い時間にわたって、人間とその祖先たちは捕食者、同類の個体による暴力、汚染による感染、地位

の喪失といった領域、そして生物ではないけれども危険な環境的特徴といった領域に位置づけることができる、命取りになりかねない危険に直面してきた（Barrett 2005, Boyer and Bergstrom 2011, Buss 2012, 71-103, Marks and Nesse 1994）。言葉を変えていえば、彼らは捕食者（哺乳類の肉食獣からクモ、蛇といった有毒を持つ動物までを含む）、自分と同じ種に属する敵意を持つ構成員、目に見えない病原体、細菌、ウイルス、そして地位の喪失、放逐、そして究極的には社会からの追放（祖先が暮らしていた環境では社会からの追放は死を意味しえた）から生じる危険に直面してきた。そして彼らは同様に激しい雷雨のような危険な悪天候、崖その他の危険な地形からの転落などによって生じる致死性の負傷のリスクも抱えていた。こうした種類の危険がもたらす選択圧によって恐怖システムには特定の領域に対する特異性が生まれた。つまり、このシステムはそうした危険に対して特別敏感になるように進化してきたのである。時としてそうした過剰反応によって恐怖システムは不合理なまでにカテゴリーを拡大し、無害な対象に対して過敏に発動することもある。たとえば「危険な動物」のカテゴリーを蛾にまで拡大することがありうる。先に述べたように、生存のための黄金律は「用心に越したことはない」なのである。

もっとも基本的で普遍的で遺伝子に刻み込まれた恐怖は突然生じる大きな音に対する恐怖、そして突然現れるものに対する恐怖である。わたしたちがドアの陰に隠れて、誰かがいるとは夢にも思っていない友人に大声をあげてとびかかって驚かせるとき、わたしたちはこの恐怖に訴えかけようとしているのである。急激な大きな物音や突然現れるものは人類、そしてほかの多くの種にも同様にいやおうなしに驚きの反応を引き起こす。ネズミの背後に忍び寄って急に大きな声を出せば、その反応は誰かがあなたの背後に回って叫んだ時の反応と同じである。犬、リス、人間の幼児に対して試みてみるがよい。成功することは請け合いである。おどろき反射は原始的で素早く生じるものであり、効果的に生物の目を危険に向けさせ、その準備をさせることができる。ホラーゲームやホラー映画はとりわけこの生得的な恐怖を「ジャンプ・スケア」の手法で利用している。「ジャンプ・スケア」とはたとえば、クローゼットの中から何の予告もなしにモンスターが飛び出してきて、見る者やプレイヤーを驚かすというものだ。

ジャンプ・スケアは「インターネット・スクリーマー」として知られる現象のもっとも純粋な形式となっている。「インターネット・スクリーマー」は動画ファイル、典型的には短い動画のファイルであって、最初にしばらくの間静かで平和な景色がうつしだされ、予想もしていない衝撃的な要素（不快なイメージや大きな音であることが多い）で終わるものである。スクリーマーは１９９０年代中盤から後半にかけてインターネットに出回り始めた。もっとも有名なスクリーマーは「この絵のおかしなところはどこでしょう」というもので、これは平和なダイニングルームの様子をうつしたものである。見る者はイメージを精査して、ちょうど「間違い探し」ゲームのように、どこが「おかしな」ところなのだろうかと探してみる。30秒ほどあと、急に白眼のない女性が叫んでいる白黒のクローズアップ画面に切り替わり、耳をつんざく悲鳴が流れるのである。ひっかかった人たち―この動画が出回り始めた２０００年代初期にはたくさんいた―はとても怖い思いをすることになる。今日、

YouTubeにはスクリーマーで驚かされる様子をうつした「リアクション・ビデオ」があふれている。ほかの人々が基本的には無害な刺激に対して強い否定的感情をもって反応するのを見ることから楽しさが生まれるようである。これは一種のシャーデンフロイデ、すなわち他人が嘲笑されたり、もっとも原始的な生得的、生物学的特性によって生じるもっとも基本的な行動的反応を引き起こさせられたりすることを見るのに喜びを感じる反応の一種かもしれない。社会的地位が高い権力者、都会的で洗練された人、無邪気で無垢な人たち―どんな人であっても「こわい迷路ゲーム」をプレイすると飛び上がって叫んでしまうのだ。これは単純なオンライン・ソフトウェアであり、プレイヤーはドットを操作して画面上に現れる迷路を抜けるのに集中しているのだが、急に『エクソシスト』の病的なリーガン・マクニールが大きな悲鳴を上げて現れるので不快感とともに驚かされるのである。あるYouTubeの52秒の動画では少年が「こわい迷路ゲーム」に極度の恐怖を感じる様子が収録されているが、これは本書を執筆している時点で2700万回も再生されている（"Scary Maze prank – The Original" 2006）。

コンピュータゲームの批評用語では、プレイヤーたちを怖がらせるためにモンスターを唐突に予告なく登場させる戦略は「モンスター・クローゼット」戦術と呼ばれている。ストーリーテリング上で特に脈絡のないモンスター・クローゼットは多くの批評家やプレイヤーによって侮辱的なまでに不必要で安っぽい演出であると見られているのだが、高い効果を持っていることは否定できない。この戦術は2004年の一人称サバイバルホラーFPS『Doom3』（Willits）〔株式会社サイバーフロント〕で悪名高いものになった。この作品ではモンスターたちは文字通りクローゼットから飛び出してプレイヤーたちをおどろかせる。不必要なジャンプ・スケアはまたホラー映画のファンからも眉をひそめられる原因となる。彼らはこの戦術を原始的で芸のない脅かし方であると見ているからである。しかし、ホラー映画のもっとも有名なジャンプ・スケアのひとつは、単に驚きを生み出すだけでなくストーリーテリングの上でもテーマの上でも重要なもので、言葉を換えて言えば芸術的な効果を生み出している。それはブライアン・デ・パルマの『キャリー』(1976)〔１９７７年 ユナイト映画〕のラストシーンだ。映画の主人公であるいじめられっ子で念動力者のキャリーは学校で大暴れし、いじめっ子たちの大半を殺した後で自殺する。キャリーの高校での大虐殺を唯一逃れたスーはキャリーの墓参りをすることを夢想する。スーが墓の上に花を置くと、血まみれの手が土の中から伸びてきてスーの腕をつかむのだ。この場面は数え切れないほどの観客をおどろかせてきた。映画はほとんど終わりかけている。キャリーは死んだ。場面はゆるやかで平和的な、夢の世界のような雰囲気で描かれ、おだやかな音楽が流れている。そこへ突然血まみれの腕が出てくるのだ。しかし観客に「ジャンプ・スケア」を与えるだけでなく、この場面はスーの罪悪感と、彼女自身が苦しんできたであろう心理学的トラウマを示唆するという機能を果たしている。キャリーは死んで大騒動は終わったのかもしれないが、スーはキャリーを追い込んだという事実にずっと苦しめられ続けるのである。

普遍的ではあるが比較的限定された年齢にのみ優勢な恐怖もある。発達心理学者たちが示してきたように、子どもたちは予測可能な発達曲線に沿って特定のものに対する恐怖を発現させていく。そして進化心理学者たちが示してきたように、こうした予測可能な恐怖は、子どもたちがその恐怖の対象となっている危険に対してもっとも弱い状態にあるときに生じる。より正確に言えば、先祖が暮らしていた環境、人類が進化してきた環境において、そのような危険に対してもっとも弱かったであろう年代の時に生じるのである。これらの環境は重要な点で現代の環境とは異なっているが、恐怖は変わらず存在し続けているのだ。乳児は自分で動くことができず自分の身を守ることができないので、もっとも危険な状況は、先祖の環境においても現在においても、保護者の不在と、潜在的脅威となる他者の存在である。だから乳児は保護者から切り離されることに対する不安と見知らぬ人間がいることに対する不安を発達させ、これは這うようになるまで続く（Boyer and Bergstrom 2011, 1035）。子どもたちが自分で動けるようになると、彼らは高いところを怖がるようになる（Boyer and Bergstrom 2011, 1037）。4歳から6歳あたりで、子どもたちがより広範囲に周囲の環境を探索し始めるようになり、捕食される危険が高まると、彼らは死の概念にとりつかれるようになり、暗闇に潜むモンスターにおびえ、ライオンや虎といった危険な動物に関心を持つようになる。中期から後期児童期になると負傷や事故、感染の恐怖が現れ、後期児童期、とりわけ初期の青年期には社会的脅威が子どもたちにとって優勢となる。つまり、両親よりも仲間の方が重要な発達段階に入り、主な課題が「社会的ニッチを見いだし互恵性の安定したネットワークを構築すること」になると、子どもたちは地位を失うこと、友人を失うこと、仲間はずれにされることなどを強く恐れるようになる（Boyer and Bergstrom 2011, 1037）。

こうした、あらかじめ決まっている発達段階にともなう〔恐怖が発現する〕スケジュールの背後にある進化論的論理は明白である。子どもたちはそうした、進化論的に見て長年にわたり繰り返し生じてきた危険にもっとも遭遇しやすい、あるいはそうした危険に対してもっとも弱い時期に、特定の領域内の恐怖を発達させるのである。中には、もうこうした恐怖は卒業した、と感じる人もいるだろう。寝る前にベッドの下を覗いて、モンスターが潜んでいないかどうかチェックする必要はないんだ、と。しかし恐怖の大半は子ども時代に端を発し、形を変えながらも一生続く（Boyer and Bergstrom 2011, 1038）。スティーヴン・キングはアンソロジーの序文で読者に、夜、床につくときには未だに「自分の脚がちゃんと毛布に入っているかどうかひどく気になる。もちろん、ぼくはもう子供じゃない。でも……脚を片っぽ毛布の外に突き出したまま寝るのはいやだ。〔中略〕ぼくの踝をつかもうとベッドの下で待ち構えているものなど、いやしない。そんなことはわかっている。用心して毛布の中に足をきちんと入れておけば、踝をつかまれないということも、ちゃんとわかっている。」（1978, 5-6）〔高畠 16〕と書いている。キングは冗談で書いているのだが、そうはいっても、暗くなった後に墓地を抜けて近道をするのはやめようとか、ひとりのときに毛布の中に足を入れておこうといった大脳辺縁系から発する明らかに非合理的な衝動、脳のもっとも奥の部分からの古く不安に満ちた声に屈したことのない人がいるだろうか。幽霊やモンスターやゾンビを信じているわけでは当然ない。しかし…用心に越したことはないではないか。子供じみた恐怖の対象──モンスター、不気味な他者、危険な動物──は理性的に一笑に付すことができるかもしれないが、それらの存在は少なくともホラー・ストーリーの中には生き残っているのだ。大人向けのホラー・ストーリーでさえ、巨大なモンスターやホッケーマスクの精神異常者、闇に潜み地を這う生き物でいっぱいなのだ。

こうした、ほとんど普遍的に見られる恐怖は「準備された恐怖」(Seligman 1971) として知られている。それらは突然の大きな物音や闇に潜むものに対する恐怖のような形で生得的なものではない。急に飛んでくるバスケットボールに恐怖するように学習する必要はない。しかし準備された恐怖はそれらが遺伝的に受け継がれるけれども発現するためには環境的な刺激が必要であるという点で生得的なのである。この点からみれば人間の恐怖システムは比較的オープンエンドなものである。つまり、環境によって調整されるように設定されている。このデザイン的特性の背後にある進化論的論理は以下のようなものだ。人類は適応的であるように進化してきた (Wade 2006)。わたしたちの種はあらゆる熱帯から極圏まであらゆる気候帯で繁栄している。ただ一部の危険は時空を越えて恒常的なものである。たとえば窒息ないし溺死の危険はいつどこであろうと存在している。しかし脅威の分布にはある程度環境的な多様性が存在している。イヌイットの子どもが虎やサソリを恐れることにはほとんど意味がない。一方インドの田舎出身の子どもはホッキョクグマについて心配する必要はない。遺伝子にはわたしたちがどのような気候、環境のもとで育つのか前もって「知る」ことができないから、こうした遺伝子はわたしたちが身の回りの環境の脅威について学ぶ能力とその意欲とを準備したのである。人類は自分が置かれている文化を急速に吸収するが、そこには規範、言語、危険についての知識、食べられるものと食べられないもの、などが挙げられる。事実、学習とは「個人の一生の中で生じる環境の変化に適応し、個々の生物が自らが占める特定の環境的ニッチに合わせて行動を調整することを可能にさせるような進化論的にもたらされた適応」（Ohman and Mineka 2001, 487）である。

したがって、異なる環境がいくぶん異なる危険を有しているがために、すべての人間の恐怖が本能的で生得的であるというわけではない。何を恐れるべきかを学ぶ必要があるのだが、そうした学習は生物学的に一定の制約のもとで行われるのである。異なる環境が異なる脅威を宿すといっても、一部の脅威は進化論的に見れば十分広範に強力な形で見られたために準備された恐怖としてその名残をとどめ、個人的ないし擬似的な経験、ないし文化的に伝達された情報に反応して個人の一生の中で発動されるものとなった。このように考えれば人間の恐怖には表面的な多様性が認められるものの、その深層には共通の構造が見られることも説明しうる。２０１２年のチャイルドファンド・アライアンスによる調査「小さな声、大きな夢」は33カ国の５１００人の子どもたちから回答を得て子どもたちの恐怖と夢を定量化したものであるが、この研究によれば先進国、発展途上国を問わず子どもたちにもっとも共通してみられる恐怖は「危険な動物と昆虫」（Childfund Alliance 2012, 10）に対する恐怖であった。人間以外の捕食者が存在しない産業化された都会の環境で育っている子どもたちですら危険な動物に対する恐怖を容易に獲得するのは、そうした準備された学習が人間の本性の一部になっているからだ。ある研究ではアメリカ郊外の子どもたちに何が怖いか尋ねたところ、「道路の車」のような「気をつけるように言われた事柄を恐怖」するのではなく、「恐れるべきものはほ乳類やは虫類、すなわち（もっとも頻繁に挙げられたものでいえば）蛇、ライオン、虎」（Maurer 1965, 265）であると回答した。

準備された恐怖には蛇、クモ、高所、血、閉鎖された空間、暗闇、雷、公共の、あるいは広い場所、社会的精査、深海が含まれる（Dozier 1998, 83, Marks and Nesse 1994, Seligman 1971）。これらは典型的な恐怖の対象となりうるものであり、これらに対する恐怖は容易に獲得され、ぬぐいさるのがきわめて難しい。恐怖症（phobia）とは「危険に対してあまりにも大きな恐怖を抱くこと」（Marks 1987, 5）と定義されるが、これこそが恐怖症の奇妙さをよく物語っている。すなわち、患者にとっては非常に現実的でしばしば苦痛さえもたらすけれども、その恐怖は現実世界の危険に対応していないか、実際のリスクを異常なまでに誇張している。産業化された世界では蛇やクモ（もっともありふれた恐怖症の対象だ）に噛まれて死んだ人はほとんど誰もいない。アメリカの国家安全委員会（National Safety Council）の最近の統計によれば、２００７年に生まれた人が一生のうちに自動車事故に遭って死ぬ確率は88分の1である。対照的に、毒グモに噛まれて死ぬ確率は48万３４５７分の１であり、毒ヘビやトカゲによって死ぬ確率は55万２５２２分の1である（National Safety Council 2011, 35-36）。蛇やクモのことは忘れて車を恐怖しなければならないことになる。しかし恐怖症の対象となる脅威は何百万年も人類とヒト属の（そしてほ乳類の）先祖にとって致命的であり続けたために、そのような対象に対する恐怖を容易に獲得する進化の結果として獲得された傾向をもって生まれるのである。

スティーヴン・キングの「個人的な恐怖」リストは１９７３年に発表された。このリストは20世紀のアメリカのメイン州の住人が恐れなければならない事物、生き物、状況の反映であるというよりもむしろ、進化の結果獲得された恐怖の対象が種に特有の形で分布していることの強力な例証となっている。

1. 闇の恐怖
2. ぐにゃぐにゃしたものの恐怖
3. 奇形の恐怖
4. 蛇の恐怖
5. ネズミの恐怖
6. 閉鎖された空間の恐怖
7. 昆虫（とりわけクモ、ハエ、カブトムシの恐怖）
8. 死の恐怖
9. 他者の恐怖（パラノイア）
10. 他者の視線の恐怖（quoted in Spignesi 1991, 4）

これらは個人的な恐怖かもしれないが、キングのリストは他のどんな人にとっても共有しうるものである。アメリカ人もアジア人もアフリカ人もヨーロッパ人も、キングと同じものを恐怖するのだ。同様に、千年前、五万年前の人類も同じものを恐怖したに違いないのである。これらの恐怖はホモ・サピエンスの個体が全て持ちうる恐怖なのだ。産業化された世界に暮らす人々はもはや肉食獣の捕食という脅威に直面することはないが、こうした動物たちは人間の中枢にある神経回路に幽霊のように住み続けている。もちろん蛇やクモに対する恐怖症を誰もが発症するわけではないが、ほとんどすべての人々がこれらの動物たちに特別な興味を抱く。とりわけ蛇は、アイルランドのような蛇のいない環境においてすら、世界中の神話、宗教、迷信の中で中核的な存在となっている（Cooke 1999）。

最近行われた驚くべき実験で、科学者たちのグループは総力を挙げて哀れな中年女性を怖がらせようとした（Feinsten et al. 2011）。研究チームは彼女に有名なホラー映画の一場面（事前に対照群に対して実験され、対照群を怖がらせることができたものだけが選ばれた）を見せたり、商業的な「お化け屋敷」に連れて行ったり、ボアや毒蜘蛛などの危険な外国の動物を扱っているペットショップに連れて行ったりした。しかし、神経科学の領域で単に「S.M.」としてのみ知られるこの女性は無作為に選ばれた中年女性ではなかった。彼女は珍しい遺伝的疾患にかかっており、その結果局所性両側扁桃体損傷を引き起こしていた。彼女の扁桃体―ドジエの言葉を借りれば「脳の感情システムが持つ古い、常に監視を怠らない目」（1998, 28）―は石灰化して機能を失っていたのである。彼女は臨床的に恐怖しえない存在であった。そして実際、研究チームの試みはことごとく無残なまでに失敗した。S.M.はお化け屋敷のモンスターを見ては笑い声をあげ、ホラー映画の場面には興味を示したが怖がらず、ペットショップの「蛇の入った水槽に自発的に引き寄せられ、毒クモに触れようとするのでかまれないように制止しなければならなかった」（Feinstein et al. 2011, 34-35）。衝撃的なことに、S.M.は全く恐怖を示さなかったが、神経学的に正常な個人に対してであれば恐怖を引き起こすような事物、状況には非常な興味を示した。研究チームが発表された論文の中で主張したように「恐怖を引き起こす刺激は扁桃体以外の脳の構造をとおして関心と興奮を喚起することができる」（37）のである。

言葉を換えて言えば、恐怖を引き起こす刺激によってわたしたちは単に目を覆ったり叫びながら逃げ去ったりするだけではない。それらはわたしたちの関心を起こさせ、それをひきつけておくのである。進化論的に見れば、これは納得のいくことだ。人類の進化の大半が現在の環境よりもずっと危険な環境で生じたことを考えれば、自然選択は周囲の脅威に特別な関心を払う個人に有利に働いたことであろう（New, Cosmides, and Tooby2007, Wilson 1984）。わたしたちはコミュニケーション理論家のパメラ・J・シューメーカーが「監視機能」（1996）と呼ぶものを備えている。これは環境内の潜在的な危険を常に見張っているという傾向である。心理学者たちはこの説を支持する証拠を山のようにそろえつつある。いくつかの研究によれば、人間は大量のマッシュルームと花の画像から蛇の画像を探す方が、大量の蛇の画像からマッシュルームや花の画像を探すよりもずっと速い（Lobue and DeLooache 2008, Penkunas and Coss 2013, Ohman, Flykt, and Esteves 2001 を参照）。とりわけ蛇やクモはわたしたちの関心を引く（New and German 2015, Rakison and Derringer 2008）。わたしたちの恐怖システムの構造と、このシステムを生んだ進化論的歴史によって、わたしたちが周囲の潜在的脅威に強い関心を払う理由だけでなく、ホラー・フィクションのモンスターに魅了される理由も明らかになるだろう。それらは単に怖いだけでなく関心を強くとらえるのである（Asma 2015, Saler and Ziegler 2005）。

準備された恐怖―わたしたちの関心を引き起こしそれをひきつけ続ける、人間の本性の奥深くに秘められた気質と強い関連を持つ、この強力でほとんど普遍的な恐怖―はまた、さまざまな媒体のホラーが標的とする恐怖でもある。映画やインタラクティブなエンターテインメントではホラーは原始的で恐怖を引き起こすような聴覚、視覚刺激を用いてジャンプ・スケアをもたらそうとする。しかし文学からグラフィックノベル、絵画、デスメタル音楽に至るまで、あらゆる媒体のホラーの中にわたしたちは準備された恐怖を反映したり模倣したりする刺激を見出す。捕食者、人間の捕食者とデーヴィッド・クアメンが「アルファ捕食者」と呼ぶものはホラー作品に顕著に見ることができる。クアメンのアルファ捕食者にはトラ、クマ、クロコダイル、ホオジロザメ、ライオン、パイソンが含まれる。このような生物分類には「いかなる系統学的、生態学的根拠もない」けれども、その「実態は心理学的なもので、人間の精神に深く刻み込まれて」（2003,4）おり、こうした動物たちはホラーの中では現実世界以上に頻繁に登場する。わたしたちの大半は動物園以外では現実世界でアルファ捕食者に遭遇することはまずないけれども、スクリーンやページの上では数多く出会うことになるのだ。ホラー・ストーリーの中に多かれ少なかれ誇張され潤色されたアルファ捕食者が跋扈しているという事実は、今日の生態学的現実ではなくわたしたちの進化の結果として得られた心理学的気質の反映なのである。

一部のホラーの敵役は実際のアルファ捕食者を忠実に表現している。たとえば『ゴースト&ダークネス』（Hopkins 1996）〔１９９７年 ＵＩＰ〕に登場する、鉄道労働者たちを食べてしまう人食いライオンや『U.M.A. レイク・プラシッド』（Miner 1999）〔2000年 東宝東和〕の巨大な人食いクロコダイルなどがその例である。一部のホラー・ストーリーはアルファ捕食者の描写において、より効果的ではあるけれども写実的というわけではない。たとえば『ジョーズ』（Spielberg 1975）のホオジロザメが挙げられる。これは復讐感情や縄張り意識などといった、動物学的には考えられないような動機によって行動しているように見える。一部のホラー・モンスターは『トレマーズ』（Underwood 1989）〔1990年 ユニバーサル・ピクチャーズ〕に登場する巨大な蛇、ダン・シモンズの『サマー・オブ・ナイト』（1991）〔田中一江訳、扶桑社〕の体長が35フィートで歯が6インチの蛇、スティーヴン・キングの登場人物たちにとって悪夢となる巨大なクモのような、巨大化された捕食者である。『ニードフル・シングス』〔芝山幹郎訳、文藝春秋〕でキングは「猫と同じくらいのサイズ」〔芝山 349〕のクモの血も凍るような描写をしている（1992, 676）。『It』ではさらにメートルを上げ、「身の丈は十五フィート」〔小尾 292〕ほどあるクモを登場させている（1981, 1004）。前の章でとりあげた『クローバーフィールド／HAKAISHA』の場面では主人公たちは犬ほどの大きさのクモのような生物に攻撃される。ビデオゲーム『LIMBO』（Jensen 2010）〔Microsoft Game Studios, Playdead〕では、若い主人公は巨大なクモに追いかけられる（図3・1）。それからもちろん、2013年の映画『MEGA SPIDER メガ・スパイダー！』（Mendez）〔2015年 インターフィルム、アメイジングD.C.〕のタイトルにもなっている、〔クモの〕敵モンスターを挙げることができる。これは説得力抜群だろう。こうしたモンスターは進化の結果として獲得された脅威検知メカニズムの入力特性に合致するようにデザインされたものだ。つ

図 3. 1: ホラービデオゲーム LIMBO（Jensen 2010）の主人公は巨大で有毒なクモに出会う。たいていのほかのホラー・モンスターたちと同様、この敵は進化史において重要な役割を果たしていた脅威を誇張した存在である。クモ、特に巨大なクモは強い恐怖の対象となる。

まり、それらは人間が生物学的に恐怖するように準備された対象に似ているのだが、ずっと脅威的で、ずっと大きいのである。

実際、たいていのホラー・モンスターは動物行動学者たちが「超正常的」と呼んでいる特質（Barrett 2010）を有している。つまり彼らはそのモチーフとなっている現実世界の生物よりも大きく、より危険で、より賢い。超自然的能力を有している場合すらある。モンスターに超正常的な形質を付与することによってそれらはより人目を惹くものとなり、人間の恐怖システムをより強力に活性化できるようになる。今ではホラー・フィクションの定番となった邪悪なピエロを例にとってみよう。常識で考えてみても、あるいは考古学的な証拠がまるでないことを考えても、わたしたちの祖先が先史時代のいかなる時点においても邪悪なピエロに追いかけられたり食べられたりしたとは考えられない。しかし、邪悪なピエロは効果的なホラー・モンスターであり、わたしたちは進化の結果として獲得された防衛気質という見地からこのキャラクターを検証することでその絶大な効果を理解することができる。邪悪なピエロは同族の捕食者、すなわち予測不能で異常な行動をする殺人者の誇張された表象である。ピエロは顔に化粧をすることでその内面の生活、意図、動機を隠しているから、わたしたちはそれらを読み取ることも予測することもできない。人間は顔の表情から他人の内面を読み解くものである。実験室で確かめられたことである（Ohman, Lundqvist, and Esteves 2001）が、わたしたちは多数の無表情の顔の中から怒った顔を識別することができるが、それは多数の無表情の顔の中から幸せそうな顔を識別するよりもずっと速い。これは怒った人間はわたしたちの生物学的適応にとって脅威となりうるからである。だから表情が読み取れなければ結果として不安や恐怖すら生じることになる。そういうわけでピエロ以外の多くの人間の、あるいは人型のホラー・モンスターは大きくゆがんだ顔をしていたり仮面をかぶったりしているのである。『ハロウィン』（Carpenter 1978）に登場する、どうやってもダメージを与えることができず人間離れした殺人者、仮面をかぶったマイケル・マイアーズや、『悪魔のいけにえ』（Hooper 1974）〔１９７５年 日本ヘラルド映画〕の、同様に非常に強力で機械のようなレザーフェイスのことを考えていただきたい。予測不可能で異常な精神を持つという性質のために、邪悪なピエロはきわめて人目を惹く、きわめて不快な敵役となっている。場合によっては爪や牙のような捕食を可能にする形質、あるいは超自然的な移動手段を持つことすらある。これらすべてを備えているのがキングの『It』（Clasen 2014）に登場する「踊る道化師」ペニーワイズである（図３・２）。

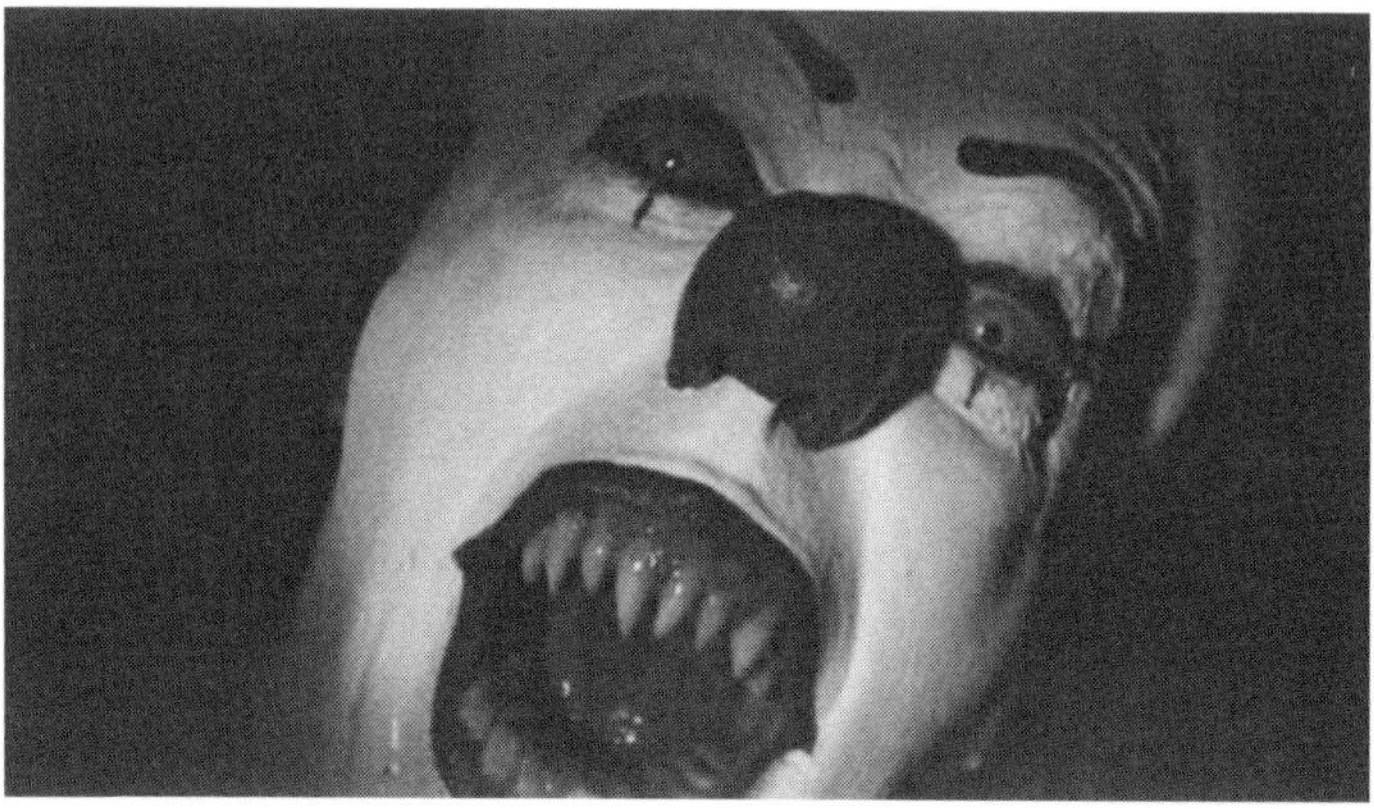

図 3. 2:『イット』(Wallace 1990) のペニーワイズのような邪悪なピエロは実際にわたしたちの祖先を追い回したり食べていたりしたわけではない。しかし、ペニーワイズの〔爪や牙といった〕捕食者の属性のように、進化の結果生じた人間の恐怖のシステムを標的にする特徴を備えている。さらに、邪悪なピエロはメイクやマスクによって自らの意図を他者から見えにくくしており、そのために予測不能で見る者を不安にさせるのだ。

ホラー・モンスターに共通しているのは、それらが実際にわたしたちの先祖を捕食していたかどうかにかかわらず、すべての人間の心理に備わっている防衛メカニズムを標的にするためのすぐれたデザインを有していることである。言葉を換えて言えばフィクションの中のモンスターが観客の関心を引き、強い感情的反応を引き起こすためには、それらが生物学的に存在可能である必要はないのだ。

ホラー・モンスターはほとんどいつも、知覚的だけでなく概念的にも不快なものとなる。モンスターはスクリーンで見ても頭の中で想像してみても恐怖を催すようなものだが、単なる概念として想起するだけでも不快なものである。わたしたちは21世紀のゾンビ映画の氾濫の中で、ゾンビという概念には慣れっこになってしまっているが、ゾンビたちが不気味に見えるだけではなく、よみがえった、腐敗して感染源となりうる、しかも他者を捕食する死体という概念そのものも不快なものだ。そもそも生きていながら同時に死んでいるということは不可能な概念である。ノエル・キャロルが、ホラー・モンスターは「範疇侵襲的な」（1990, 32）ものであると書いたときに意図したことはこれであり、また、文化人類学者のデーヴィッド・D・ギルモアが、世界中の民話や伝説に登場するモンスターたちは「ハイブリッド」（2003, 6）であると述べた時、彼が念頭に置いていたのもこれである。モンスターたちは通常なら截然と分かたれている存在論的カテゴリーの形質を融合させた状態で有しており、そのためにそれらは非自然的で反直観的なものとなっているのである。モンスターは一部の吸血鬼や狼男のように、動物と人間の形質を融合することもありうる。あるいは姿を変える能力を持っている場合もある。これは現実世界の生物には直観的に期待できないことである。そしてまた別の超自然的な能力を持っている場合もある。なぜ、これほど多くのホラー・モンスターたちは反直観的な形質を有しているのだろうか。宗教の認知科学の領域で行われた最近の研究がいくばくかの答えを教えてくれるだろう（Grodal 2009）。

「成功した」超自然的概念──繰り返し、信仰をもとなって受け継がれてきた超自然的概念──は「最小限に反直観的な行為主体」、つまりＭＣＩ行為主体である。ＭＣＩ行為主体は、この用語を作り出した心理学者のジャスティン・バレットによれば、「所属集団についての直観的仮定に大部分は一致しているけれども、少数の変更点があり、そのためにとりわけ興味深く記憶に残るものとなっている」（2004, 23）。たとえば血を流す彫像、ものを考えたり話したりする木、物理的実体を持たない人間

（幽霊）などである。これらはみな印象的で人目を惹きやすい概念だ。実際、実験によれば、MCI行為主体はきわめて奇怪な概念やきわめて平凡な概念に比べるとずっと記憶しやすく伝播しやすいことがわかっている（Atran and Norenzayan 2004, Boyer 2001, Norenzayan et al. 2006）。それらは日常的な、存在論的にはそれほど目立たない背景から「飛び出して」くる。スティーヴン・キングの『クリスティーン』（1983）〔深町眞理子訳、新潮社〕に登場するお化け自動車のことを考えてみてほしい。この車、クリスティーンは生命を持たない物体―自動車という機械―であるが、悪意を持った行為主体としての性質も持っている。それは能動的に人間を殺そうとする。これは印象的な概念だ。あるいは吸血鬼のことを考えてほしい。それは奇怪な形で存在する、他の生物を感染させる生きた死体であって、存在論的な雑種、不可能性の具現化である。そして文化的伝達という見地からすればきわめて成功した部類に入る（Bahna 2015, Clasen 2012a）。実際には存在しないにもかかわらず、誰もが吸血鬼の何たるかを知っている。したがってモンスターを最小限に反直観的にすることで、それは人目を惹き関心をひきつける存在になるのである。これは進化の結果として獲得された認知的構造を利用する方法なのだ。

超自然的な行為主体を信仰することは通常の人間の認知の予測可能で自然な副産物である。先に述べたように、わたしたちは行為主体を検知する特性を生得的に有しており、予想していなかった物音や説明のつかない出来事といった意志の力とは関係なく起こった現象の背後に、意図を持つ行為主体を見る傾向がある。地下室から変な音が聞こえてくる？　誰かがそこにいるに違いない。恐ろしい出来事から無傷で逃げ出すことができた？　誰かが見ていて守ってくれたのだ。わたしたちは周囲の環境に行為主体の存在を想定するのだが、その中には幽霊、悪魔、天使、神といった目に見えない行為主体も含まれる。肉体を持たない人間の魂は容易に想像できるし、想像することは楽しいことだ。人間は生まれながらの二元論者だからである（Bloom 2004）。わたしたちは直観的に、人間は単に物質からできているのではなく非物質的な魂（あるいは霊、自我）を有していると仮定する。肉体が死んでも魂はあとに残って、知覚し、考え、道徳的な教えを説くと考えるのはそれほど飛躍的ではない。宗教の認知科学者たちは、わたしたちがそのような超自然的な行為主体を理解しそれらとかかわりを持とうとする場合、通常、社会的な交際のために進化してきた通常の精神的装置を用いると明らかにしてきた（Boyer 2001）。わたしたちは神々にいけにえを捧げたり祈ったりして交渉しようとする。直観的に、彼らがさまざまなものを「望んで」おり、わたしたちについて判断をくだし、そして、取引の相手となりうることを仮定するのだ。つまり、彼らもわたしたちと同様の心理作用や動機を持っていると仮定するのである。超自然的な行為主体は怒ったり喜んだり、その性は善であったり悪であったり、知能は全知であったり驚くほど無知であったりする。彼らが属している存在論的カテゴリーのひとつ、ないしいくつかの顕著な侵犯―そのために彼らはＭＣＩ行為主体になっている―を除けば、彼らはわたしたちが人間に対して直感的に期待する規範の大半に合致しているのである（Boyer 2001）。これはホラーに登場する超自然的行為主体にも当てはまる。こうした行為主体を想像するとき、わたしたちは社会的交際のために進化してきた精神的メカニズムを用いる。そういうわけで、経験できる現実世界に手掛かりがないにもかかわらず、こうした行為主体を想像することは非常にたやすいのである。わたしたちの大半は悪魔や幽霊と直接出会い交渉した経験はないと自覚しているけれども、そのような行為主体と出会い交渉するところを容易に頭の中でシミュレートすることができるし、そうした行為主体を豊かな概念として味わうことができる。わたしたちは超自然的な行為主体は、ホラーに登場するものも含め、（邪悪であったとしても）知性に裏打ちされた動機を持ち、そしてしばしば、彼ら自身が非物質的なものであるにもかかわらず、物理的な現実と交渉する能力を持っていると仮定する。たとえば『シャイニング』（King 2011 [1977]）の悪霊は人間のような精神状態を持っている。彼らはダニーを利用したいと思い、ジャック・トランスを通して彼に接触できると考えている。彼らは森の動物を騒がせたり、真夜中にエレベーターを動かしたりすることができる。『ローズマリーの赤ちゃん』（Levin 1997 [1967]）のサタンは息子を自分のものにしたがり、悪魔崇拝者たちと取引―標準的な社会契約である等価交換―をする。わたしたちは反直観的で超自然的な行為主体について議論しているのだが、それでもなお、彼らは通常の心を持ち―彼らを際立たせ、とりわけ恐ろしいものにしている印象的な例外はあるものの―通常の人々のようにふるまうのである。

反直観的なモンスターは存在論的に平凡な行為主体よりも効率的に恐怖システムに狙いを定めることができるが、彼らは同時により広範な感情と思考を喚起することができる。C・S・ルイスは1940年の著書『痛みの問題』（中村妙子訳、新教出版社）の中で魅力的な思考実験を提示している。

誰かがあなたに、「隣りの部屋に虎がいる」と言ったとします。あなたは危険を感じ、おそらく恐怖を覚えるでしょう。しかし、もしも「隣りの部屋に幽霊がいるよ」と言われて、その言葉を信じたとしたら、あなたは世間の人がしばしば恐怖と呼ぶ感情を経験するかも知れませんが、それは虎がいると言われた場合とは異なったたちのものでしょう。その恐怖は危険が存在すると知ったために起こったものではないでしょう。人が幽霊を恐れるのは、もっぱら幽霊が幽霊だからという理由によるもので、幽霊が自分にすることがこわいわけではないのですから。幽霊は危険を感じさせるというよりは、「薄気味が悪い」ものです。その惹き起こす恐れは〈戦慄〉とでも言いましょうか。（Lewis 2001［1940］, 5-6）〔中村 9〕

ルイスはよい点をついている。幽霊は直観的に怖いというよりむしろ理性的に怖いのである。幽霊はどうも人間に特有の現象らしい。マカク猿はフォトショップで加工して作られたゾンビ・マカク猿の写真を見ると不快感を示す（Steckenfinger and Ghazanfar 2009）けれども、マカク猿の幽霊の存在は信じていないし、そうしたものが登場する怪談も語らない。マカク猿は形而上学的な二元論者ではなく、肉体のない行為主体という概念はおそらく彼らにとって―犬、カエル、クラゲにとってそうであるのと同様―たいした意味を持たないのである。しかし人間にとっては幽霊は反直観的であり物質科学の基本的な前提を侵犯するものであり、魂の自律性についての動かしがたい直観を追認するものとなる。幽霊のためにわたしたちは自分自身の信念、正気すら疑うに至るのである。それがシャーリー・ジャクソンの『丘の屋敷』（2006［1959］）〔渡辺庸子訳、東京創元社〕のようなストーリーのもつ恐怖である。ヒル・ハウスでの奇妙な出来事はきわめて茫漠としている。わたしたちは登場人物たちを標的にする、悪意ある肉体のない行為主体がいるのかもしれないし、あるいは精神異常の主人公エレノアが幻覚を見ているのかもしれない虚構の世界に引き込まれていく。しかし読者は彼女の頭の中にいる〔ストーリーが彼女の視点から語られる〕ので、判断は非常に難しい。ジャクソンの小説に登場する幽霊らしき存在は何よりもまず認知的に怖い。主人公が正気を失っているかもしれないという事実のために、彼女の感覚を通して伝えられる情報を信じてよいものだろうかという疑念を生む。そして小説内の出来事を超自然的に解釈すべきか、精神病理学的に解釈すべきかきめることが難しいために、さらなる不確実性と恐怖を生むのである。ジャクソンのストーリーによって歓喜される恐怖はラヴクラフトの言う未知なるものへの恐怖を含んでいる。これはそれが狂気という危険であれ、悪意を持った反直観的行動主体の危険であれ、何らかの種類の危険を示すような曖昧な兆候を感知したときに生じる認知的な恐怖なのである（Carleton 2016）。もちろん虚構の幽霊の中には物理的に危険なものもある。たとえばテレビドラマ『スーパーナチュラル』（Kripke 2005-）に登場する多くの恐ろしく敵対的な幽霊などだ。しかしおそらく幽霊に関してもっとも恐ろしいのは、彼らが存在するはずがないという事実は別として、彼らから逃れるすべがないという事実である。幽霊と戦うことはできないのだ（Clasen 2016）。

したがって超自然的なホラー・モンスターは典型的には人類の先祖たちが遭遇した脅威の最小限

に反直観的な反映である。そのために彼らは、フィクション、幻覚、夢以外には存在しないにもかかわらず、人類のような弱い被捕食者にとってとりわけ魅力的になっているのだ。彼らはまたしばしば、ノエル・キャロルの言葉を借りれば「不純」（impure）（1990, 27）、ないし嫌悪感を催すようなものでもある。ストーカーのドラキュラ、あるいは『ウォーキング・デッド』（Darabont 2010-）に登場するゾンビの使った歯ブラシをつかいたいと思う人はいないだろう。これはモンスターが進化の結果獲得された防衛メカニズムを狙い撃ちするもうひとつの方法である。嫌悪は生物を危険、とりわけ病原体を取り入れることによって生じる危険から守るために進化した。病原体とはいわゆる微小捕食者（micropredators）と呼ばれる、目には見えないが非常に危険な感染性の微生物である（Tybur et al. 2013）。衛生学、疫学、そして嫌悪を研究している科学者ヴァル・カーティスは世界中の嫌悪反応についてのデータを集めた。彼女は、いかなる文化的背景があろうとも人間は同じもの、同じ状況に嫌悪感を覚えることを発見した。こうした嫌悪の普遍的な引き金には「糞便、吐瀉物、汗、唾液、血、膿、体液、傷、死体、足の爪、腐敗した肉、粘液質のもの、ウジ虫、シラミ、虫、ネズミ、病人」（Curtis, Aunger, and Rabie 2004, 131）などが含まれる。魅力的なものばかりだ。これらに共通するものは感染の危険を明示、暗示したり、それらと関連していたりする物質である。たとえば糞便は「腸管の感染症の原因となる２０以上の細菌、ウイルス、原生動物が含まれる」（Curtis and Biran 2001, 23）。自然選択によって糞便のにおいや外見を避ける傾向が獲得されたとしても不思議ではない。糞便が何か有為な方法で本質的に嫌悪感を催させるというわけではない。ハエにとっては新鮮な湯気の立っている糞便はこれ以上ないごちそうである。しかし人間のつくりはまったく異なっている。わたしたちはまた腐敗した肉—これも病気の原因になりうる—を好まないが、死者を埋めたり、焼いたりするのはこの嫌悪感からきているし、現代のゾンビがこれほど強力なモンスターなのもこれが原因である（Clasen 2010）。ゾンビはあなたを食べ、あなたに感染しようとする腐敗した肉なのだ。

一部のホラー・モンスターは物質的に気味が悪いわけではないが、それでも嫌悪感を催させることができる。彼らは粘液や膿をしたたらせることはないが、人々は彼らを見ると嫌悪感にさいなまれる。たいていの視聴者はウェス・クレイヴンのレイプ復讐映画『鮮血の美学』（1972）の冷酷なレイプ犯がふたりのティーンエイジの少女をなぶりものにするときに嫌悪感を覚えるであろう。そのような描写は進化の結果獲得された倫理的な心理を強く揺さぶるのである。敵役は倫理の規範を堂々と侵犯するので、見る者は心から彼らを軽蔑するに至る（Kjeldgaard-Christiansen 2016）。同様に、ダン・シモンズのホラー・SF小説『殺戮のチェスゲーム』（柿沼瑛子訳、早川書房）に登場する超能力をつかう「吸血鬼」も外見はそれほど気味悪いわけではないが、罪もない人々を超能力でコントロールし、忌まわしい行為に走らせ生命力を奪うために倫理的な嫌悪感を喚起する。キャリーをいじめる学生たちが彼女を罠にはめてみんなであざ笑う（King 1999 [1974]）ときにもわたしたちは嫌悪感を覚えるし、『ローズマリーの赤ちゃん』のハンサムなガイ・ウッドハウスも、『ジョーズ』（Spielberg 1975）に登場するアミティの小心者の政治家たちも同様である。研究者たちは嫌悪感の原因となる、進化によって獲得された三種類のシステムを特定している。すなわち病原体嫌悪（前述した）、倫理的嫌悪、そして性的嫌悪（Tybur et al. 2013）である。嫌悪はもともとわたしたちを病気の原因となる微生物から守るために進化したものだが、他の認知システムの作用により、規範の侵犯に対して軽蔑する心を起こし（倫理的嫌悪）、近親相姦のような遺伝的に有害な生殖活動から遠ざける（性的嫌悪）ようになった。性的嫌悪は主流のホラー作品で対象になることはほとんどないけれども、病原体嫌悪と倫理的嫌悪は「いやな」敵役の描写によって頻繁に惹起されることになる。もちろん、一部のモンスターはまったく嫌悪感を引き起こさない――『ジョーズ』のサメがよい例である。しかし嫌悪感を引き起こすあらゆるモンスターはわたしたちを感染、近親相姦やその他有害な生殖行為から安全に守り、反社会的行動に反感を抱かせることによって集団の機能を守るために進化してきた心理的機構を利用しているのである。

したがって、要約すれば、ホラー・フィクションは受容者が持つ否定的感情を引き出すようにデザインされており、それは恐ろしいモンスターを含む危険な状況の中に人間のキャラクター（あるいはビデオゲームにおいてはプレイヤーに操作されるゲーム内の人物である「アバター」）を配置することで行われるのである。そのようなモンスターたちは進化の結果得られた準備された恐怖、とりわけ捕食者に対する恐怖を反映する傾向がある。ホラー映画、ホラー文学においては監督や作家は通常多大なる手間を費やして、恐るべきモンスターだけでなく主人公たちの恐怖に満ちた反応を受容者に見せようとする。キャラクターの感情表現を描くことで感情の伝播が生じる。つまりスクリーンやページ上のモンスターや危険な状況に対する受容者の反応が、キャラクターが示している否定的な感情と同一のも

図 3.3:『エクソシスト』(Friedkin 1973) で、恐怖の表情を浮かべるクリス・マクニール。このようなリアクション・ショットはホラー映画ではよく見られ、ホラー文学にも類似したものがある。作者が恐怖に駆られた登場人物の反応を詳細に描写するものがそれだ。このような描写は作中の脅威に対する視聴者や読者の反応を強化する。他者の感情的状態を模倣するという、進化の結果得られた気質に働きかけるからである。

のとなるのだ（Coplan 2006）。たとえば『エクソシスト』では監督のウィリアム・フリードキンは繰り返し、悪魔に取り憑かれた病的な娘の姿を見たクリス・マクニールの反応を映してからあわれなリーガンにカメラを向ける（図3・3）。そのようなリアクション・ショットはホラー映画では非常によくあるもので、ホラー小説にも似たような手法がある。おぞましい存在に対するキャラクターの反応が詳細にわたって描写されることがしばしばあるのだ。

　ノエル・キャロルがホラー・フィクションにおいて受容者〔の感情〕を誘導するという重要な役割を強調しているのは正鵠を射ている（1990, 88-96）。つまり、読者ないし視聴者は、ホラーを経験する目と心となり、共感する対象となるキャラクターが必要なのであり、ストーリーや映画の中で描かれる、ホラーに対するこうしたキャラクターの反応が読者にとっての感情の鍵となるのだ。そうしたキャラクターから読者への感情の転移が可能になるのは、フィクションの中の人間を含むほかの人間の感情状態を模倣するという適応的な能力を人間が有しているからである。この現象は「感情の伝播」（de Gelder et al. 2004）と呼ばれている。たとえば、嫌悪という感情は島皮質前部と呼ばれる脳の部分で処理される。何か嫌悪感を催すものを食べたり、誰かがそうするのを見たり、あるいはたとえばウジがわいた肉を食べることを想像しただけでも、島皮質前部は活性化される（Jabbi, Bastiaansen, and Keysers 2008）。この感情の伝播の能力は明らかに適応的である。いたんだ肉を食べている誰かの嫌悪感と同じものを抱いたならば、自分自身でその肉を食べなくても済むからだ。そして仲間の人間の顔にあらわれた突然の恐怖の表情に反応することができれば、襲いかかってくる捕食者を避けることができるほど十分早く行動することができるのである。感情の伝播は自分で目にしたわけではない脅威に対する素早い反応を可能にしてくれるし、フィクションのキャラクターの感情的反応を模倣するという事実も説明してくれる。わたしたちは現実世界の実在の人間を理解するのに用いているのと同じ心理学的メカニズムを、フィクションのキャラクターを理解するためにも用いているからだ（Carroll et al. 2012）。フィクションのキャラクターとわたしたちの関係――いわゆる側社会的関係（parasocial relations）（De Backer 2012）――は、実在の人間との関係と同じくらい現実的で強固なものになりうる（Dibble and Rosaen 2011）。わたしたちはホラー・ストーリーのキャラクターに強く共感し、その感情を共有することができるのだ。ホラーの作家や監督はこのことを少なくとも直観的に理解しており、モンスターや恐ろしい出来事に対するキャラクターの反応を表現すること（映画のリアクション・ショット、文学におけるキャラクターの反応の描写）によって、進化の結果として得られた感情の伝播を可能にする能力に訴えかける。精細な反応の描写はホラー・ゲームでは避けられるが、それはプレイヤーが主人公だからである。ホラー・ゲームで一人称視点が広く用いられていることを考えれば、そのような描写は不必要で非実用的である。しかし時々、ホラー・ゲームもアバターの「正気度」や「健康度」を視覚的に表示するようなフィードバック装置を用いたり、アバターの恐怖に満ちた息づかいを聴覚的に表現したりしてプレイヤーの感情的反応を補強することもある。

それでは、そのような映画を見たりそのようなストーリーを読んだりそのようなゲームをプレイしたりすることでわたしたちにどのような効果があるのだろうか。わたしはきわめて現実離れしたモンスターやシナリオについての荒唐無稽なストーリーに人間がいかに関心を払い、感情的認知的にかかわりを持つのかを説明してきたが、怖いものを見たがる性質によってどんな心理学的効果がもたらされるのだろうか。危険なシナリオを求める欲求は何らかの生物学的な、換言すれば適応的な、機能を有しているのだろうか。この疑問が次の章のテーマとなる。

4．生きるための恐怖：ホラーの魅力、機能、そして効果

なぜこれほど多くの人々が文学、映画、ビデオゲームのホラーにひかれるのだろうか。ホラー作家のピーター・ストラウブはいみじくも、この問いには多くの答えがあると言った。「ひとつの答えは、人間は非常に安全な状態で極限の環境を経験したいと願う、というものである。そうすれば危険を冒すことなく危険で絶望的で恐ろしい瞬間をことごとく感じることができるからである」。しかしこれはストラウブによれば答えの一部でしかなかった。これに付け加えるならば、このように答えたところで、また別の疑問がわいてくるだけである。つまり、なぜ人々は非常に安全な状態で「危険で絶望的で恐ろしい瞬間」を感じたいと思うのだろうか、という疑問だ。ストラウブはこの問いに対するより適切な答えは「ホラー・ストーリーは関与についてのものである。シミュレーションされた、偽りの経験ではなく、実際の経験についてのものである。特定の方法で感じることができる能力を発見すること、その手段によって感情的経験の幅を広げることについてのものである」（Clasen 2009,40）と述べた。これは確かにそうだろう。わたしは、進化論的な分析によってどうしてこのジャンルが人間の感情的経験の幅を広げるように作用するのか、そして、なぜ私たちの多くはそのような仲介された経験に、そしてより一般的に言えば、安全な文脈において否定的な感情を惹起されることに引き付けられるのかを理解することができると主張したい。

ストラウブの「安全な環境で経験する極限の状況」という表現からは、ローラーコースターやエ

クストリームスポーツが想起されるし、そのような活動は確かに異なる媒体におけるホラーが持つ魅力に似たものを持っている。ローラーコースターやスカイダイビングによって与えられる楽しみは基本的には安全な文脈の中で強い感情と生理学的な興奮を引き起こされることである（Kerr 2015）。ラッシュ・W・ドジエJr.が主張しているように、人間は快楽を生むために恐怖を操作するのである。ローラーコースターに乗るとき、わたしたちは「人工的に恐怖を強め、それから自分の体が脳内麻薬やほかの恐怖をおさえる化学物質の分泌を通して恐怖を正常レヴェルまで下げるという感覚を楽しむ」（1998, 165）。わたしたちは人工的に、脳の中で産生されるモルヒネ様物質の分泌を引き起こし、それを楽しむのだ。しかしそのような説明ではホラーの魅力を完全に説明しつくすことはできない。もし、ホラー・ストーリーに求めるものが、映画、小説、あるいはゲームが終わったときの安堵だけであるとすれば、そもそもそれを最初から求めないほうがよいであろう。そして、もしわたしたちの望むものがアドレナリン濃度の急激な上昇と神経系の活性化であったとすれば、『It』（King 1981）〔小尾芙佐訳、文藝春秋〕の１０９５ページを読破したり、『エイリアン』（Scott 1979）〔１９７９年 20世紀フォックス〕を2時間見続けたり、『アムネジア：ダーク・ディセント』（Grip and Nilsson 2010）を八時間か九時間かけて攻略したりするよりもずっと手軽で簡単な方法がある。インターネットの30秒の怖い動画でも見事にわたしたちをこわがらせることができる。しかしフィクションの世界に没頭し、その経験のために恐怖するという経験はそれ自体で価値と魅力を持っている。神経科学的な報酬―わたしたちが「喜び」と呼ぶもの―は確かにあるが、それは経験が終わったという喜びではなく、安全な文脈において強く豊かな経験を味わったという喜びなのである。これがホラーの主要な、否定しがたい魅力なのだ。

もちろんホラーは多くの頭を持つ怪物であるから、おさえつけたりおとなしくさせたりすることは難しい。異なるホラーの作品は異なる喜びを与えるだろう。スティーヴン・キングの『ザ・スタンド』（1980）〔深町眞理子訳、早川書房〕の叙事詩的なスケールとポストアポカリプス的な壮大さは、キングの「浮き台」（1986）〔田村源二訳、扶桑社〕によってもたらされる背筋が凍るような恐怖とは異なる。「浮き台」は湖のいかだに取り残されたティーンエージャーたちが奇怪なモンスターのえじきになる話である。しかしどちらの作品も、きわめて危険な状況で敵意あるモンスターと悪意ある超自然的な力に直面した、実際にいそうで共感する能力がある主人公たちの視点を共有させることによってわたしたちの関心をひきつけ感情的な関与を促すという点では共通している。どちらの作品も不安や恐怖といった否定的な感情を刺激する。それらはいずれも進化の結果として得られた認知的感情的メカニズムに狙いを定めているのだ。あえて辛らつに言えば、『スレンダー：エイト・ページ』（Hadley 2012）のような単純なサイバイバル・ホラー・ゲームによって与えられる喜びより、ピーター・ストラウブの『ゴースト・ストーリー』（1979）〔若島正訳、早川書房〕のようなよくできた複雑なホラー小説によって与えられる喜びのほうがずっと強いのである。単純なサバイバル・ホラー・ゲームも進化の結果として得られた認知的感情的メカニズムを標的としているのだが、ほとんど語りの要素がなく、象徴的な修辞法といった面ではほとんど見るものがなく、キャラクターの描写も掘り下げられておらず、ほとんど意味をなさないものである。語りのあるホラー―ストーリーでも映画でも―は単純なサバイバル・ホラー・ゲームと同じ魅力を持っているけれども、それよりずっと多くのものを与えてくれる。ストーリー一般が持っている魅力も提供してくれるのだ。つまり、誰か別の人の視線から世界を見る機会、異なる世界を見る機会、フィクションの中の人々の頭の中をのぞく機会、興味深いキャラクターとかかわりを持つ機会、想像と感情を掻き立てるようなやり方で架空のシナリオを構築する機会である。

フィクションは人間に普遍的なものであって、文書で記録されているすべての文化にみられる（Brown 1991, Carroll 2006）。正常な発達段階を経ている子供たちは自発的に喜んで空想の世界を構築するものだし、大人たちもおとぎの国でかなりの時間を使う（Gottschall 2012）。わたしたちはフィクションを好む傾向を生得的に有しているようである。これはフィクションが生物学的に見て適応的であることを意味するのだろうか。つまり、フィクションを求める願望のために生存と繁殖の確率が高まるからだろうか、それともフィクションとのこの蜜月関係は単なる進化の副産物に過ぎないのだろうか。これは進化論批評で活発に議論されていることである（Carroll 2012a）。一部の進化社会科学者たちは、わたしたちのフィクションを好む傾向は進化の副産物であり、特に機能のない生物学的な偶然であると主張している。つまり、フィクションを好むわたしたちの志向は特に適応的な目的に役立っているわけではなく、進化の結果として得られた快楽回路を人工的に刺激する手段としてストーリーを作り上げ、消費しているだけだというのである（Carroll 2012b, Pinker 2007）。心理学者のエリック・ヤングストロームとキャロル・Ｅ・イザードが主張するように、「ホラー映画、悲しい歌、哀歌――こうしたものはすべて生存や性選択の点ではいかなる明確な生物学的機能も果たしていない。それらは『精神のジャンクフード』すなわち、接近と回避に関する進化の結果として獲得された志向に迎合することで人気を得ているものにすぎない」（2008, 376）というのである。

しかし、ほかの学者や科学者たちは、わたしたちがフィクションを求める願望は生物学的に適応的であると主張してきている（Carroll 2011, Dutton 2009, Gottschall 2012, Tooby and Cosmides 2001）。これらの理論家によれば、わたしたちがフィクションの世界とかかわりを持つのは時間の浪費ではない。それはわたしたちが世界、自分自身、そしてお互いを理解する非常に重要な方法なのである。遺伝子の変異によってフィクションを全く求めない新種のヒト属を想像してみてほしい（Gottschall 2012）。ホモ・サピエンスが虚構の世界で膨大な時間を費やす――わたしたちは昼も夜も夢を見、ストーリーを読んだり聞いたりし、演劇や映画、テレビを見、ジョークやほら話に耳を傾ける――のと対照的に、このストーリーのない新種はただ現実世界のみと交渉を持っているとしよう。彼らはクルーソーやシンプソンのために割く時間はない。彼らは「精神のジャンクフード」を一切消費しないので、わたしたちよりも適応度が高いのだろうか。わたしたちよりも生存と繁殖の確率が高く、最終的にわたしたちを駆逐してしまうのだろうか。おそらくそうはならないだろう。フィクションは単なる「精神のジャンクフード」ではないからである。フィクションのためにわたしたちは自らの内面的な精神世界を含む世界を理解することができるのであり、実際とは異なる行動の選択肢を評価し、知的に複数の選択肢から選ぶことができるのであり、人間を、集団を、社会を機能させるものが何なのかをよりよく理解することができるのだ（Gottschall 2012）。フィクションは社会的心理学的相互作用の濃縮され魅力的なシミュレーションなのだ（Mar and Oatley 2008）。フィクションによって私たちは数えきれない人生を疑似的に経験することができるし、現象的現在から解放されて実現可能か否かにかかわらずさまざまな未来、過去、並行宇宙を生きることができる。ホラー・フィクションはすべてこうしたことをすることができるうえ、読者や視聴者が最悪の状況の中で疑似的に生きること、脅威的なシナリオを構築すること、そして極端な状況を強い否定的な感情とともに想像力を強く喚起されるかたちで経験することができるのだ。ビデオゲームでは、プレイヤーは極限の状況に対する自分自身の反応を経験することができる。文学や映画においては、読者、視聴者は極限の状況に対するキャラクターの反応と同時に自分自身の反応を経験することができる。これはストラウブが「感情経験を深め広げること」と呼んだものの一部である。

スティーヴン・キングは「フィクションはうその中にある真実である」（1981,7）と言った。この見解はいくつかのレヴェルで作用している。虚構の出来事に関与している虚構のキャラクターについてのストーリーは深遠な倫理的、実存的、あるいは心理学的真実を含んでいるかもしれない。あるいは文字通りのレヴェルでは、構築されたストーリーは正しい事実を含んでいることもありうる。読者はマイケル・クライトンの『ジュラシック・パーク』（1990）〔酒井昭伸訳、早川書房〕からカオス理論や原始考古学（paleoarchaeology）について学ぶことができるし、ディケンズの『ハード・タイムズ』（2003

[1854]）から19世紀イングランドの労働者階級の状況を知ることができる。ストーリーはわたしたちの感情に訴え、感情が働くことで記憶に残りやすくなる。ある出来事が強い感情とともに経験されるとき、その出来事は記憶により効果的に刻み込まれるのである（Gottschall 2012）。歴史的には、神話や民話にみられるようなストーリーは適応的に見て重要な問題、たとえば物理的、社会的環境における危険といった問題を強く感情を揺さぶる方法で伝えるという機能を果たしてきた（Scalise Sugiyama 2001, Scalise Sugiyama and Scalise Sugiyama 2011）。危険な動物についての情報、危険な社会的交際についての情報、地域の規範についての情報、好機や危険をはらんでいるかもしれない地形の特徴についての情報、などもここに含まれる。ストーリーを通じて自分が置かれた環境内の危険について学ぶことは、個人的な経験や直接的な観察によって危険について学ぶことよりも望ましい。というのもそのような直接的な学習は非常に危険なものになりうるからである。アーン・オーマンとスーザン・ミネカが述べているように、「もし必死に試行錯誤して学ぶことが唯一の学習メカニズムであったとすれば、大半の動物たちはどの捕食者、どの環境を避けるべきかを会得する前に死んでしまうだろう」（2001, 487）。したがって、もし子供がオオカミが脅威であるような環境で育っているとすれば、子供を表でさ迷い歩かせ、道から外れると何が起こるかを自分自身の目でたしかめさせるよりは、危険なオオカミと不注意な赤い頭巾をかぶった女の子についての魅力的で記憶に残りやすいストーリーを語ってやったほうがよいのである。生物学者のハンス・クルークも同様の主張をしている。彼は想像上の環境において命にかかわる肉食獣を誇張して表現することに言及し――実際の環境よりも芸術世界

の中のほうが危険なモンスターや捕食者の数は多いのである――「わたしたちの文化のこの側面には生存に利する価値があるのかもしれない。わたしたちは他人に、環境の中で何が命を奪うような危険なものなのか、そうした存在はどのように機能するのかを教えるのである。これを文化的な警報装置と呼ぶこともできるだろう」(2002, 179)。人間は危険に興味を持つように進化してきた。危険についての虚構のストーリーはその好奇心を満たし、利用するのである。

もし虚構のホラー・ストーリーが実世界の危険について教えてくれるなら、そのようなストーリーからどんな教訓を得ることができるだろうか。現代のホラー・ストーリーは適応的に見て有益な情報を伝達しているのだろうか。確かに、わたしたちは悪魔つき、凶暴なポルターガイスト、チェーンソーを振り回す南部人の危険についてそれほど学ぶ必要はなさそうだ。それでも、作家のジョー・ヒルはホラーの有用性についての論考の中で「ホラーの虚構世界の巨大なカタログが、わたしたちの最大の問題に単純な回答を与えることはできそうにないけれども、時として小さいが確かに有用な鉄則を思い出させてくれるのは確かである。つまり、車に乗り込む前には常に後部座席を見ること、歯よりも強力な道具を持っている粗暴な男を侮辱してはならないこと、森の中で不審な物音を立てているのが何であれ、チェックするのは朝でもできること、などである」(2014)。これはいささか無理がある主張である。車の後部座席に潜んでいる殺人者に体をバラバラにされる人はごくまれであるし、正直なところ、強力な道具を手にした粗暴な男のうち何人が実際にわたしたちを襲撃するというのだろうか。しかしヒルが論考の中で言っているように、「わたしは暗闇をのぞき込んでそこに何がいるのかと考える衝動は明らかに有用で適応的な形質であると考える。実際、ホラー・フィクションは非常に恐ろしく、魅力的な未知なる存在に対峙することができるように実に見事にデザインされているのだ」。非常に恐ろしく、魅力的な未知なる存在とはたとえば生と死の意味、人間であることの意味などである。この主張は本当らしく聞こえる。ホラーは実世界で概念上は有用になりうる実用的なアドバイスを提供してくれる。暗いときに地下室の奇妙な音を調べようとしてはならない。ナイフを持った精神異常者からは離れていたほうがよい。月夜に歩くピエロは避けるべきだ。確かにそうである。ホラーはそのような状況や個人は避けるべきだというわたしたちの直感を補強してくれるし、こうした直感が正しいことを鮮やかな感情的力で証明してくれる。しかしホラーの真実、このジャンルの真に価値ある教訓とは心理学的、実存的なものである傾向がある。スティーヴン・キングが短編小説集のあとがきで、「最善をつくそうとした。ある悲惨な状況下で、人が行動するかも知れないことを、どのようにふるまうかを記録するために」〔2011, 366-367〕〔高橋、風間 356〕と書いている通りである。言葉を換えていえばキングは超自然的な存在を用いているけれども心理学的リアリズムを目指していたのである。ホラー・フィクション、とりわけ超自然的ホラー・フィクションはモンスターや恐ろしい出来事が描かれているから、おそろしく荒唐無稽で起こりえないものになりうる─宇宙の放射線のために墓からよみがえる死体？　お化け自動車？　まさかそんなことがありうるはずがない─しかしすぐれたホラー・フィクションとは心理学的には写実的であり、人間にとって重要な本質的問題を扱っているのである。それはモンスターや恐ろしい状況に直面した時のキャラクターの反応を現実的に、注意深く詳細にわたたって描いているのだ。ホラー・フィクションがキングがその同じあとがきで述べているように「わたしたちが自分の生活、そして自分の周囲にみているしばしば恐ろしい世界を理解しようとする重要な方法のひとつ」(365) になりうるのはそのようにしてのみなのである。そのようにしてのみホラーは「あなた自身の最終的な夜の旅の導きとなるランプ」(Hill 2014) になりうるのだ。

ホラーを求める欲求は適応であり、そのおかげでわたしたちは実生活では安全に手に入ることがないような強い否定的感情を伴う経験が得られるし、危険を具体的に想像することができるようになるのだ。哲学者が好んで指摘するように、わたしたちは蝙蝠になるとはどのようなことなのかを決して実際に知ることはないし、そんなことは考えたこともないだろう。しかしホラー・エンターテインメントに触れようと思えば、わたしたちは芯から恐怖するとはどういうことか、肉食獣に追われるとはどんな感じがするのか、巨大な危険に直面し、それを克服するとはどういう感覚なのか、そして、世界がばらばらになるときどんな感情を抱くのかを学ぶことができる。それは確かに知る価値があるものなのだ。心理学者のポール・ブルームが指摘してきたように、ゾンビ・アポカリプスについての非現実的なストーリーでさえ、「世界が地獄と化したときのために精神を鍛えることで、悪い時代のための有用な練習」(2010, 193-194) となるのである。テレビで『ウォーキング・デッド』(Darabont 2010-) を見る場合、わたしたちは逆境にあってもがんばりぬくことが報われることを再確認し、災難や大規模な災害の場合には知らない人には注意しなければならないことを学び、厳しい時代においては有意義で頼りになる社会的関係が重要であることを思い知らされるのである。より特定的に言えば、わたしたちはそのような災害のただなかにあり、敵意ある人間と戦って生き残り、敵意にあふれた環境の中で意味を見出すとはどんな感じがするのかを知ることになるのだ。そのような疑似体験、ないし経験の拡大は現実世界に一般化が可能である―ゾンビは一般化は可能でないにしても。ゾンビは社会的、心理学的ドラマの触媒となるのであり、彼らが触媒として優れた働きをするのは、本質的に魅力的で人目を引くからだ。さらに、このシリーズはわたしたちに、現代世界での有意義な活動を維持している構造の多くが失われた環境において生きていくことにどんな意味があるのかを考えさせる。たいていの人々はそのような想像力あふれる疑似的な経験を刺激的で有益なものだと考えるのである。

小説を読んだり映画を見たりビデオゲームをプレイしたりするとき、わたしたちはデーヴィッド・ボードウェルとクリスティン・トムソンの言葉を借りれば「構造化された経験」（2013, 51）をしている。仮想のシナリオを想像力を働かせて楽しみ、（理想的には）そうしたシナリオに感情移入し、認知的に刺激を受けるのである。そのような感情移入とシミュレーションは精神的な遊びの行為とみなすことができる（Boyd 2009, Steen and Owens 2001, Vorderer, Steen, and Chan 2006）し、遊びの機能に関する生物学的な研究を援用すれば、様々な媒体にまたがるフィクションによって提供される構造化された経験の生物学的機能を特定することができる。遊び行動―本質的には利益を与えるが、一見何の機能も果たさないように見える行動―は多くの種、とりわけ哺乳類と鳥類の間にみられるが、実は、たとえば爬虫類や魚類などの間にもみられる（Burghardt 2014）。遊び行動は進化論の謎のひとつであった。あらゆる種にとって生きていくという厳しい現実、生き抜くためのしばしば過酷な戦いと配偶者をめぐる厳しい競争を考えれば、なぜ生物は遊びで戦いのまねごとをするなどといったそれほど重要でない活動に時間とエネルギーを費やすのかが疑問となる。それに対する答えは、そうした活動は実は非常に重要なのだというものだ。遊びの研究者たちは哺乳類の遊びは「予期せぬものに備えたトレーニング」（Spinka, Newberry, and Bekoff 2001）であると提唱してきた。子猫がお互いに遊び半分でけんかをするとき、彼らは低いコストと比較的少ないリスクのもとで技術や能力を獲得する。その技術や能力が後年実際に害意ある敵に遭遇した時に非常に役に立つことになるのだ。生まれてはじめて腹をすかせた捕食者に出会う場合、試行錯誤で〔学習を〕進めるよりも、行動のヒントとなるような捕食者を避ける疑似的な経験を持っているほうが望ましい。フランシス・スティーンとステファニー・オーウェン（2001）は、人間の追いかけっこ遊びは捕食者と被食者の関係をシミュレートしたものだと主張している。子供たちが追いかけっこ遊びに大きな楽しみを見出すように進化してきたのは、そのような遊びが彼らに捕食者を避けるための戦略を得られるような経験を与え、筋力アップと運動神経の向上をもたらすからである。遊び行動によって子供たちは能力の限界を試し、それを引き上げることができる。遊び行動のおかげで彼らは狩り、身をかわす戦略、身を隠す行動、そして単純な、複雑な社会的取引を練習することができるのである。ピーター・ヴォーデラーとその同僚たちが指摘しているように、空軍が戦闘機のパイロットを訓練する方法と機能的には類似している。「F16

のフライトシミュレータは（中略）初心者が生命や何百万ドルもする戦闘機を失うことなしに単座の飛行機を操縦する経験と実用的技術を身に着けることを可能にする」（2006, 18）。同様に、フィクションはわずかなコストとほとんどゼロに近いリスクのもとで、感情的、認知的に魅力的なシミュレーションの枠組みを与えてくれるのである。

ホラー・フィクションは否定的な感情を個人的に経験させ、その否定的な感情に反応させることで、また同様に、フィクションのキャラクターの行動―効果的であるかどうかは問わず―を目撃させることで、わたしたちが〔危険への〕対処能力をつける手助けをすることができる。ヒロインが地下室から聞こえてくる奇妙な音をチェックしようとして死に直面するとき、映画館の観客はやきもきして叫び声をあげる。語りを伴う媒体の場合、わたしたちはフィクションのキャラクターの行動とその行動の結果を目の当たりにする。ビデオゲームのような相互作用的な媒体においては、わたしたちはゲームの世界でそのような行動を実際に試してみることができる。このようなことすべては前述したような経験の拡大を志向しているのである。きわめて危険な状況に置かれるという経験を認知的に構築するとき、わたしたちの大半はホラー・ストーリーによって提供されるイメージ、そしてホラー・ストーリーによって引き起こされた感情の記憶を利用するのである。

ホラー・ストーリーが人生のより忌まわしい側面のシミュレーション、そして予行演習として機能しうるという仮説は悪夢の生物学的機能についての研究で裏付けられている。神経科学者のアンティ・レヴォンソ（2000）は、夢の生物学的な機能は適応的に重要なシナリオのオフラインでのシミュレーションを提供することであるという。レヴォンソの「脅威シミュレーション理論」によれば、悪夢は「起きている間に脅威を認識し、それを回避するために必要不可欠な神経認知学的メカニズムのリハーサル」(Valli and Revonsuo 2009,17)を行う機会を提供するのだという。この説を裏付けるために、カッチャ・ヴァリとレヴォンソ(2009)は精神的トレーニングや心の中でのシミュレーションはいくつかの領域において現実世界の課題解決の成績を向上させること、そして悪夢はあらゆる文化にわたって共通してみられるという証拠を示したのである。事実、「世界中でもっともよくみられる典型的な夢のテーマは追いかけられたり攻撃されたりするものである」(Valli and Revonsuo 2009,31)。ヴァリとレヴォンソは控えめに見積もっても12歳から18歳までの年齢の人々は一週間に平均5・1回「脅威シミュレーション」を伴う夢を見るとしている(2009,26)。そのような夢の脅威は実在の、生態学的に見て妥当な脅威の写実的な表象である必要はない。幻想に基づく脅威は悪夢の中では重要な役割を果たしているが、それは「現代においては極度に驚異的な行為主体についての情報は大部分ホラー映画やそれに類似したフィクションに由来する」からである。しかしヴァリとレヴォンソが指摘するように、「狼男や吸血鬼の牙から逃げる予行演習をすることは、人間のキャラクターや野生動物から逃げるのとまったく同じくらい効率的である」(2009,35)。

だからホラーはわたしたちが現実世界における実際の危険によりよく対処するための手助けができることになる。しかしたいていのホラーはおそらくそのような機能は持っていないだろう。わたしの考えでは、たいていの商業的ホラー・ストーリーやゲームはすぐに忘れられてしまうような、適応的には無用な快・不快の技術――「精神のジャンクフード」――として機能するのであり、見た後、読んだ後には短期間の興奮と、おそらくは漠然とした恐怖感以上のものは残さないであろう。しかし、一部の作品――最良の作品――は感情的なシミュレーションを可能にし、わたしたちに重要なテーマについて考えるように促す。それらは社会的な交流、心理学的なプロセスの仕組みについての知見を与えてくれ、恐怖とともに貴重な疑似経験をさせてくれるのである。本書の第２部はそのような作品を掘り下げて議論していく。

わたしはここまで、ホラーの肯定的な機能について焦点を当て、ホラーは進化の結果として獲得された心理学的な危険管理に関する適応を刺激することを通して適応的な機能を果たしうると主張してきた。しかしもちろんそのような刺激にはコストが伴うものだし、このジャンルの効果は時として利益というよりむしろ害悪をもたらす。ホラーはその定義からして、人間に恐怖を与え疑心暗鬼にさせるものである。ホラー批評家のキム・ニューマンはいみじくも「映画と文学におけるホラーの中心的テーマは、世界が一般的に考えられているよりも恐ろしい場所であるというものだ」（2011, 5）と指摘した。これは必ずしも悪い教訓でも誤った教訓でもないのだが、こうしたものには心理学的コストが伴いうる。くだらないホラー映画のためにベッドサイドの電灯のもとで眠れぬ夜を過ごさなかった者がいるだろうか。非現実的なスティーヴン・キング〔の小説〕のためにベッドの下を繰り返し確かめなかった者がいるだろうか。ホラーはわたしたちに対応能力を教え、長い目で見れば危険な世界によりよく適応できるようにさせてくれるかもしれないが、同時にそれはわたしたちを不安でがんじがらめにし、トラウマを与えるのである。ホラーの否定的な心理学的効果は肯定的なものよりも研究対象となりやすく、多くの研究結果が得られている。

コミュニケーション科学者のジョアンナ・キャンターは何十年もかけて「恐ろしい媒体の長期間にわたる効果」（2004, 283）を調査してきた。最近の研究で彼女はメディアによる表象に対する恐怖に満ちた反応について回答するように頼んだ個人からの530件の報告をまとめ、定量化した。驚くべきことに、被検者の91パーセントがニュースやドキュメンタリーの表象よりもフィクションの媒体に対する否定的な反応を報告した。ある被検者は、彼が若いころホラー映画『ポルターガイスト』（Hooper 1982）〔1982年 20世紀フォックス〕を見て以来数か月にわたって、部屋のクローゼットのドアを開けっぱなしにして眠れなかったと書いている（Cantor 2004, 289）。多くのほかの被検者は映画を見た後何か月も悪夢に悩まされたり睡眠障害に陥ったりしていた（290）。別の被検者は『ブレア・ウィッチ・プロジェクト』を見た後数日、アパートのすべての電気をつけっぱなしにしておかずにはいられなかったと記述している。数人の被検者は、同じ映画を見た後キャンプに行ったり森に入ったりできなかったと答えた。この映画は若者たちのグループが暗く奇怪な森の中で道に迷い、襲われる様子を描いている（293）。

別の研究では、キャンターと同僚のベッキー・オムダール（1991）は子供たち（幼稚園児から六年生まで）に「恐ろしいメディアの表象」を見せた。現実的な命にかかわる出来事を描いた虚構の表象が子供たちのリスク評価に影響するかどうかを確かめるためであった。「『大草原の小さな家』に登場する、人命が失われた火事の劇化された描写」に接した子供たちは「実生活の似たような出来事をより心配するようになったと答えた」。さらに、子供たちはそのような場面を見ていない子供たち、あるいは火事を扱ってはいるが劇化されていない〔ノンフィクションの〕場面を見た子供たちよりも「キャンプファイヤーの火のおこしかたを学ぼうとしなかった」(Cantor 2002, 289)。つまり、彼らはこの危険の源泉に対してより敏感になっていたのである。

キャンターとその同僚によって特定された否定的な心理学的影響は、あまりにも早く子供たちに表象を見せたことによる—つまり、子供たちは見たり読んだりすべきではないものを見たり読んだりしていたのだ。子供たちは恐ろしい虚構の行為主体を現実世界の危険から切り離すことを難しいと思う (Cantor and Oliver 1996) ものだし、フィクションと現実の区別もつきにくい。さらに、神経生物学的に言えば、彼らは原始的な恐怖システムを制御するために必要な前頭前野の働きが十分に成熟していない。前頭葉前野の成熟は２０代前半になってようやく完全に成熟するのであり、脳の中でももっとも成熟が遅い部分のひとつである (Choudhury, Blackemore, and Charman 2006)。こうしたわけでわたしたちは子供たちに「これはただのケチャップだよ」とか「これはただの演技だぞ」と思い出させなければならないのだ。これは原始的な恐怖システムを前頭前野がコントロールしやすくするためである。しかし、大人ですら睡眠障害、注意力の過敏、そして過剰な不安をホラー・フィクションに接した結果として経験することがある。年を取るにつれて、わたしたちはストレスを扱うのがより難しいと感じるようになる。これは典型的なホラーの観客がかなり若い人々—恐ろしい存在や恐怖を催す一見本当らしく見える描写に圧倒されてしまう子供たちではなく、ストレスを感じやすい年配の人々でもなく、自分の限界を試しそれを押し上げようと必死で、自らの恐怖の反応を制御し、また制御したことを見せびらかしたい若者たち―から構成される理由を説明してくれる（Weaver and Tamborini 1996）。

だから、ホラー・フィクションに接するとより恐ろしい気持ちになり注意深くなるという短期的効果があることはわかる。しかしホラーに接することでどんな長期的な心理学的影響があるのかについてはほとんどわからない。これまで主張したように、継続的にホラーに接することで否定的な感情を扱う道具や脅威のシミュレーションが得られるというのはありそうなことだ。ホラー・フィクションは現実逃避のエンターテインメントよりもはるかに価値のあるものになりうる。あらゆるフィクションと同様、ホラーは心理学的な調整装置、世界を理解しそれに意味を与える手段として機能しうるのである。本書の次の部分でわたしは現代アメリカのホラーのよりすぐられた正典とされる作品をより綿密に分析し、これらの作品がそのような機能を果たすためにどのように構築されているか、とりわけ、それらの作品が進化の結果として獲得された心理学的メカニズムに狙いを定めるためにどのように構築されているかを明らかにしたい。わたしはそれらの作品が何を意味しているか、何をしようとしているか、受容者に特定の方法で感じ、考えさせるためにどのようにデザインされているか、これらの作品がなぜ魅力的で、独誌や視聴者の関心を効果的に引き付けるのかを進化論的な視点によってどのようにより深く理解できるのかを分析する。しかしまず、アメリカのホラーを手短に、歴史的に概観してみよう。

第2部　アメリカン・ホラーの進化論的視座

5. 遍在するモンスターたち：アメリカン・ホラー管見

ホラーの要素はアメリカのあらゆる文化的領域にわたって、あらゆるメディアの中に見られる。これは単にマーケティングがうまくいっているとか、現代の時代精神ととりわけ共鳴しているとかいった理由ではなく、ホラーの要素が進化の結果獲得された、人間の精神の根幹にある性質を反映し、それと深く関わっているからである。人間はホラーの虜になってしまうのだ。お互いにホラー・ストーリーを語り合って、喜び、怖がらせ、教訓を与え、相手を支配しようとする。ホラーの色彩の濃いジョークや恐ろしい都市伝説があり、子どもたちの読む物語にも恐ろしい内容を含んだ教訓や想像上のモンスターが登場する。人々はホラー文学やホラーコミックを読み、ホラー映画やテレビ番組を見て、ホラービデオゲームをプレイする。ホラーを売りにしたアトラクションやお化け屋敷に足を運び、おそろしい絵画や写真、彫刻を見ることから喜びを得る。たとえばアメリカの芸術家ジョシュア・ホフィンは人間様の怪物が地下室に潜み、子どものベッドから爪の生えた手が伸びているような精巧に作られたセットを映したホラー写真（図5.1）でキャリアを形成してきた。ホラー音楽というものさえある。スレイヤー、デス、カニバル・コープスといった想像力を刺激する名前のデスメタル・バンドはホラーのテーマやイメージを好んで用いる。カニバル・コープスの黙示的な作品「キル・オア・ビカム」(Kill Or Become)(2014)は「ウイルスの汚染が地上に解き放たれ/感染した何十億もの死体が蘇り/生者を襲って肉を食らう」という歌詞で始まる。

図5.1: ホラーの要素は映画から小説、音楽、そして写真に至るまで、さまざまなメディアで現れる。ジョシュア・ホフィンによる「ベッド」と題されたこの写真は、説得力のあるホラーの舞台設定を描き出している。少女を眠りにつかせる前に、ベッドの下をよく確かめておくべきだったのだ。Copyright Joshua Hoffine (2004)。

広告代理店ですら、消費者の関心を引くためにホラーの修辞技法をユーモアを交えて用いる。アウディの2012年のスーパーボウルでのコマーシャルでは、パーティを楽しんでいる吸血鬼たちが、向こうからやってくる車のLEDライトの閃光に偶然照らされて燃え上がる様子を描いている。「今では、ヘッドライトがデイライト」と高らかにCMが宣言する。ナイキの2000年のテレビコマーシャル「ホラー」では露出度の高い服装の若い女性が森の中で仮面をかぶりチェーンソーを振り回す殺人鬼に追い回される。ナイキのランニングシューズを履いた女性は容易に殺人鬼を振り切り、〔逃げられた〕殺人鬼は立ち止まって息を切らしている。「なぜ、スポーツをするのか」広告は問いかけ、そして答える「長生きするためだ」。この広告は女性蔑視であり、女性蔑視でなくても不快であるとの批判を受けてNBCでの放送は停止したが、現代の広告代理店が吸血鬼やスラッシャー・キラーといったホラーの常套的な要素が広く人口に膾炙していると判断しているという事実は残る。多くの頭を持つ怪物であるホラーという存在はあらゆる文化的領域に入り込んでいる。いったいどうしてこのような状況になったのか、そして始まりはどのようなものであったのだろうか。以下でアメリカン・ホラーの歴史を手短に振り返ってみることにしよう。

北アメリカにおけるホラーの歴史は人類がこの大陸にたどり着いた時から始まった。いわゆる旧アメリカ人（Paleoamericans）はおそらく何万年も前、お互いに恐ろしいストーリーを語りあい、想像力あふれる怖いシナリオを共有していたことであろう。こうしたストーリーや舞台設定がネイティブアメリカンの民話や伝説に吸収され、それが今日のアメリカン・ホラー・フィクションにインスピレーションを与え続けているのだ。たとえばウェンディゴ――アルゴンキン族の伝説に登場する獣じみた人食いモンスター――はスティーヴン・キングの1983年の小説『ペット・セマタリー』（Pet Semetary）〔深町眞理子訳、文藝春秋〕やテレビ番組『スーパーナチュラル』（Nutter）の2005年のエピソード、2015年のホラービデオゲーム『アンティル・ドーン 惨劇の山荘』（Bowen, Reznick, and

Fessenden）〔2015年 ソニー・コンピュータエンタテインメント〕に登場する。しかし特にアメリカ文学のホラー伝統といった場合は、19世紀中頃、ダークアメリカンロマンティシズム―エドガー・アラン・ポー、ナサニエル・ホーソン、ハーマン・メルヴィルといった作家たちによる、邪悪、狂気、非合理を扱ったロマン主義の一種―が台頭してようやく日の目を見ることになる（Docherty 1990, Jancovich 1994, Lloyd Smith 2004）。

18世紀後半と19世紀初頭に英国の作家たちによって生み出されたゴシック小説はアメリカの読者たちにも非常に人気があったが、アメリカの作家たちはほとんどこの形式を用いなかった。チャールズ・ブロックデン・ブラウンが例外であった。彼は世紀の変わり目に一連のゴシック小説を世に送ったが、そのうちもっとも有名なものは『ウィーランド』（1798）であり、これは宗教的な狂信者が邪悪な超自然的力の影響を受けて斧を持った殺人者に変わる様子を描いている。ブロックデン・ブラウンは英国の同時代の作家たちと同様、結末ですべての説明をするためだけに超自然的な要素を用いている。数十年後、ワシントン・アーヴィングが、S・T・ジョシ（2007, xi）によれば、アメリカの「最初の超自然主義者」として登場し、軽快なホラー・ストーリー「スリーピー・ホロウの伝説」（The Legend of Sleepy Hollow）（1820）のような古典を出版する。しかしH・P・ラヴクラフトによれば、エドガー・アラン・ポーこそアメリカの伝統における最初の重要なホラー作家であり、真に独創的で広く影響力を持った「恐怖の芸術家」であった。この評価に異論を唱える者はほとんどいないだろう。ラヴクラフトはポーの「われわれのまわりや内部に忍び寄る恐怖（中略）についての（中略）

夢想」と、「存在と呼ばれる華やかに彩られた見せかけのものや、人間の考えや感情と呼ばれる荘厳な虚構のなかで悪化してゆく恐怖」を見いだす芸術家の目を絶賛した（1973, 54）〔大瀧 63〕。いささか装飾過剰ではあるが、不正確というわけではない。ポーの作品の多くは１８３０年代と１８４０年代に出版され、悲観主義的な世界観を持ち、病的な精神的身体的状態を心騒がせるような筆致で描き出し、死、病気、狂気に対する進化の結果獲得された恐怖を引き起こす。同様にホーソンはその作品の中で否定的な感情や病的な精神といったテーマをくり返し描き、ニューイングランドのピューリタン的過去の中に『七破風の屋敷』（1982［1851］）〔鈴木武雄訳、泰文堂〕―先祖の罪に悩まされる一家の話―のようなゴシック・ストーリーの題材となる、罪責感と人間の邪悪の豊かな水脈を見いだしたのであった。ポーの影響はとりわけホラー・フィクションに生き続けている。ジョシによればポーとならんでアンブローズ・ビアスとＨ・Ｐ・ラヴクラフトが「アメリカ超自然主義者の三巨頭」である。ビアスは「あん畜生」（1898）〔芹川和之訳、東京美術〕―目に見えないモンスターに殺される男の話―のような広範なホラー短編小説を書いた。Ｈ・Ｐ・ラヴクラフトは１９２０年代と１９３０年代に主に活動し、彼自身が「奇妙なフィクション」（weird fiction）と呼ぶ文学的ホラーのもっとも卓越した実践者であり批評家であるとひろく目されている。

ラヴクラフトの概念で「奇妙な」（weird）というのは「単なる身体的な恐怖や凡庸な嫌悪を描いた文学」とは一線を画している。「奇妙な」文学は、秘密の殺人や、血塗れの骨や、型通りのシーツをかぶって鎖を鳴らすあらわれをしのぐものを具えている。息もつけない不可解な外世界の未知の諸力の恐怖という、特定の雰囲気が存在しなければならないのである。主題になるほどの真剣さと凶まがしさで述べられた、人間の頭脳のあの最も恐ろしい概念のほのめかしが存在しなければならない――混沌の猛襲や計り知れない宇宙のダイモーンに対して、われわれの唯一の保護である自然の不変の法則が、有害にも中断したり打破されたりするという考えである。（1973, 15）〔大瀧 10〕

ラヴクラフトのストーリーは誰もが熱狂するものではなかったが、一部の読者や同時代の作家たちは熱烈に彼の作品を愛した。その中にはオーガスト・ダーレス、ロバート・ブロック、フリッツ・ライバーといった著名なホラー作家もいる。彼は１９２３年に『ウィアード・テールズ』（Weird Tales）という雑誌を創刊した。これはホラーを専門に扱う最初の文学雑誌である。彼はまたレイ・ブラッドベリ、リチャード・マシスン、T・E・Dクライン、ケイトリン・R・キーナン、ケリー・リンク、そしてスティーヴン・キングといった後続の作家たちに多大な影響を与えた。ラヴクラフトの影響はジョン・カーペンターの１９９５年のホラー映画『マウス・オブ・マッドネス』〔１９９５年 松竹富士〕に明確に現れている。これは現実を浸蝕していく宇宙的な邪悪な力についての作品である。同様に、高い評価を得たテレビ番組『トゥルー・ディテクティブ』（True Detective）（Pizzolatto 2014-）はラヴクラフトの創造した宇宙にインスピレーションを受けている。ビデオゲームデザイナーたちでさえ、ラヴクラフトのいわゆるクトゥルフ神話、古の神々や恐るべき力を含む精巧でおどろおどろしい神話にヒントを得ている。最初の３Ｄサバイバルホラーゲーム『アローンインザダーク』(Alone in the Dark)(Raynal and Bonnel 1992)はラヴクラフトにインスパイアされたものであり、批評家たちに絶賛された『アラン・ウェイク』(Alan Wake)(Ranki and Kasurinen 2010)〔マイクロソフト、イーフロンティア〕と『ブラッドボーン』(Bloodborne)(Miyazaki 2015)も同様である。ラヴクラフトは確かに、人間をまるで塵芥のようにもてあそぶ巨大で宇宙的な力という設定、そして彼の「奇妙な」(weird)フィクションによって、想像力と感情を強くかき立てる水源を見いだしたのである。彼の創作物が未だに人々を魅了しているのも驚くにはあたらない。宇宙的な視点から見れば、わたしたちは自我―宇宙とその力に関する偏見に満ち、ゆがんだ考えにふさわしい倒錯した自我―が異常に発達した、奇妙な小さく弱い猿にすぎないのだから。

20世紀になると技術革新が新しいプラットフォームを可能にしたためにさまざまなメディアでホラーが開花することになる。放送技術によってラジオのホラー劇を無線で伝達することができるようになった(Hand 2006)。そして印刷コストの低減によってペーパーバック小説やパルプフィクション、雑誌、コミックが隆盛を極めた。しかし映画というメディアがこの世紀の大部分にわたりアメリカンホラーを支配するプラットフォームとなる。このメディアは感情をかき立てるために音響の力を借りる(Hayward 2009)ことができる点で文学という媒体にまさっていた。投資する時間も一時間半ほどで〔文学作品を読むよりも〕少なくてすむ。ストーリーを読むという孤独な経験がほとんどいつも孤独な楽しみであるのと比較すれば、それは社交的な体験にもなりうる。ホラー映画を皆で楽しむということがこのメディアが与える特別な喜びであった。観客が反応を声に出し、それが暗い映画館に響くために感情が増幅されることになる（Shteynberg et al. 2014）。観客の悲鳴は頭蓋の内外で反響し、皆と一緒に驚いた後に照れ笑いをしたり、迫り来る脅威を予測して思わず声を上げたりといったメタ的な感情を共有することもできる。

１９３０年代以降に作られたユニヴァーサルスタジオのモンスター映画はアメリカン・ホラー映画の黄金時代の幕開けを告げていた。『魔人ドラキュラ』（Browning 1931）〔１９３１年 大日本ユニバーサル社〕と『フランケンシュタイン』（Whale 1931）〔１９３１年 大日本ユニバーサル社〕はよく知られ愛されている文学作品の中のモンスターを生き生きと蘇らせたが、ユニバーサルの―メロドラマ的な展開、ロマンティックな設定、異国情緒あふれるモンスターたちといった―ゴシック・モンスター・ホラー路線は世紀の中盤になると精彩を欠くようになる。しかしその停滞期は短く、１９５０年代と１９６０年代には古いホラー映画が新しい世代の観客に届きはじめる。放送局がそれらの映画を取りあげ、今やアメリカ中に行き渡るようになったテレビで放映し始めたからである。１９５８年に創刊された雑誌『映画界の有名なモンスターたち』（Famous Monsters of Filmland）はホラー映画のスチル写真を多く掲載し、ホラー映画の俳優やモンスターたちについての記事を掲載することでホラーへの高まる関心をさらに煽った。

１９５０年代はアメリカン・ホラーにとって実り多き10年間であるとしばしば見られている。この時期にはアメリカの大衆文化の中にホラー・コミックが根づき始めて議論を呼ぶようになった。たとえばＥＣコミックスは１９５０年から１９５５年まで『墓場の物語』（Tales from the Crypt）という象徴的でしばしばきわめて凄惨な作品を生み出した。１９５５年にはこれらの内容が不道徳で倒錯的であるという非難を受けて出版社が自主規制した結果、多くの連載が終了した（Hajdu 2008）これらのコミックは青年層に向けて売られ、読まれたもので、一部の人々はコミックの暴力的で不快な内容が多感な精神に破壊的な影響を及ぼすと危惧したのである。同時に、リチャード・マシスン、レイ・ブラッドベリ、ロバート・ブロック、そしてジャック・フィニー――１９５５年のＳＦホラー小説『盗まれた街』〔福島正実訳、早川書房〕の作者―が同時代の、それとわかるようなアメリカの地域に舞台を置き、先行する作品で人気があったエキゾチックな脅威のかわりに、フィニーのドッペルゲンガー的なポッド・ピープルのような国産のモンスターを登場させることでホラー文学を再活性化させた(Jancovich 1996, King 1983a)。これらの、そして別の作家たちはホラーの遺産に知的に取り組み、既存のジャンルのコンヴェンションや修辞技法を発展ないし転倒させ、それらを新しいホラー・ファンに響くものにしようとした。こうして彼らは『トワイライト・ゾーン』（Serling 1959-1964）という革命的なテレビ番組への道を開いたのである。たとえばマシスンは吸血鬼という古典的な人物に最終戦争に対する当時の文化に特有の不安を融合させ、これらの要素を『アイ・アム・レジェンド』（1954）というきわめて実存的なストーリーへの足がかりとして用いた。シャーリー・ジャクソンは幽霊屋敷という昔ながらのゴシックの修辞技法を『丘の屋敷』（2006 [1959]）で利用し、ゴシック小説のコンヴェンションに少々のおかしさを交えつつ、おそらくは邪悪な超自然的力によって破滅的な狂気に陥っていく若く不安定な女性を描写している。ロバート・ブロックはアルフレッド・ヒッチコックの分水嶺的作品『サイコ』（1960）の由来となる作品を書いた。『サイコ』はヒロインを映画開幕わずか30分少々できわめて鮮明で不穏なやりかたでヒロインを死に追いやることでハリウッドの慣例に挑戦している。さらに、『サイコ』はトランシルヴァニアやどこかの崩れかけたイタリアの城ではなく、人間の精神の深みから現れたモンスター――ノーマン・ベイツ――を観客に提示するのだ（Hutchings 2004, Jancovich 1994）。

いくつかのきわめて成功したホラー小説―そして芸術的にすぐれ利益を上げた映画化作品―がホラーブームに火をつけ、それは１９８０年代まで続いた。とりわけアイラ・レヴィンの１９６７年の小説『ローズマリーの赤ちゃん』とそのロマン・ポランスキーによる１９６８年の映画化、そしてウィリアム・ピーター・ブラッティの１９７１年の小説『エクソシスト』〔宇野利泰訳、新潮社〕とそのウィリアム・フリードキンによる１９７３年の映画化の功績が大きい。これらの作品、そしてほかのいくつかの作品の人気と、スティーヴン・キングのアメリカのホラー・シーンへの登場が、映画と小説の量産を生んだ（D'Ammassa 2006, Hantke 2016）。ジョシが述べるようにホラーは「突然、大ヒットが確約されたジャンルになった」（2007, xix）のである。ホラー映画の歴史において１９７０年代はいわゆる「ニューホラーフィルム」（Hutchings 2004, Platts 2014a）の台頭によってもっともよく知られている。これはロメロの『ナイト・オブ・ザ・リビングデッド』（1968）によって先鞭をつけられ、

『悪魔のいけにえ』(Hooper 1974)や『鮮血の美学』(Craven 1972)―異常な殺人鬼になすがままに翻弄される哀れな、完全無欠ではない主人公たちを描いた作品―といったショッキングな映画に代表されるような、非常に殺伐とした、政治的色彩の強いサブジャンルである。しかしこの絶望的でニヒリズムすれすれの映画の流行の中で、アン・ライスはホラーの典型にロマンティックなひねりを加え、自らの捕食性を受け入れようと苦しむ神のような吸血鬼たちの物語を生み出した。1976年の小説『夜明けのヴァンパイア』〔田村隆一訳、早川書房〕である。ライスの小説は1990年代と2000年代に非常な人気を取った超常ロマンスを予感させるようなものである。これは(通常は)女性の主人公が、礼儀正しいが危険な香りのするモンスターたち、典型的には吸血鬼たちと恋に落ちるロマンスストーリーである。L・J・スミスの『ナイト・ワールド』シリーズ(1996-1998)と『ヴァンパイア・ダイアリーズ』シリーズ(1991-2011)、ステファニー・メイヤーの驚くほど模倣的な大ヒット作品『トワイライト』シリーズ(2005-2008)は難しい配偶者選択―基本的には吸血鬼か狼男をどちらか選ぶもの―に直面した女性の主人公を描いたものである(Clasen 2012a)。ホラーの要素は超常ロマンスでは抑えられており、魅力的で、牙を持ち、そして(あるいは)毛皮のような肌の紳士たちを描写することによりバイロン的なスリルをもたらす源泉として主に使われている。

1970年代後半にはスラッシャー・フィルムも台頭してきた(Nowell 2011a)。ジョン・カーペンターの『ハロウィン』(1978)は低予算で撮られ、静かな郊外で仮面をかぶった殺人鬼に追い回され殺される若者たちを描いたものだが、これが大ヒットを飛ばし、やはり仮面をかぶった殺人者と若者の犠牲者を描いた『13日の金曜日』（Cunningham 1980）〔１９８０年 ワーナー・ブラザース〕（と、10以上の続編）のような多くの模倣作を生んだ。これらの映画はとりわけティーンエージャーに大変な人気となった（Nowell 2011a）けれども、市場が飽和し、観客がこの定式に慣れてしまった１９８０年代にはじょじょに下火となった。一方ホラー文学はホラー文学で独自の黄金時代を築いていた（Hantke 2016）。アメリカの出版社は光沢のある黒い表紙でしばしば不気味な内容を含むホラー・ペーパーバックを量産していた。スティーヴン・キングやピーター・ストラウブといった既に成功したホラー作家に加え、ロバート・R・マッキャモン、ディーン・クーンツ、F・ポール・ウィルソンといった才能ある若手、そして水泡のように現れては消えていく無数の作家たちが現れた。『ダーク・フォース』（Dark Forces）（McCauley 1980）と『プライム・イーヴル』（Winter 1988）といった、今や古典となったアンソロジーが創刊されたが、これはホラー文学がある程度の量に達し、人目を引く高品質なショーケース的出版が可能になったことを示している。ホラー映画ファンの雑誌『ファンゴリア』（Fangoria）は１９７９年に創刊され、その９年後にホラー文学誌『セメタリー・ダンス』（Cemetery Dance）が発刊した。どちらもアメリカのホラーブームのまっただ中であり、現在も続いている。アメリカのホラー文学が十分な利益を確約してくれ、文化的にも際立っている例としてもうひとつ挙げられるのは、ホラー作家のグループが１９８５年に、自分たちの利益を促進するためにホラー作家協会を設立したことである（Wiater 1996）。この協会は今日もまだ存続しており、有名なブラム・ストーカー賞をホラーの卓越した作品に授与している。しかし１９９０年代初頭、ホラーの市場は飽和し、出版数も映画の公開数も下降線を辿るようになってしまった（D'Ammassa 2006, Winter 1998)。

ホラーというジャンルの人気は高くなったり低くなったりしているが、進化の結果として生じた欲望を満たすために非常に適しているので、決して長い間下火になることはない。最良のアメリカのホラー作家たちの多くは１９９０年代を通して質の高い作品を生み出し続けている。ますます増えてきた女性のホラー作家を含む何人かの新しい作家たち（Jancovich 1994, 37-42）が現在このジャンルをいささか好まなくなっている文学のマーケットに参入してきている。さらに、１９９０年代には自意識的で遊び心に富んだスラッシャー・フィルムが現れ始め、とりわけ１９９６年の『スクリーム』（Craven）の公開が特筆される（Wee 2005）〔１９９７年 アスミック・エース〕このポストモダンなスラッシャー映画の波は現在も進行中で、『キャビン』（Goddard 2012）〔２０１３年 クロックワークス〕や『イット・フォローズ』（Mitchell 2014）〔２０１６年 ポニーキャニオン〕がジャンルのコンヴェンションで遊びながら観客を怖がらせる新しい方法を見いだしている。ポストモダンなスラッシャー映画は観客が既にこのジャンルの「お約束」を知っていることを前提にしており、こうした「お約束」で楽しみながら、同族による殺害という、スラッシャー映画の焦点である恐るべきシナリオは維持している。たとえば『ファイナル・ガールズ 惨劇のシナリオ』（Strauss-Schulson 2015）〔２０１５年 ソニー・ピクチャーズ エンタテインメント〕は『キャンプ・ブラッドバス』という80年代風のスラッシャー映画に取り込まれる若者集団を描いている（図５・２）。この劇中劇では陽気なサマーキャンプの指導員たちが不気味で仮面をかぶりナタを振り回す殺人鬼の餌食になっていく。21世紀の若者たちには幸いなこ

図5.2：ホラーは観客の興味を引きつけておくように進化する。スラッシャー・フィルムの市場が飽和状態になると、メタフィクション的でアイロニカルなスラッシャーがこのジャンルを蘇らせた。『ファイナル・ガールズ　惨劇のシナリオ』（Strauss-Schulson 2015）では、21世紀の若者たちが80年代風のスラッシャー・フィルムに取り込まれてしまう。写真は、スラッシャーに詳しいダンカンが背後の悪者と一緒に「自撮り」しようとしている場面。ポストモダン・スラッシャーは古い様式に新しい「ひねり」を加え、観客の関心を引きつける。

とに、彼らは自分たちが有しているスラッシャー映画のお約束―セックスをしないこと、「ファイナル・ガール」と一緒にいること、など―を用いてなんとか生き残る。同時に、映画製作者たちはこのメディアに詳しく、過去の作品に精通している観客たちを怖がらせる新しい方法を常に探し続けている。そのような方法のひとつは「フィルムが見つかった」型のホラー映画である。これはドキュメンタリーであるとうたっており、手持ちカメラで撮影され、物語と関係ない音楽をなるべく使わない形の映画だ。『ブレア・ウィッチ・プロジェクト』（Sanchez and Myrick 1999）によってこのサブジャンルに注目が集まり、『パラノーマル・アクティビティ』（Peli 2009）のような後続の映画はこの定式を洗練し、家庭用ビデオで撮られたような「本物らしさ」を利用することによって予算的な制約を力に変えている。ホラー映画は何十年も「実話に基づいている」とうたっていた—『サイコ』も『悪魔のいけにえ』もどちらも大量殺人鬼エド・ゲインの犯罪にインスパイアされたことになっている—けれども現在、隣の家の子が安物のビデオカメラで撮ったかのように「見える」ホラー映画の新しい波が現れている。このような映画で描写される、本物のように見える、型にはまらないホラー・シナリオが効果的なのは、アマチュア映画製作者たちの美意識や、現代の観客におなじみで、それゆえリアルであるとして信頼されやすい緊急ニュース報道のスタイルを模倣しているからである（Heller-Nicholas 2014）。

２０００年代にはいわゆる「拷問ポルノ」と呼ばれる物議を醸す映画作品が主流になった（Jones 2013）。吐き気を催すようなディテールで鮮やかに流血や人体の損壊を描写する、超自然的ではないホラー映画は何も新しいものではない。エクスプロイテーション映画やスプラッター映画は何十年も作り続けられてきた（Arnzen 1994）。しかしイーライ・ロスの２００５年の映画『ホステル』（２００６年 ソニー・ピクチャーズ エンタテインメント）のような、よく練られた拷問ポルノ（享楽主義的なアメリカ人のバックパッカー3人が東欧で誘拐され、娯楽のための生贄として大金持ちに売られていくという話）は身体への侵襲と極度の肉体的苦痛をぶれずに描ききり、一部の批評家と観客に衝撃を与えた。それにもかかわらず、この映画はメインストリームで配給された。もはや見るべきものは見尽くしたと感じていたホラー・ファンに、拷問ポルノは新しいレヴェルの視覚的スペクタクルと擬似的な極度の不快感を与えたのである。２０００年代ホラーのもうひとつの大きなトレンドはゾンビであった。ゾンビは映画の大ヒット記録を塗り替え、低予算でも大きな収益を上げ、そして文学界でも成功を収めている。たとえばマックス・ブルックの『ワールド・ウォーZ』（2006）〔２０１３年 東宝東和〕がそれだ。ロバート・カークマンとトニー・ムーアのグラフィック・ノベル『ウォーキング・デッド』（2003-）は同名のテレビドラマ（Darabont 2010-）―「ケーブルテレビの歴史上もっともよく見られた番組」（Platts 2014b, 294）―となって大きな人気を集め、ビデオゲームも作られた（Vanaman et al. 2012）。ゲーム内ではプレイヤーはゾンビが跋扈する世界の主人公になれる。このような最終戦争後のゾンビが支配する世界を描いた作品群は非常に魅力的な、メディア横断的な現象となり、ゾンビ―完全に非現実的なホラー・モンスター―の、捕食と感染から守るために進化した心理的防衛メカニズムに働きかける力（Clasen 2012d）の例証となっている。

ホラービデオゲームは次第に人気を増しており、このジャンルの支配的なメディアの地位を映画と争いはじめている。これはおそらくゲームが伝統的な非インタラクティブな物語メディアよりも効果的に没入感を与えることができるからであろう。ホラービデオゲームでは危険に満ちた世界でプレイヤーが主体的に行動することができるため、このメディアはホラーファンのゲーマーに高い強度の感情的シミュレーションを提供するのに非常に適している（Perron 2009）。ホラーのもっとも純粋なデジタル的表現はサバイバルホラーとして知られるサブジャンルであり、これはきわめて弱い無防備なプレイヤーを、通常は迷路のような仮想世界の中で、コンピュータが操作する危険な行為主体と対峙させるものである。この用語は日本の１９９６年のホラーゲーム『バイオハザード』（Resident

Evil）（Mikami）〔1996年 カプコン〕で初めて用いられたが、様式としてはそれ以前からあり、少なくとも1982年の、コンソール機アタリ2600用のゲーム『ホーンテッド・ハウス』（Andreasen）にまでさかのぼる（Fahs 2009）。このゲームではプレイヤーは幽霊屋敷の暗い内部を探索して、蜘蛛、コウモリ、幽霊を避けながら壺を探さなければならない。これは後年のゲーム『スレンダー：エイトページズ』（Hadley 2012）に似ている。この作品ではプレイヤーは暗い森の中に置かれ、懐中電灯を装備して八枚の紙を探し、一枚を見つけるごとにだんだん近づいてくる悪意を持った行為主体に追われることになる。こうしたホラーゲームはプレイヤーを敵意に満ちた人気の無い世界―モンスターしかいない世界―に送り込むことで、進化の結果獲得された捕食への恐怖と、同様に進化の結果獲得された孤独への恐怖を刺激する（Clasen and Kjeldgaard-Christiansen 2016）。2015年のベストセラー『アンティル・ドーン 惨劇の山荘』のようなほかのホラーゲームにはより豊かな物語性とずっと進んだゲームプレイが備わっており、『Left 4 Dead』（Booth 2008）のような作品は恐怖のスリルと自動小銃で悪人を撃ち倒すスリルが融合している（図5・3）。しかしそれらの核心には同一の原始的な状況がある。プレイヤーは狩られる獲物として、脅威に満ち、未知の世界に置かれているのだ。コンソール機とパーソナルコンピュータの処理能力が向上するにつれ、そしてゲームデザイナーたちが腕に磨きをかけていくにつれ、ホラービデオゲームはますます没入的で効果的なものとなり、視覚的リアリズム、物語の複雑性、没入的なゲームプレイをますます高いレヴェルで達成するようになってきている。家庭用のヴァーチャルリアリティヘッドセット―視覚的、音響的フィードバッ

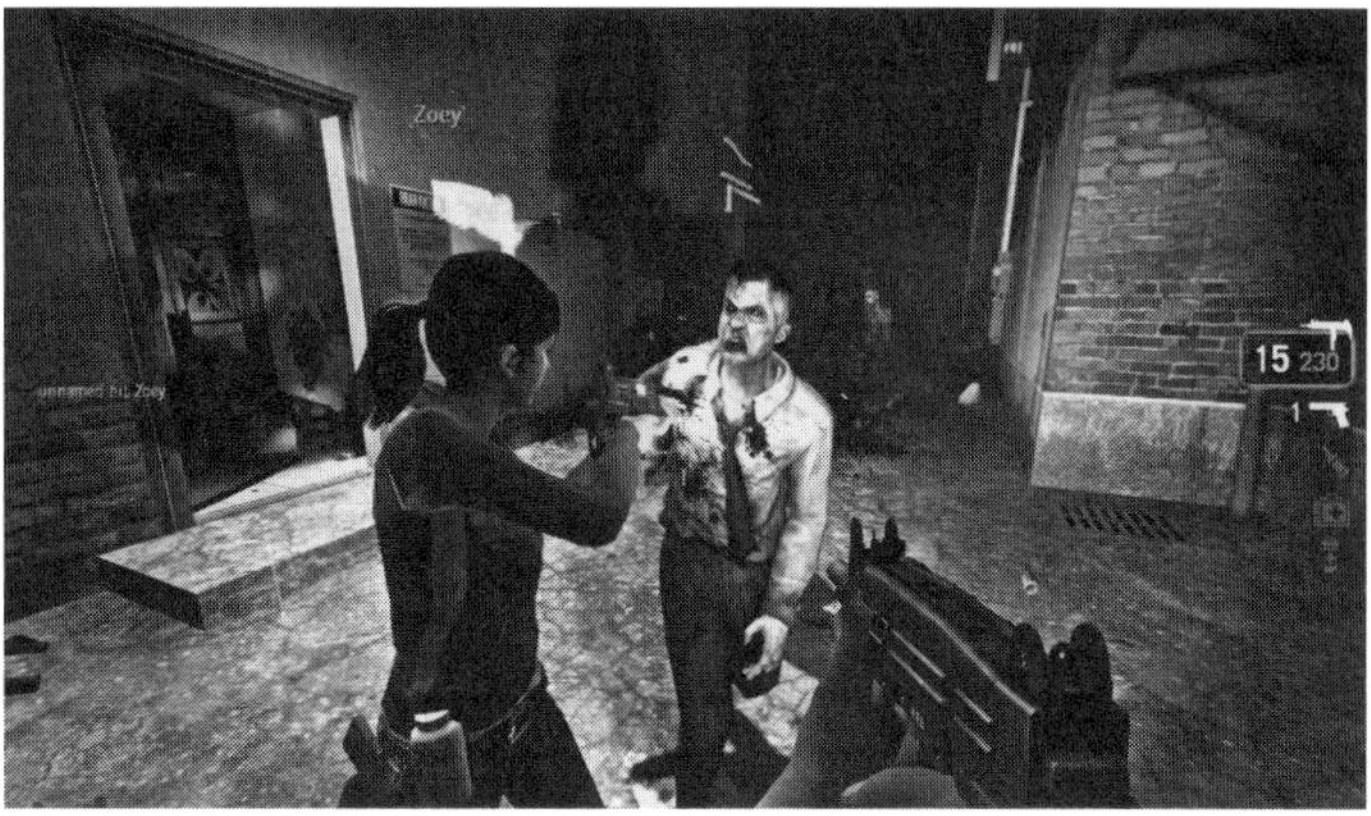

図5.3: アクションホラービデオゲーム『Left 4 Dead』(Booth 2008) で、ゾンビを撃っているところ。ホラービデオゲームではプレイヤーは仮想世界と交渉を持つことができ、高いレヴェルの没入感と感情移入が可能になっている。サバイバルホラーゲームは通常無防備なプレイヤーを暗く未知の環境で恐ろしいモンスターと対峙させるが、アクションホラーゲームではプレイヤーは反撃することができる。

クを流し、頭部の動きには即座にゲーム内の視点を変更することで反応するヘッドマウントディスプレイ—は現在容易に手に入り、仮想的なホラーの世界にプレイヤーが存在するというきわめて効果的な錯覚を与えられるようになっている。このようなテクノロジーのためにプレイヤーは自分が—感情移入しているにせよ—受動的な観察者ではなく、実際にホラー世界で生きているという感覚を得られるようになる。同様に、ますます人気が高まっているお化け屋敷のアトラクション（本書の最後で触れる）は訪問客に、現実の時空で展開するホラーストーリーの主人公になるという経験を与え、不穏な光景、音、におい、ゾンビやチェーンソーを持った殺人者に扮した俳優との接触を通して複数の感覚に訴えかける。ホラーへの渇望は人間の本性深く根ざしているものであり、ホラーが複数のメディア、さまざまな文化的領域に浸透していることで、人々がこの渇望を満たすことはこれまでになく容易になってきている。

この短く、ごくかいつまんだアメリカンホラーの歴史の概観が示すように、ホラーは時代を通して―文化の変化、技術の変化、製作者の状況の変化（たとえば検閲や産業の構造など）、そして人間心理に根ざした、新しいものに馴れてくるという傾向（Grodal 2009）の結果として変化するものである。観客が〔刺激に〕馴れてしまうと、新しいサブジャンルや約束事がそれに対して現れてくる。支配的な種類のホラーが観客の心を騒がせる力を失うと、創造的で商売上手なアーティストたちはこのジャンルの情緒的な目的を満たすような新しい方法を見いだそうとする。だから、ホラーは変化するが、決して恣意的に、無軌道に変わるのではない。前の各章で述べたように、人間の生物学的制約が可能にする領域内で変化するのである。1990年代後半と2000年代初頭にアメリカの観客の間で人気となったジャパニーズ・ホラーを考えてみるとよい。1998年からの『リング』（Nakata）〔1998年 東宝〕がその発火点となった（Balmain 2008）。これらの映画で語られるストーリーは西洋の観客にとって容易に「解読」可能なものであった。というのもそれらは古典的なハリウッド映画のお約束に則ったものだったからである。それらは連続性を持たせるために編集され、撮影、音響、演出の点でハリウッドの慣習にしたがっていた。さらに、邪悪な幽霊、呪いといった、西洋の観客におなじみのホラー要素を用いていたのである。それでいて、これらの作品はたいていのアメリカの観客にとって、エキゾチックで不安を抱かせるような要素も持っていた。迷信はなじみのないもので、話される言葉は多くにとって解読不能であり、進行ペースもアメリカの映画とは若干異なっていた。つまり、「解読」は可能だが予測することはできないわけで、それがますますアメリカの観客を震え上がらせたのである。このように、これらの映画は効果的なホラーという可能性の領域の中に位置しており、同時に、伝統的なハリウッドのホラー映画に隣接していたわけである。あらゆる効果的なホラーは、いかなるメディアであれ、どの文化を背景にしたものであれ、普遍的な心理的メカニズムを標的にすることで作用する。この後の章でわたしはよく知られたホラーの作品をより詳しく分析し、これらの作品が多くの人々に訴えかける仕組みを明らかにしてみたい。

6. 吸血鬼のアポカリプス：『アイ・アム・レジェンド』（1954）

リチャード・マシスンの『アイ・アム・レジェンド』（以下IAL）（尾之上浩司訳、早川書房）は1954年に出版されたが、近未来（1975-79）に舞台を置き、ロバート・ネヴィルが吸血鬼病の全面的な蔓延を生き残り、それに意味を与えようと苦闘する姿を描いている（Matheson 2006）。ネヴィルを除いたすべての人類が奇怪な病原菌に侵され、次第に吸血鬼へと変わっていく。ネヴィルは病原菌のために娘と妻を失ったが、彼自身は菌に対する免疫を持っており、夜な夜な行われる吸血鬼の襲撃に備えて家を要塞化し、酒を飲み、不死身の吸血鬼や感染して昏睡状態になった人間たちを殺して日々を過ごしている。数年間ひとりぼっちで過ごした後、ネヴィルは人間の生存者の仲間ルースに出会う。彼女は実は吸血鬼菌に感染しており、薬で発症を抑えている小規模な人間の共同体から送られたスパイだったのだ。ルースたちは数えきれないほどの仲間を殺してきているネヴィルを恐れ、ついにネヴィルをとらえて「新人類」に対する罪のために死刑を宣告する。ルースはネヴィルをかわいそうに思い、公開処刑でさらしものにならなくてもすむようにこっそり自殺用の薬を渡す。新しい社会では自分こそが敵なのであり、恐るべき伝説なのだとネヴィルが気付いて死を迎えるところで小説は終わる。

リチャード・マシスンは1926年に生まれ、2013年に亡くなるまで驚くほどの量のフィクション―小説、短編小説、脚本―を書いた。マシスンはあらゆる種類の実験的なフィクションを書いたけれども、主として彼の名前を知らしめているのはホラー・フィクションであり、ホラー作家たちに何世代にもわたって霊感を与え続けている。ホラー批評家のダグラス・E・ウィンターは、マシスンは「おそらく彼の世代の中でもっとも影響力のあるホラー・フィクション作家であろう」(1990, 37) としている。彼の世代には『サイコ』の原作者ロバート・ブロック、ホラー、ファンタジー、SF作家のレイ・ブラッドベリ、『トワイライト・ゾーン』の脚本家ロッド・サーリングが含まれる。マシスンは心理学的に複雑でリアルなキャラクターを造形する能力、ホラーからゴシックのほこりを吹き払い、誰の目にもわかる同時代のアメリカの小さな町にストーリーの舞台を置いたこと (Jancovich 1996, Murphy 2009)、そしてミニマリストのスタイル―マシスンは「ホラーのヘミングウェイ」（Publishers Weekly 2002）と呼ばれた―が高く評価されている。マシスンのすべての有名なストーリーの中で、ＩＡＬはもっとも知られている作品であり続けている。２０１２年、ホラー作家協会は特別なブラム・ストーカー・ヴァンパイア・ノヴェル・オブ・ザ・センチュリー賞をマシスンに贈った。この小説は三度も映画化されている。１９６４年の『地球最後の男』（Ragona and Salkow）、１９７１年の『地球最後の男オメガマン』（Sagal）〔１９７１年 ワーナー・ブラザース、松竹〕、そして２００７年の『アイ・アム・レジェンド』（Lawrence）〔２００７年 ワーナー・ブラザース〕である。これはジョージ・Ａ・ロメロの『ナイト・オブ・ザ・リビングデッド』（1968）を含む数えきれないほどのほかの媒体の作品に直接的、間接的に霊感を与えた。『ナイト・オブ・ザ・リビングデッド』はマシスンの描いたモンスターによる終末というアイデアを利用したものである。２０１１年の段階では、この小説は少なくとも64の版で出版され、14の外国語に翻訳されている（Browning 2011）。そこには中国語、ロシア語、韓国語が含まれる。

この小説が継続的に、さまざまな文化圏で成功を収めていることは、それが創作された時間と場所を超えて、人間の動機と不安を強力に利用していることを示唆している（Clasen 2010b）。ＩＡＬはおそらく、バーニス・マーフィーが主張するように、「時代が生んだ小説」（2009, 29）かもしれないが、ストーリーが読者の関心を引く永続的な力はマシスンが終末を迎えた後で単に生き抜き仲間の生存者を見つけようとするだけでなく、敵意に満ちた世界で意味を見出そうと苦闘する男の描写において基本的な人間の不安を利用しているからである。意味や目的を見出そうとする必要性は人間が普遍的に有しているものだ。これはわたしたちに自意識を与え、複雑な世界を見せてくれる高い知性の進化の副産物として生まれた（Wilson 1998）。わたしたちはなぜ、ここにいるのか。出来事の、世界の、存在の意味とは何か。歴史的に見れば、宗教とイデオロギーが人々に意味と目的を与えていたのだが、現代の多くの人々は神的な目的や全体主義的なイデオロギーには幻滅しているので、意味の欠如、そしてそれゆえに生じる意味への渇望は深刻なものがある。マシスンは吸血鬼という古くからあるホラーの祖型を用いてそれに現代の受容者の鑑賞に堪えるような合理性を与えた。単に怖がらせ興奮させるだけではなく、人間の条件について真実で重要なことを伝えるためにこのキャラクターを利用したのである。吸血鬼による終末のためにネヴィルは彼の人生に意味―家族、友人、仕事―を与えていた〔社会〕構造を奪われてしまっており、この小説はネヴィルの絶望への沈潜、半人間的で機械的な存在の条件付きの受け入れ、そしてもはや自らが所属する場所がないこと、新種の吸血鬼の社会には居場所がないこと、ただ死後の伝説としての居場所しかないことを悟って死を受け入れた時の彼の心の平穏といったものを想像力をかき立てるかたちで描写することでその特異な力を得ているのである。

文学批評家たちはＩＡＬが進化の結果として獲得された気質と共鳴していることを大部分無視して、この作品を人種的な偏見（Murphy 2009, Patterson 2005）、抑圧された同性愛（Khader 2013）、女性嫌い（Murphy 2009）、危機に陥った男性性（Jancovich 1996）、そしてキリストの受難（Ng 2015）などの寓話として読んでいる。多くの批評家たちはこの小説が書かれた１９５０年代の環境に注目し、20世紀中盤のアメリカに特有と思われるテーマを指摘している。マーク・ヤンコヴィッチは１９５０年代のアメリカのホラー・フィクションにおける中心的な関心事として体制への順応と体制への順応に対する深い両義的な姿勢を挙げている（1996）。ネヴィルは確かにアウトサイダーであり、文字通り生き残った最後のひとりであり、そして最終的には新種の吸血鬼の社会からも完全に追放される。体制順応と疎外というテーマは１９５０年代にはとりわけ重要であったかもしれないが、その根は人間の本性と、有意義な社会的ネットワークの一部になるという人間の必要性に直接結びついている。バーニス・マーフィーは、マシスンのストーリーはとりわけ郊外における冷戦の不安を具現化していると主張している（2009, 29）。ネヴィルの家―邪悪な勢力からの攻撃に備えて要塞化された施設―はソビエトの核攻撃に備えて５０年代に郊外で作られたシェルターを思わせる。同様に、アンドリュー・ホック・スーン・ンは「この小説の主な関心事は核戦争とその後の荒廃である」（2015, 92）と述べている。これはいささか誇張されたものであるが、小説が冷戦下でとりわけ顕著であった世界の終末への恐怖を利用していることは確かである。吸血鬼病の大流行はそのスケールにおいて終末的であり、この小説はおぼろげながら吸血鬼病の大流行と核攻撃とを結び付けている（Matheson 2006, 45）。

これらの批評家たちは吸血鬼というキャラクターがその力を得ているのは第一に超自然的な捕食者として、第二にメタファーとしてであることに気づいていない。たとえばパターソン（2005）とマーフィー（2009）はＩＡＬが人種的な対立のストーリーであり、吸血鬼はアフリカ系アメリカ人を意味しているという。カーダーはこのストーリーはネヴィルの抑圧された同性愛についての作品であり、吸血鬼たちは同性愛者であるという（2013）。カーダーはフロイト的な象徴の転移という「機械仕掛けの神」を使って自らの主張を立証しようとする。血液は血液ではなくて精液である。家は家ではなくてクローゼットである、などというものだ。この戦略は認識論的に疑わしく、カーバーの議論を弱めるようなものである。パターソンとマーフィーは彼らの解釈を主として「黒い」という形容詞の含意的潜在性に依拠させている。しかしそういわれても、黒さ、あるいは暗さがそれ自体事実として人種的意味合いを持ちうるわけではない。それらが象徴的に邪悪さと関連付けられてきたのはおそらく、わたしたちのヒト属の先祖たちが夜目が見えず、夜の間は襲われる危険が増したことと、象徴的な考え方の勃興が合致したためである。マシスンがネヴィルに「黒い」という単語を用いて吸血鬼たちを描写させたことは、彼がそれらを邪悪なものと知覚していることを示唆しているが、同時に彼は吸血鬼を「青白い顔の怪物」（10）〔尾之上 22〕とも表現している。吸血鬼たちを、きわめて狭い範囲での社会的言及力しか持たない意味やメタファーに還元したいという奇妙な衝動のためにわたしたちは吸血鬼の持つ、危険で捕食的で反直観的で感染的な行為主体という文字通りの本質的な存在を見失ってしまうのだ。致命的な感染をしやすい被捕食者としてのわたしたちの進化史を考えれば、これはわたしたちの関心をとらえてつなぎとめておくことができるようによく考えて作られたモンスターであるといえよう（Clasen 2012a）。マシスンの吸血鬼は彼ら自身、病気の犠牲者であるが、それでも危険なほど強く捕食的である。小説の最初の方の場面でネヴィルは家の外で吸血鬼に襲われる。ネヴィルは「冷たく力強い二本の手が首をつかみ、相手の吐く悪臭が顔に吹きかかる。（中略）白い牙のはえた口がネヴィルの喉にせまった」（34）〔尾之上 58〕。この場面のなまなましい力はわれらが主人公に対する捕食者の攻撃を鮮烈に描くところにある。これはネヴィルを攻撃している危険なモンスターなのであり、決してメタファーではないのだ。

吸血鬼はＩＡＬの中核的存在である。マシスンはＩＡＬで恐怖を伝える主要な手段として吸血鬼を選んだ時、豊かな文学的、映画的遺産を利用しているのだが、彼の合理的な説明を与えられた吸血鬼たちはマシスンが創作していた時代に人気のあった超自然的な虚構の吸血鬼とは概念的に異なる。もちろん不死の吸血鬼はそれが18世紀末に民間信仰から人気のあるフィクションへと移行したとき、すでに民話や民間の迷信において重要な位置を占めていた（Barber 2010）。当時もっとも有名な吸血鬼小説『ドラキュラ』（Stoker 1997［1897］）は吸血鬼に関する民話と先行する吸血鬼文学からの概念を合わせて、そこにドラキュラ伯爵とその子孫たちの影響力のある描写を想像力を働かせて加えたものである（Clasen 2012a）。ストーカーが描いた邪悪な超自然的生物とは対照的に、マシスンの吸血鬼は伝染性疾患の結果である。吸血鬼病の根源には「桿状菌《バチルス》」がおり、それは「異なった環境でも生存可能な腐性菌類なんだ。（中略）人間に感染すると嫌気性に変異し、人体と共生関係を持つようになる。吸血鬼は新鮮な血を供給し、細菌は宿主が次の獲物を襲えるようにエネルギーをあたえる」。マシスンはさらに、吸血鬼に杭を打ち込むことの効果について以下のようにネヴィルに説明させる。「空気が宿主の体内に入ると、環境は即座に変わってしまう。病原体は好気性になり、共生関係をやめ、毒性の強い寄生体に変化する。（中略）そして宿主を喰いつぶしてしまうのさ」（2006, 134）〔尾之上224］。ストーカーの悪魔的なモンスターとは隔世の感がある。マシスンが吸血鬼を超自然的なモンスターとしてではなく自然の脅威として造形したことはふたつの目的にかなっている。まず、それは自然科学が地球的規模の説明パラダイムとして積み重ねてきた成功、そして1950年代のアメリカのホラーがゴシック的な慣習から離れて、モンスターに合理的な説明を与えるなど、「現代世界への関心」へと大規模な「重心の移動」を起こしたことを反映している［Jancovich 1996, 2］。第二に、吸血鬼に合理的な説明を与えることは世俗的な世界に意味を与えるというマシスンのテーマ的焦点を補強する。ネヴィルは無神論者であり、あらゆる意味が失われたように見える状況でも生きていくための理由を必死に求め続ける。マシスンの吸血鬼が仮に超自然的な存在であったとしたら、彼らは小説内の世俗的な宇宙を転倒させてしまっていただろう。

ＩＡＬは読者がネヴィルに対する共感をはぐくむように書かれている。学者のルイーズ・ナタルはオンラインに見られる小説のレビューを渉猟し、読者はネヴィルにかなりの共感を持ったと一貫して報告していることに気づいた［2015］。この小説は三人称視点を用いて書かれているが、その焦点はネヴィルにあたっており、わたしたちはネヴィルの目を通してストーリーの出来事を見る。彼の心をのぞき込み、その感情と反応をとらえ、その推論にしたがい、彼が見るようにものごとを見る。彼が知っている以上のことを知ることは決してない。事実、わたしたちは彼よりもずっと［作中世界に関する］知識の量は少ないのである。事実、重要なストーリーの情報はサスペンスを作り出しそれを維持するための手段としてマシスンによって戦略的に隠されている。わたしたちは徐々にしかネヴィルの背景、つまり吸血鬼による終末が訪れる以前の彼の生活、感染の初期の状況、家族を悲劇的な形で失ったこと、などを知らされない。読者の共感をさらに高めるため、マシスンはネヴィルの感情的、生理学的状態についての鮮やかで詳細な描写を行っている。以下に示す例では、ネヴィルは妻の墓参りに来ている。折あしく彼の時計が止まってしまい、彼は時間の感覚を失い、安全な家から離れたところで吸血鬼に追われることになる。不死者のひとりが彼のほほを傷つけ、ネヴィルは車に逃げ込もうとする。「胸板を突きやぶるかのように、ネヴィルの心臓が激しく脈動している。身をふるわせて呼吸する。全身は痺れて冷たい。頬から血が流れているようだが痛みはない。ふるえる手ですばやく血をぬぐう」(33-34)〔尾之上 57〕。マシスンはネヴィルの状態を読者が自分のことのように感じられるように書いている。

ロバート・ネヴィルの状況はほとんど耐え難いものである。地球最後の男であり、完全に孤独で、孤立という砂漠、捕食というジャングルの中で常に吸血鬼からの攻撃にさらされている(Clasen 2010b)。とりわけストーリーの序盤ではマシスンはネヴィルの深く絶望的な孤独を深く描写している。ネヴィルが妻の墓参りに行くとき、彼は死後の世界を信じて、死んで彼女と一緒にいたいと願う。しかし彼は死後の世界を信じることはできず、彼女は死んでおり、彼は生きているままだ。「心臓は意識とは無関係に脈打ち、静脈はいつまでも血を運び、骨や筋肉や細胞もすべて無事で、何の目的もないまま機能している」(26)〔尾之上 47〕。マシスンはひとりだけで生きることには意味がないこと、孤独に生きることは「不毛で侘しい試練」(85)〔尾之上 142〕であると示唆しているのである。ネヴィルの孤独の痛みを前景化することによって、マシスンは強力で基本的な人間の動機である意味ある社会的つながりを求める動機を描写し、それを喚起している。人間は進化の結果超社会的な存在となり、社会性を積極的に求めるようになった。孤立することでわたしたちは病気になる（Cacioppo and Patrick 2008）。最近の研究が示しているように、わたしたちの脳が現在の大きさにまで進化したのは、人間が自然に生み出す複雑な社会的環境の中をうまくわたっていくために大きな脳が必要だったからである。言葉を換えて言えば、大脳新皮質の拡大は社会的な選択圧から直接もたらされたのだ（Gazzaniga 2008）。進化論的過去においては人間は捕食者を追い払い食物を手に入れるために協力すべく集団を形成した。集団生活は新たな認知的課題をもたらした（たとえば同盟関係や社会的交流の過程を追跡することなどである）ために脳が拡大し、複雑な集団の中で暮らすために必要な認知的メカニズムが進化した（Dunbar and Shultz 2007）。社交的な性質と表裏をなすものは社会的疎外の苦痛と完全なる孤立の恐怖である。完全なる孤立の恐怖はあまりにも基本的な人間の動機であるため、およそ正常に発達した人間であれば、ちょうど飢えの苦痛、性的衝動の激しさを直観的に理解するのと同様、身に染みてそれを理解することができる。マシスンはこの恐怖を読者に鮮やかに提示している。ネヴィルの視点をとって彼の痛みと葛藤を味わわせようとしているのだ。わたしたちはネヴィルがついに、ストーリーの中盤で、感染していない生き物―犬―に遭遇するとき、彼に声援を送らないではいられない。

ネヴィルが犬に出会ったとき、彼はもう10か月も人間と話していない。彼は犬の愛情を獲得しようとする。犬は怖がって逃げてしまい、ネヴィルはそれを見つけようとする。「結局、ふらつく足で自宅にもどった。救いのない憂鬱が描かれた仮面のような顔で。生き残った仲間を探しつづけたあげくに偶然出くわしたというのに、失ってしまうなんて。それがただの犬一匹だったとしても、だ。ただの犬だって？　ロバート・ネヴィルにとって、犬は人類史上で最高の存在だった」（84）〔尾之上140-41〕。犬の場面が重要なのは、それが読者にネヴィルの仲間を求める渇望の深刻さを伝えているからである。この場面はまた、犬が最終的に感染のために死んだときのネヴィルのさらなる絶望を理解する手助けとなる。「犬は濁っている病んだ瞳で彼を見上げ、舌を出したかと思うと、ネヴィルの手を荒々しくペチャペチャとなめまわした。ネヴィルの喉に詰まっていた何かが消えた。頬に涙を流しながら、彼はだまったままその場にすわりこんでいた。それから一週間もたたないうちに、犬は亡くなった」（100）〔尾之上165〕。犬の場面の機能――この場面は短編小説くらいの長さがある（全体の10パーセントほどに相当する）――は苦境にあるネヴィルへの共感を深め、ネヴィルが次第に人間ではなくなっていくこととの因果関係を暗黙の裡に示すことである。

ネヴィルは吸血鬼による終末の中を常に意味を探しながら生きていく。彼は吸血鬼病の原因を実験的に探究することで（吸血鬼についての実験をし、生理学の本を読み、顕微鏡で吸血鬼の血を見ることで）ある一定の意味を見出すのだが、それでもなお、なぜ生き続けるのかと自問することをやめない。「いつの日にか自分のような（中略）人間にめぐりあえる希望」（91）〔尾之上151〕があるからだ、と自分に言い聞かせながら。しかし犬が死んだとき、彼の希望もまた消えてしまったのである。「変化にとぼしい恐怖に彩られた世界においては、派手な夢のなかにも魂の救済は得られない」〔101〕〔尾之上166〕。ネヴィルは科学的な探究に没頭し、「歓喜の頂点や絶望のどん底が、日々繰り返される生存のための闘いで手いっぱいの現在に変化をつけることはない」〔110〕〔尾之上182〕生活を送っている。これは半分機械のような生活であり、その燃料はネヴィルの科学的な好奇心のみである。このような生活を何年も続けた後、ネヴィルはルースに出会う。彼女は感染していないように装っているが、実は新種の吸血鬼たちのひとりなのだ。彼女はおびえて彼から逃げ出す。ネヴィルは彼女を追いかけて捕まえ、いったい何を恐れているのかと尋ねる。ネヴィル以外の視点で語られるごくわずかな例の中で、わたしたちは彼が「耳障りで人間味のかけらも感じられない殺伐とした自分の声には思いやりが欠けていることに、彼は気づいていなかった」〔114〕〔尾之上188〕と告げられる。ネヴィルの孤独な存在が彼を非人間化してしまったのだ。マシスンはここでも、真の意味—充溢した生活への鍵—は社会性、絆〔ロマンティックなものであってもなくても〕の中にあることを示している。ネヴィルがほこりにまみれた放棄された図書館で生理学の本を探しているとき、彼は終末前に若い女の司書が本の整理をしているところを想像する。「激しい熱情も、愛しい者の抱擁の心地よさも知らぬまま死んだのか。深い昏睡状態におちいり、亡くなり、おそらく甦り、不毛で悲惨な徘徊をするようになったのだろう。愛することも、愛されることも知らぬまま。それは吸血鬼に変身するよりもはるかに恐ろしい悲劇だ」〔68〕〔尾之上115〕。

最終的にネヴィルは新種の吸血鬼たちにとらわれ、公開処刑の日取りも決められてしまう。新種の吸血鬼たちにとって、ネヴィルは悪人であり、敵であるが、彼はそれを受け入れる。彼は人類最後の男だが、完全に疎外されているだけではなく、新種の吸血鬼たちの目には「〝呪われしもの《アナテマ》〟であり、破壊すべき不吉な存在」（161）〔尾之上 269〕なのだ。世界は「いまや彼らが支配し、彼とは無縁になった」（153）〔尾之上 257〕のである。しかし読者は一部の批評家たちが示唆しているように、ネヴィルへの共感や同情を無に帰するように促されているわけではない。たとえばパターソンはネヴィルを人種差別主義者の白人男性だとして、その保守的な闘争が「失敗するように運命づけられている」（2005, 26）という。しかし新種の吸血鬼たちの社会は野蛮でまったく魅力的でないように表現されている。「黒いスーツを着た」吸血鬼たちがネヴィルの家に夜やってきて、そこに集まっている不死の吸血鬼たちを虐殺して回るとき、ネヴィルは彼らの暴力が組織的であることに驚く。「これが〝新しい社会〟なのか?（中略）こんな凄惨でむごい殺戮を繰りひろげる必要があるのか?（中略）奴らはこの場所にそぐわない、まるでギャングのような連中だった。ライトに白く照らされた強張った顔には、邪悪な高揚感がうかんでいる」（149）〔尾之上 250-251〕。対照的にネヴィルは最後に公開処刑されるのではなく自殺することを選ぶ。「暴力的な死を迎えずにすみ、さらに、彼らの目に凄惨な光景をさらさずにすむ」（161）〔尾之上 269〕。彼はルースに、新しい社会（その中では彼女は幹部将校なのだ）に「あまりむごいことはさせないほうがいい。血も涙もないような行為は」（159）〔尾之上 266〕と頼む。もちろんネヴィルは完全無欠ではない。しかし彼は主人公なのであり、その人間的な価値観は新しい社会の価値観と対照的に描かれている。彼は決してモンスターではない。マシスンがインタビューで述べているように、「ネヴィルはわたしにとってはモンスターではありませんでした。彼はただ生き延びようとしただけなのです」（Brown and Scoleri 2001）。たいていの読者はマシスンの見方に賛同するのではないだろうか。

この小説の悲劇的な終わり方には興味深い高揚効果、畏怖を引き起こすような効果がある。最後の章には、それまでの章の実際的で冗談の通じないようなスタイルから「厳粛な」（Ng 2015, 106）壮大なトーン、ネヴィルの死に尊敬しうる重要性を与えるようなトーンに変わるのである。わたしたちはネヴィルが意味を求める葛藤を抱えた被捕食者から半分機械のような生存者へ堕落していく過程を追ってきた。しかし今、最後になって、死を迎えるにあたって、彼は実物よりも誇張された影像に、畏怖をもたらすような表象に昇華させられるのである。この結末はネヴィルの意味の探求が袋小路に迷い込んだ以上避けられないものだ。彼には所属する場所も何の目的もない。あるのは死後のストーリー、伝説上の人物としての居場所、目的だけなのである。しかし少なくとも彼は最後まで自らの価値観を堅固に保ち続け、最後の最後で再び人間性を取り戻すのである。終わり方は荒涼としたものだが、それでもやはり満足のいくものだ。ネヴィルは生存のための闘争に敗れ、つながりを持てるような人間を見つけることができなかった。しかし彼は最後まで戦い、少なくともその伝説は生き続けるのである。

マシスンはＩＡＬで、古くからある吸血鬼という存在を利用し、改変した。それはひとつにはこのキャラクターの持つ本質的な魅力のためだが、より本質的には、それを意味の失われた極度に敵意のある世界に対する反応におけるひとりの人間の心理学的変化を探究する上での劇的な触媒として使うためであった。ＩＡＬはたとえば体制順応に対する恐怖（郊外に集まり、部外者を食い尽くしていく脳のない吸血鬼たちに象徴されている）、そしてより抽象的には終末をもたらすような戦争の恐怖（ストーリーの前提、そして核攻撃や、吸血鬼菌をばらまいている突然変異した蚊のおぼろげな描写に象徴されている）といったアメリカの１９５０年代に特徴的に広く見られた不安をとりいれている。しかしこの小説のテーマはそれが書かれた時の文脈と発表時の反応を超越するものである―それらは普遍的な人間の気質、とりわけ死の恐怖、孤独の恐怖、そして意味の渇望に根差しているために普遍的に魅力的なものとなっている。したがってＩＡＬは無関心な、あるいは敵意ある宇宙における人間の意味の探求についての説得力ある洞察となっているのだ。マシスンの小説に魅了された感受性豊かな読者は感情的に豊かな経験をし、基本的な人間の動機と、それが抑圧されたときの心理的な変化についてのより深い理解を得るのである。

7．誰も信じてはならぬ：『ローズマリーの赤ちゃん』（1967）

魅力的な若い夫婦、ローズマリーとガイ・ウッドハウスはマンハッタンにある古いブラムフォード・アパートメントに夢のマイホームを手に入れる。ローズマリーは子供を欲しがるが、ガイはまだあとでもよいと思っている。彼はそこそこ売れている俳優で、野心を抱いている。ローズマリーの友人のハッチは年取った独身者だが、ブラムフォードには気をつけろと警告する。あまりかんばしからぬ過去があるのだ。食人者や魔女がそこに住んでいたのだという。その中にはアドリアン・マルカトーもいた。彼は1890年代に建物の中にほかならぬサタンを召還したと称した人物である。ウッドハウス夫妻はハッチの警告を無視して、新しい年配の隣人、魅力的で子供のないキャスタベット夫妻と友達になる。ローズマリーは彼らが詮索好きでおせっかいであると思うけれども、ガイはローマン・キャスタベットと、彼の話す芸能界の話に夢中になる。ガイはまもなく俳優としての一世一代のチャンスを手にする。ライバルの俳優が不思議なことに急に目が見えなくなったので、彼が演じることになっていた大きな役がオファーされたのだ。ガイはそれからローズマリーに赤ちゃんを作ることを約束する。ローズマリーは酒に酔って眠りに落ち、自分がキャスタベット家の住む部屋に運び込まれて多くの魔女が見守る中悪魔と化したガイに犯される夢を見る。彼女は妊娠するが、出産に至る過程は困難で苦痛を伴うものであった。ローズマリーは消耗してしまい、絶え間ない痛みによって友人とも疎遠になるが、医師のエイブ・サパースタイン（キャスタベット夫婦に紹介された人物）が彼女を慰める。ローズマリーは次第にサパースタイン医師に疑いの目を向けるようになる。ハッチが電話をかけてきて、重要な情報があるといってローズマリーと会う約束をする。しかし彼らが出会う前に彼は不思議なことに突然昏睡状態に陥ってしまう。ハッチは死ぬ直前に意識を取り戻し、なんとかローズマリーに魔女についての本を送る。ローズマリーは、ローマン・キャスタベットはアドリアン・マルカトーの息子であり、キャスタベット夫妻は悪魔崇拝者なのだと推測する。彼らは夫と取引をし、赤ちゃんの代わりに彼に世俗的な成功を約束したのだ。赤ちゃんはいけにえの儀式に使われることになっているのである。ローズマリーは別の医師に彼女の疑念を話すが、医師は彼女が精神異常をきたしていると考えてサパースタインを呼ぶ。ローズマリーは押さえつけられて引きずられ、出産し、赤ちゃんは死産だったと告げられる。しかし彼女は赤ちゃんがキャスタベット夫妻の部屋にとらわれていることを発見する。赤ちゃんを取り戻すために部屋に入っていくと、彼女は真実に気づく。彼女の子はほかならぬサタンの子なのだ。彼女の息子アンディは反キリスト、すなわち純然たる悪なのだ。彼女はこの悪魔の子を殺そうとするが、角、しっぽ、奇妙な黄色い目をしているにもかかわらず、赤ちゃんへの愛情に負けてしまう（Levin 1997a）。

アイラ・レヴィン（1929-2007）は脚本家としても小説家としても成功しており、緊密に構築されサスペンスに満ちたプロット、無駄のないスタイル、陰謀やオカルティズムに満ちた幻想的なストーリーにもっともらしさを与える能力で高く評価されている。『ローズマリーの赤ちゃん』（以下ＲＢ）〔高橋泰邦訳、早川書房〕は彼のもっともよく知られた作品であり、おそらく１９７２年の小説『ステップフォードの妻たち』（Levin 2002）〔平尾圭吾訳、早川書房〕と一、二を争う存在である。これはステップフォードのすべての既婚女性を殺して従順なロボットと取り換えようという家父長的な陰謀を描いた風刺的な物語である。１９６７年に出版されたＲＢはまたたくまにベストセラーになり、「この年にもっとも広く読まれ、話題になった本となった」(Skal 2001, 292)。この評判はローマン・ポランスキーの批評的にも商業的にも成功を収めた1968年の映画版でさらに拍車がかかることになった。これは小説にかなり忠実に映画化されたものである。ローズマリーの苦難のストーリーは起こりえないものではあるが、読者や視聴者の琴線に触れ、ポップ・カルチャーの神話の仲間入りをした。基本的なプロット、つまり恐ろしく野心的な夫が黒魔術を使う魔女と契約して、妻がだまされてサタンの子供を宿すというプロットはこの本を読んだことがなく映画を見たことがない人であってもよく知られている。このストーリーはおおむね抑制されているが広範囲にわたって浸透している邪悪な力、都会の現代性、友好的な笑顔の背後に常に巣くっている力に対して現代の生活がほとんど守るすべを持たないという一般的な恐怖を否応なく喚起している。RBにおいては判断の誤りによってヒロインがこれらの力にさらされてしまう。邪悪な存在はますます彼女に接近してくる—それはアパートのすぐ隣、寝室の壁のすぐ向こうにいたのだが、その次にはベッドで彼女の横に寝ており、そしてついに、おぞましいことに、彼女の体の中にいる。彼女が次第に、自らの幸福な生活が邪悪な力に浸食され、自分の輝かしい世界が危険に満ちているものだと気づくにつれて、読者はローズマリーに同情し、同時に彼女の存在を恐ろしく思うのである。彼女は社会的領域において危険に直面している—自分が信じていた人々に裏切られ利用される—うえ、生殖という領域でも危機に瀕している—子供が欲しいという彼女の深く葛藤に満ちた願望を夫が彼女の不利になるように利用し、彼女を裏切って搾取する計画の支点として用いる。そして最終的には、最後までその存在を疑っている超自然的存在からの脅威を受けるのである。絶対的で形而上学的な悪は現実のものであり、それは利己的で反社会的な衝動によって動機づけられた人間の行為主体の意志を通して働くのだ。だからレヴィンは形而上学的な悪と反社会的な人間の動機との近縁関係を示唆していることになる。悪魔崇拝者の権力欲、ガイの利己的な野心と他者の苦しみを顧みないという精神病質的な傾向が、サタンの息子—究極の超越的な悪—が地上で解放されるための手段となるのである。

レヴィンは何百万もの読者の想像力を、現代の設定において弱いヒロインに対して企てられるグロテスクなまでに邪悪でオカルトめいた陰謀を描写することで虜にした。主要なキャラクター、ローズマリーとガイは若く、当世風のリベラルな考えの持ち主である。彼らは隣に住む同性愛のカップルにも好意的だし、本棚にはキンゼイ・レポートもある。しかし彼らの聡明で忙しい生活、一見幸せそうに見える結婚には偽善と欺瞞が渦巻いている。ローズマリーはガイをだまして妊娠しようとする。ガイはローズマリーをだまして俳優としてのキャリアと引き換えにローズマリーに悪魔の子を妊娠させようとする。ガイのあくなき地位と成功への探求のために、彼はストーリー内の敵役となっている。というのも彼は他者、すなわちライバルの俳優、妻、友人のハッチ、そして究極的には、純粋で具現化された悪を解き放つ対象としての全世界—を犠牲にして地位と成功を手に入れるからだ。読者の共感の焦点となるローズマリーは無慈悲なガイの直接的な被害者であるが、彼女自身にまったく非がないわけではない。彼女は彼の不誠実さに気づいているが、それを彼の魅力の一部として受け入れているからである。この小さな悪を受け入れることで彼女はのちに降りかかり彼女自身が永続的なものとする巨大な悪に対して無防備となってしまう。レヴィンは欠点はあっても魅力的なヒロインが、彼女の最大の願いがもっとも近しい人によって、倫理的に受け入れられない理由で、しかも黒魔術の助けを得て、自らの災いとなり、グロテスクな悪夢に変じていくのを次第に認識していく描写のうちにたくみに読者の感情と共感をわがものとしている。彼は黒魔術、物質的な現実に因果関係的に作用する「邪悪な意思」に言及することでオカルトが持つ普遍的な魅力を利用している（Levin 1997a, 246）。この魅力は60年代にはとりわけ顕著であった。当時は伝統的な宗教の権威が衰えつつあり、その代わりとなる信仰体系が勃興していた（Quinlan 2014）。しかしこの魅力は倫理的カテゴリー――善と悪――を概念化し、ならびに儀式を通じて制御することができ、世俗的な事柄に影響を与えさせることができる超自然的な力を求める普遍的な認知的傾向に依拠している（Grodsal 2009, 104）。レヴィンはその行為主体――魔女の集会とガイ――を現代のマンハッタンにおき（Lima 1974, McElhaney 2007）、注意深く表現に正統性を与えることでオカルトに重要性と想像の中での存在感をもたらしている。だから彼は単に、自らが述べたように「信じがたい部分に信憑性を持たせようと」（qtd. In King 1983a, 302）〔安野 544〕するだけでなく、古代からの迷信を現代の環境の中に導入し、超自然的な悪の力を文明化され都市化されたマンハッタンに開花させることによって想像力に強く訴えかけているのである。彼女の医師のオフィスにある『タイム』誌の表紙に示唆されるように、神はローズマリーの世界では死んだのかもしれないが、サタンは死んでいないのだ。

ＲＢはローズマリーとガイとの対立で幕を開ける。この対立は生殖心理学における進化の結果として得られたジェンダーの相違に根差したもので、ローズマリーの体のおぞましい搾取につながるものだ。ローズマリーはとにかく赤ちゃんが欲しいが、ガイはそうではない。「マーロン・ブランドとリチャード・バートンを二人合わせたくらいの大物になるまで駄目なのかしらと、彼女は心配だ」（86-87）〔高橋69〕。ローズマリーとガイは幸福について異なった、相容れない考えを持っている。ローズマリーの友人ハッチが彼らにブラムフォードには不自然なほど事故が多発しているといって警告したとき、ローズマリーとガイは「悪い家」という彼の話をからかいの対象にする。「『縁起のいい建物だってあるでしょう。住人がきまって恋をし結婚し子供をさずかる建物も』『それに、スターになったりね』と、ガイが言った」（28）〔高橋 22〕。この対立の描写において、RBは古来からの生物学的パターンにしたがっている。有性生殖を行う種においては、雌は生物学的な必然性によって雄よりも子孫に多くを投資する。人間の女性が子供を育てるのに必要な最小限の投資は何年もの献身的な労働と膨大な生理学的消耗である。しかし男性にとって最小限の投資は女性を妊娠させれるのに必要な時間だけだ。この最小限の投資に見られる非対称性のおかげで人間には進化の結果として他の種と同様心理学的なジェンダーの差異が生まれた。女性は自分と子供を保護し養ってくれるのに必要な資源――知的、身体的、物質的資源――を有しているパートナーを求める傾向がある。地位と権力はそのような資源を男性が有していることを示す信頼できるしるしである。だから男性は女性よりも地位と権力を競争的に求めたがるように進化してきた。女性がパートナーのそのような資産を魅力的に思う傾向があるからである（Buss 2012, Conroy-Beam et al. 2015）。ガイの野心はローズマリーにとっては魅力的なのだが、彼らの間の対立はガイの地位と権力への探求が彼にとって重要すぎて生殖への関与を排除してしまうからである。彼は地位と権力をそれら自身のために求めるのであり、ローズマリーとの結婚における生殖という経済に投資することができる資源を蓄えるためではないのだ。

ガイの野心は彼に俳優としてのある程度の成功と高い収入をもたらしてきた。それらは「相当な収入」（33）〔高橋 26〕であり、ローズマリーの夢の住まいを買えたのもそのおかげである。彼女は「忙しく幸福」（35）〔高橋 27〕で、高校以来あたためていた計画に従って住まいを飾り付け始める。しかしローズマリー自身認めているように、ガイは「見栄っ張りで自己中心的だ」（128）〔高橋 105〕。ローズマリーはこうした彼の性格を彼の人格の一部として受け入れようとする。「彼はときどき嘘をつくかも知れないわ。でも昔から、いや今だって、そこが魅力だったたんじゃなかった？――あたし自身の型にはまった敬虔さとはおよそかけ離れた、あの自由奔放さに引かれたのじゃなかった？」（129）〔高橋 105〕。ローズマリーはそうすることで自らの目的が達せられるのなら、能動的にガイを促して欺瞞を行わせようとする。彼らがブラムフォードのアパートメントを購入しないかと誘われた時、ガイは彼女に、すでに別のアパートメントに手付けを打ってあることを思い出させる。「契約書にサインしちゃったんだよ、ロー。いまさら取りやめるわけにもいくまい」。彼女はうそをついてリース契約を無効にするようにそそのかす。「何とか考えてよ、ガイ」。彼女が効果的な嘘を思いつくと、ローズマリーは彼を誉める。「おどろいた嘘つきね」（10）〔高橋 7-8〕。さらに、ローズマリー自身、自らの目標を達するために欺瞞に積極的に手を染める。「彼女は〝間違って〟妊娠することを企んでいる。

服み薬は頭が痛くなるし、ゴムの器具は嫌悪の情を起こさせると言って……。（中略）彼はカレンダーと首っ引きで〝危険な日〟を避け、彼女は『ちがうわ、今日は大丈夫よ、あなた。確かよ』という」（87）〔高橋 69-70〕。彼女は自らが思っているよりもずっと危険なゲームを行っている。ガイの利己的な野心は非常に強いものであるから彼は自らの妻を犠牲にして彼女のもっとも深い望みを自らの職業的成功と引き換えに彼女に不利になるように利用しようとする。悪魔崇拝者たちは子を産むための媒体が必要である。ガイは彼らの黒魔術が必要である。ローズマリーが自分がサタンの子を産んだと気づいたときにガイが彼女に対して言うように「彼等は君が傷つけられることはないと、ぼくに約束したんだ。そして事実そうだった。つまり、君が赤ん坊を生んで失くしたんだと考えたらどうだろう。同じことじゃないか？　そしてわれわれはお返しに、すいぶんたくさんのものを得ることになるんだよ、ロー」（301）〔高橋 253〕。弁明としては弱い。彼女は深く傷ついており、見返りに何も得ていないのである。彼女はガイが自らの目的を達するための手段として利用されていたのだ。

ローズマリーがガイの倫理的欠陥を見過ごそうとしたことは彼女の無邪気さと相まって、彼の恐るべき裏切りに対する弱点となっている。彼女は「苦しみの世界」に投げ込まれることになるが、それはガイの性格を受け入れることを含むささいな道徳的過誤と判断の誤りのためである（Langan 2008, 57）。しかしストーリーの大半においては、読者は共感をもって彼女に感情移入するように仕向けられている。その工夫のひとつは焦点化—ストーリーは彼女の視点から語られる—であり、いまひとつは性格付けである。彼女は魅力的で弱いキャラクターとして描写される。おだやかでほがらかで、どこか無邪気なところがある。この無邪気さがガイの冷淡で時としては冷酷な実際主義と対置されるのだ。ローマ法王がテレビで演説をすると、ローズマリーは「感動する」。彼女は「ベトナム情勢を緩和する助けになるにちがいないと思った。『二度と再び戦争のないように』と彼は言った。彼の言葉は石頭の政治家たちにも反省の時を与えるのではないだろうか?」(102)〔高橋82〕。彼女はガイに「国連の演説、すばらしかったわ」と話す。「『『二度と再び戦争のないように』って諭してたわ』『有象無象にか』」(106)〔高橋86〕。ガイは法王のありきたりな言葉に対する彼女の真剣な、世間ずれしていない賞賛を軽く受け流す。同様にローズマリーが、自分が意識を失っているときに自分をセックスしたかとガイに尋ねると、彼は「うなずいてにやりとした。『ちょっとおもしろかったよ、死体愛好症みたいな感じで』」(119)〔高橋97〕。たいていの読者はガイがおそろしく非倫理的なふるまいをしていると感じるだろうが、同時にローズマリーがあまりにも速く彼を許してしまうと思うだろう。「あたしが意識のない間に、あなたがそんなふうにしてやるなんて、ずいぶんおかしなことだと思うわ(中略)二人ですべきものだわ。一人は眼覚めていて一人は眠ったままなんて、いやよ(中略)ああ、きっとあたしがバカだったんでしょ」(120)〔高橋97-98〕。ローズマリーは大きな被害をこうむっているのであり、読者の彼女に対する同情は彼女が自分に対する陰謀の大きさを認識しはじめ、子供の命について恐怖を覚えはじめるにつれて深まる。しかしその共感は小説の終わりでローズマリーが自らの悪魔の子をその手に抱くときにより複雑に、より苦々しいものに、より倫理的な背徳感と入り混じることになる。

このストーリーのクライマックスはローズマリーに共感をもって感情移入しているけれどもその赤ちゃんの邪悪さをも認識している読者たちの中に強い相反する感情を引き起こす。ローズマリーが、自分がサタンの子を産んだことを知ったとき、彼女が最初に考えたのは赤ちゃんを殺すこと、「神のみ知り給うことから世界を救う」（302）〔高橋 254〕ために、赤ちゃんを抱いたまま窓から飛び降りることであった。赤ちゃんの外見はその邪悪さを物語っている。とりわけその角、その尾、その目にそれが顕著である。「山吹色で、白眼も虹彩もない（中略）縦に黒く細く瞳孔が割れている（中略）動物の眼、虎の眼」（295-296, 302）〔高橋 248, 255〕。しかし母親としての愛情が倫理的本質的嫌悪に打ち勝ってしまう。彼女は「窓から投げ捨てることなどできるものではない。彼はあたしの赤ちゃんなのだ。父親が誰にせよ（中略）何もかもがひどいはずはない（中略）たとえ悪魔《サタン》の片割れだとしても、半分はあたしでもあるんだ。半分はちゃんとしていて普通で、まともで、人間じゃないか？　あたしが彼等に逆らって、彼等の悪い感化を打ち消すように、良い感化を与えてやれば…」（303）〔高橋 255. 258〕。ローズマリーのこの考えは絶望的な合理化である。メイジー・ピアソンが述べているように、ローズマリーは「〔赤ちゃんの〕角という現実に直面していない」（1968, 500）。自らの性格にふさわしく、ローズマリーはそれが自らに幸せをもたらす限りにおいて悪を許容する。レヴィンは主観的な語りを用いて読者をローズマリーとともに苦しませているから、読者は彼女に味方し、彼女に幸福を見出してほしいと願う（Valerius 2005）。しかし彼女は悪魔の子を生存させ、神のみぞ知る恐ろしいことを世界に対して行わせるという選択をする点において危険で無慈悲な利己性を発揮している。ポランスキーの1968年の映画版についてある批評家はラストシーンで惹起される倫理的嫌悪感について「胸が悪くなるような最終的な悪の勝利」（Carroll 1968）と述べている。悪が勝利するのは悪魔崇拝者たちがサタンの子を世界に送り出すことに成功したからという点においてもそうだが、ローズマリーが最後に利己的な衝動に身を任せるという点でも同じことが言えるのである。ローズマリーのジレンマ―赤ちゃんを殺すべきか育てるべきか―に共感を持って注目していたけれども、もうひとつの結末、すなわち彼女が倫理的に責任を持ち、利己的な考えを捨てて、世界をサタンの子から守るという結末を望んでいた読者にとって悪の勝利はとりわけ嫌悪感を催すものである。

レヴィンは悪魔主義者たちがサタンの子を世界にもたらすことで何を企んでいるのかを決してわたしたちに告げることはないし、サタンの子がいかなる悪を成就するつもりなのかも語らない。（しかし1997年のRBの続編『ローズマリーの息子』〔黒原敏行訳、早川書房〕でレヴィンは、反キリストとなり、地球上の全人類を終末的ウイルスによって抹殺する成人したアンディを描いている。）ローズマリーの赤ちゃんが生まれ、彼女が決断を下すところでRBは終わっている。レヴィンが想像力を用いて読者にアクセス可能なものにしている悪は利己的に自らの目標を追い求め、その過程において他者を傷つける人間のキャラクターによって行われる悪である。RBにおける悪は慣習的には男性的な動機に自己目的的な重要性を与えている―権力、地位、そして成功そのものが目的となっているのだ。これらは生殖的な、あるいは社会的な経済に寄与する目的のために用いられれば、換言すればそれらが集団の善に寄与する場合には正当な動機であるとみなされる傾向がある。しかしそれらはそうした秩序から乖離した場合は容易に敵対的なもの—邪悪なもの—として容易に概念化されうる。ガイが邪悪であるのは自らの野心をそれ自体を正当な目的として、他者、とりわけもっとも身近にいるローズマリー、彼を無条件に信頼できるはずの人物に多大なコストを払わせて探究するからである。ローズマリーの弱さはまさに彼女がガイの性格、その嘘と野心を、彼の倫理的欠陥が彼の彼女および彼らの子供との関係にまで及ぶことに気づかずに受け入れてしまうことから生じている。ローズマリー自身は邪悪ではないが彼女は邪悪を許容してしまっており、それ自体が邪悪をなすうえでの彼女の弱みとなっている。RBのラストはショッキングで「胸を痛めるような」ものだが、それは読者がガイが自らの野心を単に社会的で生殖的な秩序から切り離して探究しただけでなく、これらの秩序を彼自身の探求のために見事にゆがめ、毒し、その過程で人々を傷つけ、殺し、妻がサタンによってレイプされ妊娠させられ、倫理的に堕落させられるままにしておいたと知るからである。彼女の身体は邪悪な肉体、出生前の吸血鬼のように彼女のエネルギーを奪う半人半獣の存在によって汚染されているのだ。

レヴィンは肉親による裏切り、肉体の汚染、そして形而上学的な悪の力による迫害といった進化の結果として獲得された恐怖に見事に狙いを定めている。彼は世界中の人々に、究極的な、サタン的な悪に奉仕するために黒魔術を使う権力と地位に狂った個人たちの手によって、弱々しく愛すべき女性が犠牲になる様子を見事に描いてみせた。彼はそのストーリーを現実的で現代的な舞台に置き、想像力に火をつけて現代のマンハッタンに中世の悪魔信仰を現出させたのであった。絶対的な悪は現実感を持っている。それは神は死んでいるがサタンは極めて大きな存在感を持っているという、倫理的にゆがんだ世界なのだ。絶対的な悪は世界に影響を及ぼすためには意志を持った人間の行為主体を必要とするが、一般の人々の間に協力者―受動的に邪悪を許容する人々同様、支配と権力を能動的に、利己的に追い求める人々―を見出すのに苦労はしない。RBはサタン的な、あるいは悪魔的な憑依―を描いた幾多のホラー・ストーリーに霊感を与えたが、これはレヴィンを当惑させるようなものであった。というのも彼自身は悪魔の存在を信じておらず、作品を文字通りに解する読者たちが悪魔を「生きている現実」(Levin 2012)と描写するストーリーによって原理主義に目覚めることを危惧したからである。しかし彼は明らかに人間の悪、とりわけ社会的投資から切り離された、際限のない男性の野心から生じうる悪の存在は信じていたし、次第にその存在感を増していく悪に直面し、そして最終的にはそれに屈してしまう主人公に対して読者が共感し応援するように巧みに仕向けたのである。

8. 死者と戦い、生者を恐れよ:『ナイト・オブ・ザ・リビングデッド』(1968)

ジョージ・A・ロメロの『ナイト・オブ・ザ・リビングデッド』(1968)の中では、まだ埋葬されていない新しい死体が復活する(あるいは、少なくとも、生きているように見える状態になる)。新たに活力を得た死体―彼らは映画の中では「グール」と呼ばれる―は、生きている人間の肉に対する飽くなき食欲らしきものに駆り立てられて行動する。この奇怪な現象は宇宙探査船によって地上にもたらされた金星からの「放射線」によって引き起こされたように見える。この映画は少人数の集団が農場にたてこもって夜を明かそうとする様子を描いている。防衛者たちはいったい何が起こっているのかを理解し、襲撃してくるグールたちを追い払おうとするのだが、彼らの間でいさかいが起こり、致命的な結果となる。最終的には防衛者たちのひとりベンだけが一晩生き延びる。夜明けとともにグールを殺害する部隊が家に近づいてくる。部隊のひとりがベンが家に入っていくのを見てグールだと思い、頭を撃って殺してしまう。これで映画は終わる。これは荒涼とした、破壊的な、とても力強い映画である。さらに、『ナイト・オブ・ザ・リビングデッド』（以下『ナイト』）は現代ホラーのゾンビ像を与えてくれた。彼らは再生された遺体であり、生者を食らい、感染性を持ち、群れで移動し、終末の前駆者となる。これはポピュラーカルチャーにほとんどすみずみまで浸透しているイメージである。ロメロの不可解なモンスターがかくも力強く映画ファンの心を揺さぶるのはなぜだろうか。

ロメロの映画は間接的にはハイチのヴードゥー教のゾンビに霊感を受けたものである。ヴードゥー教のゾンビとはヴードゥー教の聖職者によって意志や高次の認知的機能を奪われ、囚われの身となった存在である。こうしたゾンビは冒険者W・B・シーブルックの1929年の本『魔法の島』(Pulliam 2007) のような色彩豊かな旅行記によって西洋に知られるようになり、数多くのホラー映画や漫画を生み、そして今度はそれらがロメロの創作のヒントになったのである。しかしハイチのゾンビは脅威的でなく自らの意思を持たない自動人形であるから、感染性があり終末的で人間をむさぼり食らう不死者の群れというロメロのゾンビとはかなり違う。しかしそうはいっても、ホラーのゾンビを定義したものはロメロのゾンビである。これは主として、この概念が実に素晴らしいものだったからだ。人々の関心をとらえ、想像力に火をつけるように、そして、進化の結果として得られた、あるいは文化的に特有の広範囲にわたる恐怖を具現化するように見事に作られた恐るべき概念だったからである。ロメロの映画は何百何千もの作品—映画、小説、ストーリー、コンピューターゲーム、漫画、ゾンビ・ランのような実生活の現象などに霊感を与えた（Platts 2013, Pulliam 2007）。通常は大まじめな疾病コントロール予防センターでさえ、ゾンビの持つ魅力を利用した。２０１１年、彼らは伝染病予防の重要さを皆に知らせるために、ゾンビによる終末に焦点を当てたキャンペーンを張ったのである（Khan 2011）。

『ナイト』はごくわずかな予算（11万４０００ドル）で製作され、その反応は真っ二つに分かれるものであった。一部の批評家たちはこの作品が非道徳的でサディスティックな「エクスプロイテーション」だと酷評した。『ヴァラエティ』誌がこの映画を「救いようのないサディズムの饗宴」であると評したのはよく知られている。一方この映画に美的、文化的価値を見出した者もいた（Philips 2005, 82）。批評家と観客が自分たちが見たものを好んだかどうかは別として、彼らはこの映画に強い反応を示し続けており、作品は全世界で３００億ドルの売り上げがある（The Numbers 2015）。批評家の一致するところによれば、『ナイト』がその力を発揮したのは当時存在していた社会不安を効果的に利用したからであるという。たとえばケンダル・フィリップスは「『ナイト』と、１９６０年代終盤に生じた社会的大混乱との間の数多くの共鳴点」を指摘している（2005, 85）。60年代はカウンターカルチャーが台頭し、定着し、そして空中分解していった時代であった。この時期は楽観主義に始まり対立と内部分裂で終わった。一部の批評家たちはロメロの荒涼たる映画はこの時代の展開を反映しているのだと主張している（Becker 2006）。つまり、主要な登場人物たち―一般的なアメリカ市民の「民主主義的な」混合（Dillard 1987, 19）―は力を合わせた場合にのみ邪悪な力に対して効果的に自衛するあらゆる機会を持つが、〔劇中では〕見事に、そしておそらく不可避的に、失敗してしまう。フィリップスの言葉を借りれば、この映画はカウンターカルチャーの「革命的精神に対する一種の賛美として機能した」（2005, 93）。革命的精神は１９６８年までには多くの人々にとって歯がゆいまでに無力であるか（フラワー・パワーは戦争、貪欲、憎しみを克服できないように見えた）嫌悪感を催すほど不吉なものに見えた（たとえば軍事的カウンターカルチャーの運動などが挙げられる）。『ナイト』の犠牲者たちはお互いに協力することができず、しまいにはお互い同士で殺しあう。当局は危険なまでに無力であることがわかる（脅威を封じ込めるために最善を尽くしてはいるのだが）。そして敵―生きていようと死んでいようと―はわたしたち自身なのである。この時代のほかのホラー映画においてそうであるように（Platts 2014a）、『ナイト』のモンスターたちは究極的には内在したものであって、カルパチア山脈、失われた世界、あるいは外宇宙からやってきた異質なモンスターではなく、人間の本性にひそむもっとも暗く破壊的な衝動なのである。葛藤と敗北は避けられない。葛藤と敗北は１９６０年代に特有のものではなく、基本的な存在の形態なのである。それらはたとえば１９５０年代のアメリカ市民にとってよりも1960年代のアメリカ市民にとってより顕著であり、『ナイト』はこのとりわけ困難な時代から生まれ、それを反映しているのかもしれない。しかしロメロ映画の恐怖はそれがカウンターカルチャーの敗北を反映しているからではなく、生命の敗北を反映しているところから生まれるのだ。

『ナイト』の視覚的スタイルは社会不安の穏やかならぬ反映としての映画のテーマ的機能を支えている。映画は白黒で撮影されているが、これは予算的、技術的制約からではなく意識的なスタイルに関する選択の結果であり、これが映画に「シネマ・ヴェリテ」のトーンを与えている（Becker 2006; Phillips 2005, 98）。ジョゼフ・マドレイが書いているように「『ナイト・オブ・ザ・リビングデッド』はゲリラ撮影のスタイルで制作され（中略）戦時中のニュース映画のような確固たる権威を持っているために、エクスプロイテーション・フィルムというよりはむしろ社会的安定の喪失をうつしたドキュメンタリーのように見える」（2004, 51）。さらに、手持ちカメラ、自然光の利用、そしてラストシーンのフィルムグレインのきいたスチル写真のイメージなどがすべてこの映画のドキュメンタリー的な質を支えている（図8・1）。『ナイト』はたとえばヒッチコックのホラー映画のような巧みな技巧は見られない（Dillard 1987）。そのスタイルは美的な距離感を排除し、映画に視覚的な本物らしさのトーンを与える機能を果たしている。同時代の観客にとって、ロメロのゾンビ映画はニュース映像を思わせるものであった。映画が大成功をおさめ、観客を感動させショックを与える現代ホラーの議論の余地のない古典になったのはそれが理由なのだろうか。その答えは部分的にはイエスである。こ

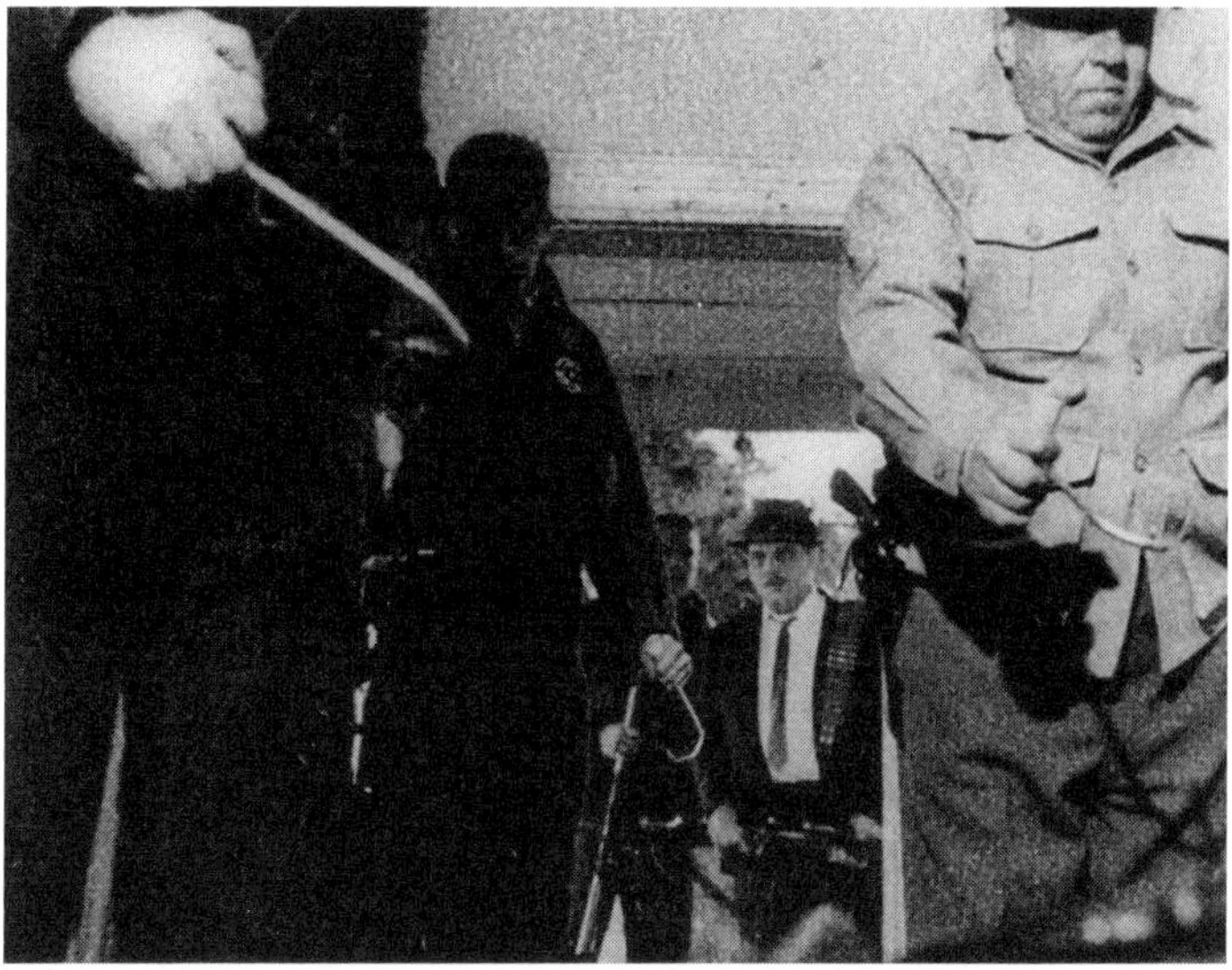

図8.1: ジョージ・A・ロメロの独創的なゾンビ映画『ナイト・オブ・ザ・リビングデッド』（1968）は本物らしさを重視する美意識を利用して、より効果的に観客の心を乱す。この作品は地上を歩き回る不死者についてのドキュメンタリーのように見える。映画は白黒で撮影され、ニュース映画を思わせる。そしてニュース写真のように見える、フィルムグレインの目立つスチル画像でエンディングを迎えるのだ。

の映画は時代精神を見事に芸術的に分析したものとして確かに機能している。しかしその力はさらに深い。この作品は観客を魅了し、その関心を引き、その心をかき乱す。この映画は映画評論家のロジャー・イバートが１９６９年にこの作品を見たときの経験について記録しているように観客を「恐怖で電撃に打たれたような」状態にする―彼自身「先週の土曜日の午後、近所の劇場で本物の恐怖を感じた」と記している―能力は失ってしまったかもしれない。しかし映画の力はその文化的コンテクストを超えて機能するのだ。ロメロのゾンビは単なる脳を失った人間性、または資本主義（Wood 1985）、あるいはヴェトナム戦争（Higashi 1990）の優れたメタファであるというだけでなく、また、アメリカの「アクエリアスの時代」の最終段階に特有の社会政治学的傾向の劇化であるというだけにはとどまらない。ゾンビたちは恐ろしく、本質的で、文字通りの存在感を持っているのであり、映画の中心的な葛藤は普遍的なものだ。実際、この映画は人間の本性における基本的な気質に深く訴えているのである。

もちろん『ナイト』の中核にあるのはそのタイトルにもなっているモンスター、「グール」ないしゾンビである。しかしそうはいっても映画のキャラクターたちは自分たちが何と対峙しているのか、少なくとも最初は認識していない。この映画の語りはかなり制約のあるもので、背景となる情報をキャラクターにも観客にも知らせず、映画が始まって40分くらいたってようやく―狂言回し的な役割をするニュース番組によって―グールが犠牲者を食べていると知らされるのである。さらに、わたしたちは決して、どん欲な死者たちがよみがえった正確な原因を知ることはない。一部の科学者たちは宇宙からの「高レヴェルの放射線」と関係していると考えているが、別の科学者たちはこの仮説に反対しているとテレビで報道される。『ナイト』のゾンビは同時代の観客にとって不快なほど謎めいていたに違いない。彼らは青白く、ものも言わず動物的で、攻撃的なまでに捕食的である。一部は、暴力の結果のようにも見えるし初期の腐敗かもしれない顔の部分的変形を呈している（図8・2）。『ナイト』のゾンビたちは、たとえば『ウォーキング・デッド』（Darabont 2010-）の腐りかけた歩く死体（あるいはトム・サヴィーニの1990年の『ナイト』のリメイクに登場するテクニカラーのゾンビたち）よりも

図8. 2: ロメロの『ナイト・オブ・ザ・リビングデッド』に登場する腐敗しつつあるゾンビ、もしくは「グール」。人間の肉を求める生きた屍は不合理であるとしても強力な概念である。というのもこの概念は食われることと感染を恐れるという、進化の結果獲得した感情に訴えかけるからだ。

視覚的に不快感を催させるわけでもなく腐敗が進んでいるわけでもない。人間ならぬ動物と同様、彼らは火を恐れる。そして放射線が彼らの脳を「活性化」させたために、歩く死体たちは頭を撃ったり殴ったりすると死ぬ。

進化論的視点によって、ロメロ型の現代ホラー・ゾンビがなぜかくも迅速にポピュラー・カルチャーの定番となったのか説明することができるだろう。ゾンビはその性質によって、現実世界には存在しないにもかかわらず、とりわけわたしたちにとって魅力的なものになっている。現代ホラーのゾンビは極めて危険である。それは捕食性を持っている―彼らにはただひとつの動機しかなく、それは人間を食べることである―さらに、感染性がある。一度ゾンビにかまれると、その人は遅かれ早かれゾンビになってしまう。このアイデアは吸血鬼ものからの借り物だが、『ナイト』ではその萌芽が見られるが完全に発展させられてはいない。ひとりのキャラクター、少女カレンは腕をかまれてしまう。映画の中のキャラクターは感染についていくばくかの心配を示すけれども、彼女がゾンビになりうるなどということを考える者はいない。現代のゾンビものに慣れた観客は対照的に、すぐに危険に気づく。『ウォーキング・デッド』では、誰かが手足をゾンビにかまれると、そのかまれた手足はすぐに切断される――しかしこのゾンビものの慣習はまだ『ナイト』公開時点では世間に広まっていなかったのである。

現代ホラー・ゾンビの決定的な特徴である捕食性と感染性は進化の結果として獲得された人間の心理学的構造における防衛メカニズムに真正面から作用する。わたしたちは自分たちを食べる意志と能力を持つ行為主体を恐れるし、腐敗する肉のにおいや光景といった感染を示す兆候には強い嫌悪感を持って反応する。さらに、ゾンビの持つ反直観的な性質によってそれは非常に人目を引くものとなる。わたしたちは直感的に、死は主体的な行動の不可逆的な停止であると理解している（Barrett and Behne 2005）が、ゾンビは吸血鬼と同様その理解を侵犯する（Clasen 2010a）。それらは死者のように見える、死んだ肉であるが、動き回り、目標に向かっているかのように行動する。死者はそれ自体、不快感を引き起こす。腐敗が進んだ死体は不快で嫌悪を催させるようなものだが、その理由は主としてそれが崩壊しつつある、病原菌がいっぱいの肉だからであり、また、死体は何らかの捕食行為を暗示するからである（Boyer 2001）。不死者はもっとずっと悪い。不死者という概念そのものは魅力的なものだが、その魅力はくだんの不死者の行為主体が捕食性と感染性を有するときには恐怖と嫌悪に結びつく。しかし不死の人間はたとえば不死のアライグマよりも不快なものである。ゾンビはわたしたちに、人間性を奪われた人間、意味のない飢えにまで還元された生命という不快な概念を与える。さらにゾンビは死の擬人化、生と死のひとつの概念への崩壊、わたしたちはみなゆっくりと死に腐っていくという公理の具現化である。ゾンビとはわたしたちそのものなのだ―単に脳のない群衆の象徴ではなく、生命についてのもっとも恐るべき事実、そのうつろいやすさの象徴なのである。ゾンビの力は実にわたしたちの心の中に、人間の精神的な仕組みが構築されているありようの中にある。わたしたちは捕食者を恐れ、腐敗しつつある肉を忌み嫌い、反直観的な行為主体に魅了され、死と、ポーの表現を借りれば、わたしたちすべてを待っている「征服者の蛆虫」を恐れる。これらの恐怖が現代ホラーのゾンビという造形の中に凝縮されているのだ。

『ナイト』は最初から死をテーマとして際立たせている。最初のシーンではわたしたちは一台の車が人っ子一人いない光景の中ひび割れた道路を走っていくのを見る。車の中にはジョニーとバーバラが乗っており、彼らは父親の墓参りに行く途中なのだ。ジョニーはバーバラが墓地と死者を怖がっていることをからかい、ボリス・カーロフのものまねをして彼女を怖がらせようとすらする。彼は男が遠くから彼らのほうによろよろと歩いてくるのを見ると「奴らがやってくるよ、バーバラ」と言うのだ。この男はゾンビだとわかり、ゾンビはジョニーを襲って殺してしまう。すべてこれらのことは映画の中では数分の裡に起こるのである。死、そして死者は冒頭開幕の場面からこの映画に浸透しており、観客は死のような進化論的に重要なテーマが有している生得的な魅力を通して、そして、形式面での技巧を通して、映画に引き込まれていくのだ。映画は観客をひとつの特定の視点に束縛することはないけれども、多くのリアクション・ショットを用いてゾンビの大発生に対するキャラクターの感情的反応を見せ、わたしたちにその反応を共有させようとする。たとえば映画の冒頭ではバーバラの兄を殺したゾンビから彼女が狂ったように必死に逃げる様子が彼女の視点（わたしたちを彼女の行動に同一化させる）とリアクション・ショット（彼女の感情状態と同化させる）を交互に用いて撮影されている。さらに、撮影の大部分は手持ちカメラを用いてしばしば斜めのアングルで、あるいは素早く無秩序に動きながら行われているために、観客には彼女の逃亡の切迫性が伝わり、その恐怖を感じることができる。映画内ではリアクション・ショットの数はゾンビたちを映したショットをはるかに上回っている。ゾンビたちがスクリーンにうつしだされるのは全部合わせても数分しかないのである。これは映画のテーマ的焦点がゾンビによる終末が人々に何をもたらすか、ということであり、ゾンビ、ないし終末それ自体ではないことと符節を合わせている。

映画が進むにつれて、死者たちの文字通りの恐怖は危険な生者たちの恐怖へと変わっていく。この映画の世界は危険に満ちており、ゾンビたちはその危険の一部でしかない。この映画は後続する非常に多くのゾンビもののストーリーと同様、ゾンビの大発生がもたらした社会的心理学的結果を主に扱っている。ロメロ自身が述べているように、彼のゾンビは「特に何かを表しているわけではありません。彼らは人間が対処の仕方を知らない地球規模の災厄なのです」。そして彼のゾンビ映画は

「人々がこれに対してどのように反応し、あるいは反応に失敗したかについてなのです」(McConnell 2008)。ロメロの解釈はディラードの分析的見解、つまり「ゾンビはそれ自体、作品の恐怖を生み出す能動的で触媒的な行為主体である」(1987, 29) という見解と符節を合している。ジェームズ・トウィッチェルはさらに一歩進んで、「〔『ナイト』の〕恐怖を特定しようとすれば、モンスターを無視して犠牲者たちにもたらされる変容を見なければならない」(1985, 268) と述べているが、これは言い過ぎというものである。ゾンビは単なるショーウィンドーの飾りつけでも余分なアイ・キャッチャーでもない。ゾンビがなければ『ナイト』は全く違った映画になっていただろう。この作品はコミュニケーションや協力の崩壊という現実的なプロセスを前景化しているかもしれないが、半超自然的なゾンビが映画のトーンと意味、そしてその芸術的、商業的成功を決定づけているのである。

対立が『ナイト』では主要なテーマ的役割を果たしている。すなわち、命がけのゼロサムゲームを演じるゾンビと生者たちとの対立、そして同様に命がけの、生者たちの間での対立である。ディラードが述べているように、「この作品は基本的には終わりのない絶え間ない闘争の映画である」(1987, 22)。最初からこの映画はキャラクターたちのいさかいをうつしだしている。バーバラとジョニーは墓参りについて言い争っている。ベンとバーバラは農家という比較的安全な場所を離れてジョニーを探しに行くかどうかで争う（この争いはベンが文字通りバーバラをノックアウトして終わる）。ハリーとヘレンは不幸な結婚をしてけんかしている。彼らの子供のカレンは父親の死体の一部を食べてしまい母親を殺す。ベンとハリーは言葉とこぶしで（そして最終的には銃で）けんかする。トムとジュディーだけはそれほど争わない。彼らは若くとても愛し合っているからだが、この無条件の愛も、ジュディが大胆な行動をしてトムとともに燃料をとりにいき、殺されてしまうために作品の中では病的なものとなっている。映画の中では効果的な協力ができていれば農家の防衛者たち（全滅してしまう）を救えたかもしれないけれども、人間の本性が常にその邪魔をしているのだという感覚がある。対立はこの映画では不可避的なもので、それは現実社会においてそうであるのと同じである。人々は相反する利益と動機を持っているだけでなく、だれもが利他的な動機と利己的な動機という内面的な対立に苦しんでいるのだ。社会的衝動と支配欲の間の葛藤はたいていのフィクションにおけるテーマである（Carroll 2012b）し、たいていのゾンビもののフィクションにはそうしたテーマが強くみられる。そのようなフィクションの中ではキャラクターはしばしば一番になろうという動機と仲間を助けたいという動機の間で板挟みになる。これは何百万年にもわたって人類にとって中心的な進化論的問題であった（Boehm 2012）。『ナイト』では、ベンは自分が家を要塞化し、ゾンビを追い払うのに忙しくしているというのにクーパー夫妻とトムとジュディが地下室に隠れていることに気づく。ベンはハリーに、バーバラの悲鳴を聞いたのだからどうして上がってきて助けなかったのだと尋ねる。ハリーは答える「安全な場所があるというのにそんな危険は冒せない。俺たちは運よく安全な場所にいる。今、あんたは誰かが助けを求めているからというだけの理由で俺たちに命を懸けろというのか」。ベンは答える「ああ、そうだ」。ここではベン――この映画の中でもっとも実質的な主人公に近い人物――は祖型的な善人、利他的な戦士に描かれているが、だからと言って彼が救われるわけではない。『ナイト』では超越的な善、究極の悪は存在しないのである。一部のキャラクターは他のキャラクターよりも善である（ベンは弱者を守ろうとしながら生存のために戦うので弱気で利己的なハリーよりも善である）けれども、最終的にはこの映画は無関心で危険な世界で生き残ろうと必死に苦闘するが失敗してしまう完全ではない人々の様子を描き出している。

『ナイト』は明快な解決、ハッピーエンド、安堵させるようなヴィジョンを提供することはない。ただ長く続く深い不快感と不安を残すだけである。この映画の厳粛なトーン―社会的、心理学的、生物学的崩壊の不可避性に対してそれがとっている荒涼たる立ち位置―を認識する観客は、何か不快なまでに真実なことを目撃したという感覚を持つにいたるだろう。もちろん一部の観客は映画のばかばかしい前提（外宇宙からの放射線が死者をよみがえらせた）を見過ごすことはできまい。『ヴァラエティ』誌の辛らつな批評家はそのような直解主義者であった。しかしこの映画は一時間半のサディスティックなエンターテインメントを提供するためにばかげた前提をもてあそんでいる以上のものである。このおかげで私たちは人間心理の暗い闇をのぞき込み、人間の災害に対する反応、とりわけそうした災害に直面して破綻をきたした社会的関係を精査し、自分たちをそのような世界において、自分が何をするか、どうふるまうかを自問することができる。『ナイト』がキャラクターの災害への対処法に焦点を当てているのはこのためだ。たとえば一階にとどまるか地下室にとどまるかについてのベンとハリーの議論、あるいは比較的安全な家にとどまるか燃料を走って取りに行くかについてのトムとジュディーの議論が延々と描写される場面がある。だからこの映画の真実は心理学的で社会学的なものである。『ナイト』は本質的に魅力的なテーマを前景化し、人間のキャラクターをきわめて危険で人目を惹く敵に対置し、制約のある語りと主観的な映画術を通してサスペンスと没入感を作り出すことによってわたしたちの関心を引く。映画はとりわけ人間の生活に本質的な対立を際立たせている。このテーマはとりわけ同時代の観客には重要性を持っていたであろう。彼らは周囲にイデオロギー的な、あるいは武力による対立を目撃していたからである。そしてそれが依然として観客を魅了し続けているのは、その根が深く人間の本性に由来するからである。『ナイト』は１９６０年代の政治的文化的対立、ゾンビによる終末という修辞の中で鮮やかに具現化されている対立から生まれた深い堕落の雰囲気を伝えている。この作品は極限の条件のもとでの人間の条件に付いて感情的に深く関与し考察する機会を与えてくれる。観客はここで描かれている苦闘に疑似的に参加するよういざなわれているのであり、そうした疑似的な参画によって私たちは同様に極限の状況における自分自身の反応について考察し、おそらくはそれを修正することができるのだ。ロメロの想像力によって作られた宇宙は忌まわしいものだ。『ナイト』の魅力はそのような魅力的で両義的に訴求力のある、究極的に荒涼たる宇宙に一時的に想像力を働かせて没入できるという魅力なのである。

非常に成功したテレビシリーズ『ウォーキング・デッド』――「ケーブルテレビ史上もっともよく見られた作品」(Platts 2014b, 294)――は『ナイト』のあらゆる中核的なテーマと要素を利用し発展させている。このシリーズはゾンビウイルスの大流行を人間の相互作用と人間の心理についてのストーリーを生み出す触媒として用いており、キャラクター同士、キャラクター間の対立にも光を当てている。『ウォーキング・デッド』の人気を見れば、それが『ナイト』と共有しているテーマが『ナイト』が作られた時代を超えたものであることがわかるだろう。人間は社会的、心理学的対立に対する疑似的な洞察に興味を持っているのであり、被捕食者の種としてわたしたちは人間のキャラクターを恐ろしい捕食性のモンスターと対置するストーリーに魅力を感じるのだ。ゾンビによる終末に焦点を当てたストーリーはその語りの前提においては笑ってしまうほど非現実的であるかもしれないが、それらはわたしたちの関心をとらえ、わたしたちの気質について現実的で真実な何かを教えてくれるのだ。

9. 二度と泳いではならない：『ジョーズ』（1975）

若い女性クリシー・ワトキンスが平和なニューイングランドの島アミティの沖合で大きなサメらしきものに襲われて死んでしまう。地元の当局はすぐに彼女の死を隠ぺいして、ボートによる事故だと発表する。着任したばかりの警察署長マーティン・ブロディは水が大嫌いな都会の警官だが、このサメの襲撃を正しく認識し、サメが捕まるまでビーチを閉鎖しようと思う。しかしアミティの市長ラリー・ヴォーンは、アミティは「夏の町であり、夏のドルが必要だ」と主張する。海水浴客を殺す巨大なサメのニュースが広まれば観光客は島を敬遠してしまう。ブロディは妥協するが、そのとき男の子アレックス・キントナーが白昼、大勢の人々の前でサメに襲われて死んでしまう。ブロディはサメの専門家マット・フーパーを招き、老練の地元のサメハンター、クイントを雇ってサメを見つけて殺してもらおうとする。ブロディ、フーパー、そしてクイントはクイントの船で出発する。しばらくすると彼らは巨大なホオジロザメを見つけて殺そうとする。しかしサメは彼らが思っていたよりも大きく、強く、賢かった。サメはクイントを食い殺し、フーパーもその餌食になりかけるが、ブロディはサメが呑み込もうとしている圧縮空気のタンクにライフルの弾を打ち込むことでなんとかサメを倒す。サメは爆発して船は沈み、ブロディとフーパーは安全な場所に泳いで帰っていく（Spielberg 1975）。

１９７５年６月に封切られ、ピーター・ベンチリーの同名の小説（1974）に基づいて作られた『ジョーズ』はまたたくまに当時最高の売り上げをもたらした。「映画館を埋め尽くし、ビーチをからにした」（Salisbury and Nathan 1995）ことでよく知られている。『ジョーズ』は単に人々をビーチから映画館の闇へと誘い込んだだけでなく、北アメリカの海水浴産業に深刻な打撃をもたらし（Andrews 1999, 121）、何世代にもわたる映画ファンはこの映画のために水や深海にひそむ恐ろしい生物におびえ続けることになったのである。メディア心理学者たちが人々に恐ろしいメディアの表象、長い間にわたって視聴者に否定的な心理学的、行動学的効果を与えたメディアのコンテンツについて尋ねると、『ジョーズ』は例外なく、かなり怖い、トラウマさえ与える映画のリストに入るのである（Cantor

2002, 2004, Harrison and Cantor 1999, Hoekstra, Harris, and Helmick 1999）。最近の研究（Cantor 2004）では、多くの大学生の被検者のうち4パーセントが『ジョーズ』の「長続きする影響」を報告している。これらの影響のうちもっとも顕著なものは睡眠障害―主に悪夢―と「海だけではなく、湖やプールでも泳ぐことへの抵抗」であった。映画を見た後数年たってもなお、多くの視聴者たちは泳ぐことに不安を覚えたのである。ひとりの被検者が述べているように「今日に至るまで、深い海で泳ぐと、わたしはまだときどき、何かがやってきてわたしをとらえるのではないかと思う」（Cantor 2004, 292）。『ジョーズ』が単に二時間の間観客の関心をひきつけ怖がらせるだけでなく、何十万の―何百万とは言わないまでも―観客の中に海の永続的で深い恐怖を目覚めさせるのはなぜなのだろうか。

『ジョーズ』は観客を悪意のある動物の行為主体であるサメによる捕食という原始的なシナリオに没頭させ、警戒心が強く英雄的に利他的なキャラクター、マーティン・ブロディに共感させることでその力を得ている。彼はサメの脅威を最初に真剣に受け止める主要なキャラクターであり、彼の良心と決断力のために共同体への脅威が除去されるのである。観客はブロディと共感的な絆を形成するよう促される。いくつかの場面はブロディの家族生活を描き、彼がやさしい父親、愛情にあふれる夫、仲間たちの幸福を無私の心で心配する人物として描き出す。彼は水に対する強い恐怖と、経済的理由のために危険を過小評価しようとする政治的な力によって妨害を受けるが、これらの制約をはねのけてサメに対する戦いに勝利するのである。『ジョーズ』はわたしたちの大半がたいていの場合無視するか目を背けている生物学的な真実を戦慄と恐怖とともに思い起こさせる。つまり、わたしたちは一部の頂点捕食者にとっては「小さな食用動物」つまり肉なのであるという事実だ（Plumwood 2012, 13, Quammen 2003）。この映画はその考えを、サメという捕食者の視点から見た人間を映し出すことで非常に強力に表現しているし、きわめてサスペンスにあふれたストーリーの中にその考えを埋め込んでもいる。わたしたちはサメが正確にいつ襲撃してくるか決して知ることはないが、言葉のない音楽とサメの視点からのカメラによってその存在にキャラクターより前に気づくことができる。肉としての人間という考えは強い不安を引き起こし、この映画はその不安を短期的に人食い鮫の華々しい最後で霧消させるのである。人間の創意と不屈の努力がおそるべき脅威を除去したのだ。小さな食用類人猿でさえ、アミティの臆病者の政治家たちのようにではなく、ブロディのように、正面からそれらに対峙するための度胸があれば、巨大なモンスターに立ち向かうことができる。この映画は短期的な不安を作り出すとともに軽減し、そうすることで即時的な感情的安堵と満足をもたらす一方、長期的には恐怖の痕跡を残すことで視聴者にスピルバーグの映画は単に一時的なエンターテインメントではなく深い、神経システムの繊維に恒久的に入り込む何かなのだという半分意識的半分無意識的な感覚を与えるのだ。

巨大なホオジロザメは『ジョーズ』を動かす原動力である。それはプロットを動かしキャラクターに動機づけを与えることでストーリーを構築していく。もっとも鮮明に記憶に残る場面には直接的ないしスクリーン上に見えるその捕食行動の効果によって暗示される形でサメが登場している。サメはたいていの学術的批評の焦点にもなっている。そうした批評の大半はサメに精神分析のような理論的枠組みからもたらされた象徴的重要性を与えている。ピーター・ビスキンドはサメは「異常に拡大された動く男根」(1975) として読まれるべきだと提案している。ジェーン・カプーティもサメに生殖器の象徴的意味を与えているが、驚きの「ひねり」を加え、歯の生えた巨大なヴァギナ、「歯の生えたヴァギナ」(vagina dentata) (1978, 314) であると解釈している。カプーティによれば、サメは「原初の女性のもっとも恐るべき側面を表現している」(307-308) のだという。サメに象徴的な性心理の重要性を与えても、観客を釘付けにし、恐れさせる映画の力の因果論的な基盤はいささかも理解することはできない。『ジョーズ』を見ると人々は水とサメを恐れるようになるのであって、性器や性差、家父長制、「復讐の母」(Rubey 1976) を恐れるようになるわけではない。キングスレイ・エイミスはそのような解釈を退け、『ジョーズ』は「恐ろしく大きな魚によって食べられることの恐るべき恐怖」についての作品だと主張した (qtd. in Quirke 2002, 36)。しかし、これもまた正鵠を射ているわけではない。『ジョーズ』のサメは単なる巨大な魚ではないからである。映画を通してサメは「心を持たない人食いマシーンから悪意ある力―知的で、復讐心に燃え、不自然なまでに強力で、おそらく何千年も生きている」(Rubey 1976) 存在へと変貌を遂げるのである。人間にとってサメは―現実のものであれフィクションの中のものであれ―単なる大きな魚」であることはめったにない。彼らはモンスター、神、悪魔、半神として見られる傾向がある。彼らは「実際の脅威とは比例しないほど大きな脅威を引き起こす」(Crawford 2008, 7) ―サメが人間の生殖器にかすかに似ているからではなく、わたしたちには、そのような強力でとらえがたく、見事な捕食者を畏怖をまじえた恐怖とともに見るという進化の結果として獲得された気質があるためである。サメは非常に危険であるが人間の世界にはきわめて無関心である。ホオジロザメの真っ黒な目にうつったわたしたちの姿は、本来の居場所から離れた、弱く萎縮している猿のそれである。

サメはすぐれたホラー映画のモンスターになっている。彼らは何億年もの間、ほとんど進化論的な変化をせずに存在してきた。鳥類、は虫類、ほ乳類が現れる前に海を泳ぎ回っていたのである。サメはフーパーの言葉を借りれば「進化の奇跡」であって、生存と繁殖という目的を満たすために自然選択によって見事に作り上げられた存在なのである。現在は絶滅してしまったメガロドンはおよそ50フィートにもなったと言われている。これが現在のホオジロザメの先祖であって、完新世までは生きていただろうから、そうすると先史時代の人間と同居していたかもしれない。クロウフォードが述べているように、「わたしたちは二メートルもある背びれを見ることの恐怖が代々遺伝してきたDNAを通じて衝撃波を送ることを想像しうる」（2008, 28）のである。進化論的な時間の中でサメがどの程度人間やヒト属の祖先たちを餌食にしてきたかはわからないが、ごく少数が—今日においてと同様先史時代においても—サメによって殺されたのだとしても、サメは人間の心に存在する、進化の結果獲得された捕食者対抗メカニズムの入力条件を十分に満たしている。サメは明らかに危険で捕食性のものだ。その口は鋭い歯がついている。その目は黒く、クイントの言葉を借りれば「人形のように（中略）生命がない」—これはわたしたちにとってはその動かず無表情な顔と同様、非常に不安なものである。ホオジロザメの動作の優美さは恐るべき力を示唆している。形態と機能の間に美的に喜びを与えるような一致がある。つまり、それは殺すためにデザインされたように見える。ホオジロザメが暮らしている大洋は異質で人間が住めない世界である。わたしたちは海では無力であり、重要な臓器を下からの攻撃にさらして泳いでいるときにはとりわけ無力である。『ジョーズ』のオリジナルのトレイラーはオーソン・ウェルズのナレーションで、サメを「心のない人食いマシーン」、「殺すために生き（中略）何でも襲って食い尽くす」と描写する。印象的な描写だが、いくつかの点では公正でない。およそすべての肉食獣は「殺すために生きて」いるのであり、それはサメでもアナグマでも変わらない。本物のサメは「何でも」襲って食べたりはしないし、『ジョーズ』のサメは単なる泳ぐチェーンソー、無差別的な破壊マシーンではない。それは行動とサメの視点からのショットが示唆するように行為主体であり、悪意と殺意を持っている。それは復讐心というほ乳類に特有の感情、そして創意工夫という霊長類の力をも持っているように見える。それは行動学的には非現実的な設定であるが作劇上は効果絶大である。

『ジョーズ』のサメは神話の領域にまで昇華させられており、明示、暗示されるけれどもめったに姿を現さないために観客の心に強い畏怖の念を引き起こすように作られている。それは捉えがたく、明らかに強力な力を持ち、非常に危険な存在である。サメのスクリーン上の存在はすべて合わせても数分に限定されている。これはひとつには映画製作者の創作上の決断の結果であるが、別の面からすれば映画のために作られた機械仕掛けのサメによって繰り返し引き起こされた問題のためでもある（Andrews 1999, Gottlieb 2005, Quirke 2002）。わたしたちはサメの姿を映画の中盤以降にならないと実際

図9. 1: スティーブン・スピルバーグの『ジョーズ』(1975)にホホジロザメが実際に映る時間は非常に短いが、ようやくのことでそれが姿を現すと、非常にリアルに見える。これは非常に多くの歯を持ち、人間の感性に毫も配慮しない恐るべき捕食者だ。サメの視点から見ると、ブロディ署長は単なる肉に過ぎず、それ以上でもそれ以下でもない。

に見ることはないのだが、キャラクターはそれについてわたしたちに話してくれる—体長25フィート、体重3トン—し、その荒々しい捕食行動の効果を目の当たりにしている。最初の場面は夜に泳ぎを楽しもうとするクリシー・ワトキンスが水中の「何か」、何か恐ろしく強力な生物に襲われる描写である。この「何か」は彼女を乱暴に引き裂いてから水中に引きずり込む。わたしたちは彼女の切断された腕が翌朝ビーチで蟹に食われているのが発見されるのを目撃する。そして、ふたりの哀れな島の住人たちが木製の桟橋に結びつけたフックに焼き肉をつけてサメを捕らえようとするのを見る。桟橋はバラバラに壊され、獣によって海に持ち去られてしまう。ようやくサメを見るとき、それは非常に説得力があるように見える(図9・1)。サメの専門家ですら、オーストラリア沖合で撮影された『ジョーズ』のフィルムで用いられた機械仕掛けのサメと本物のサメを見分けることが難しい（Gottlieb 2005, 90）。サメの姿を見せずに、サメが近くにいるぞと語り続けることで、『ジョーズ』は観客に二重の攻撃を仕掛けている。進化の結果として得られた捕食の恐怖と、未知のもの、不確実なものに対する進化の結果として得られた恐怖を融合させているのだ。観客は何か危険なものがそこにあることを知っているが、どこで、いつ、それが現れるのかはわからない――しかしわたしたちはキャラクターよりも早く知るのである。

サメによって喚起され、それにまつわる不確実性によって喚起される恐怖は危機に陥った弱いキャラクターたちに対する共感混じりの不安によって増強される。『ジョーズ』はわたしたちを無力な傍観者としてだけでなく擬似的な犠牲者としての立場に置くのだ。スピルバーグはまるで犠牲者と一緒に水中を泳いでいるかのように感じさせる水面でのショットを多用している（Bouzereau 1995）けれども、バウルズのいう「特権化された警報システム」（1976, 203）をも用いている。これは音楽と水面下から撮影されたショットから構成され、キャラクターより前にサメの存在と接近を知らせるものだ。共感まじりの不安はわたしたちがキャラクターが危険に瀕していることを知らないことを認識するときにいっそう強くなるが、それは無知のために彼らがいっそう弱い立場に置かれるからである。映画の最初の場面は２００４年の「もっとも怖い映画の場面１００」（Kaufman 2004）の1位に入ったが、これは比較的制限のない語りを用いて観客にキャラクターより前に警告するというこの戦略を用いている。この場面では、ジョン・ウィリアムズの有名な二拍子の音楽モチーフと水中からのショットが、幸福にもこの脅威に気づかないまま海に飛び込む若い女性の姿を映し出す前に、水中に脅威が潜んでいることをわたしたちに警告してくれる。わたしたちは何かおぞましいものがそこにいることがわかるが、彼女はわからない。彼女が襲われるとき、わたしたちの恐怖は確証を得る。ウィリアムスのモチーフ—今となっては明示されていなくても暗示されただけですぐに認識可能な、迫り来る危機を示す文化的仕掛けとなっている—はマイナーコードを用いて否定的感情を喚起し(Palleseu et al. 2005)、攻撃と脅威を低いピッチを用いて暗示している(Huron, Kinney, and Precoda 2006)。モチーフは観客の神経システムを通じて鳴り響き、深い不安感を煽る。さらに、その加速するリズムは脅威の接近を示唆する「カウントダウン」(Biancorosso 2010, 320)として機能する。脅威はあそこに、すぐそこに、どんどん近づいてくるのだ。端的に言えばこのモチーフは迫り来る危険の信号として機能し、それゆえにサスペンスと共感混じりの不安を生み出すために進化の結果として獲得された感情的気質に狙いを定めているのだ。

これらの様々な劇的要素は映画のもっとも効果的な場面、開始15分あたりで始まるいわゆる「ビーチ・シーン」に凝縮されている。クリシー・ワトキンスが殺され、ブロディはサメの仕業であると疑い、ビーチを閉めようとするのだが、市長と結託した検視官は彼女の死がボートの事故の結果であるという。わたしたちには事情が彼らよりもよく飲み込めているが、それはクリシーに起こったことを見ているからである。さて、わたしたちはビーチにいる。人々はおしゃべりし、泳ぎ、楽しんでいる—ブロディ以外は。彼は椅子に座り、海の方を見ながら、起こっていることを監視している。

スピルバーグは彼の目の高さのショットとリアクション・ショットを交錯させることで、わたしたちの視線を彼の視線と同一化させている。太った女性が水に浮かんでいる。男が木の棒で飼い犬と「取ってこい」の遊びをしている。若いカップルがじゃれあっている。子どもが浮き輪の筏で泳ぎ回っている。人々はブロディの目の前を歩き、彼の（そして観客の）海水浴客の景色を妨害し続ける。すると黒いものが水面に現れて太った女性に近づいていく。これは偽の警報である—背びれではなくて年配の海水浴客のおもちゃの帽子なのだ。ブロディは観客と同様動揺する。するとと男がやってきて、再び彼の視界を遮りながら駐車違反についてブロディに苦情を言う。男が話していると、海に入っている若い女性が叫び始める。ブロディは立ち上がる。これも別の偽警報だ。彼女は単にボーイフレンドと遊んでいるだけなのである。ますます多くの子どもたちが水の中に入っていく。ブロディは、妻の言葉を借りれば「いらいらして」汗をかきはじめる。犬を連れた男が犬の名前を呼び始めると、観客は少しだけリラックスし始める—これは偽警報で、場慣れしていない都会の警官が過剰に不安になっているだけなのだ。クローズアップ・ショットが木の棒が水に浮いているのを映すが、犬はどこにも見えない。次のショットは水中からのショットで、ウィリアムズのオスティナートが伴奏で流れる—このシーンでの最初の言葉のない音だ。きたぞ、とわたしたちは思う。これは脅威の視点だ。まだ脅威そのものは見ていないが、いずれにせよそれは海水浴客のバタ足に近づき、音楽が強まっていくにつれて筏の子どもに狙いを定めているのだ、と。次のカットではわたしたちは水面のすぐ上、筏に乗っている子どもから少し離れたところにいる。何が起こっているのかはっきりとはわか

図9．2：スピルバーグの『ジョーズ』（1975）の悪名高き「ビーチ・シーン」は、暴力的なサメの攻撃というクライマックスに向けて盛り上がっていくにつれて非常にスリリングなものになっている。ここでは小さな男の子がホホジロザメに襲われ、血と海水の中に引きずり込まれていく。原始時代の悪夢のような状況を思わせる場面だ。

らないが、重厚なバスの響き—巨大なサイズと恐るべき力を示唆する—が、子どもの筏をめぐる短い間の循環的な動きの狂騒に伴って流れる。彼は真っ赤な血の海の中を引きずり込まれていく（図9・2）人々は叫び始める。スピルバーグはカメラを振ってブロディにズームインし、彼の最悪の恐怖が現実のものとなったときにブロディの中を駆け巡った吐き気と眩暈の感覚を観客に味わわせる。パニックが続いて起こり、人々は先を争って水から上がる。

ビーチ・シーンは映画構築術の驚異であり、非常に見る者の心を動揺させるようなクライマックスを見事に作り上げている。アレックス・キントナーの死の描写は抑えられている—肉に食い込む歯もうつらないし、露骨な暴力シーンもない—けれども、同時に血の海の描写によってきわめて生々しいものとなっている。この場面はわたしたちにサメの恐るべき脅威を伝え、ブロディの深まる理解と彼のパラノイア的な確信を共有させ、自らが置かれている危険を認識した時の海水浴客の恐怖を感じさせてくれる。スピルバーグはこの映画が封切られた当初、この場面を見ていた男性が映画館のロビーに駆け込んで吐いたことを語っている。「彼は吐いてからすぐに席に戻った。そのとき、これはヒットするぞと思ったんだ」(qtd. in Andrews 1999, 114)。ヒットしたのは彼らが非常に効果的に、そしていやおうなしに、不確実性を伴う不安、そして動物の捕食者と人間の被捕食者の原始的な遭遇から生まれる恐怖を喚起したからである。

巨大なホオジロザメ――時間、海、そして人間精神の深みからやってきた古のモンスター――はアミティの日常生活のせわしない些末事を木っ端みじんに打ち砕く。それはちょうどサメの襲撃を議論しに公会堂に集まった興奮した市民たちの混沌とした話し声をクイントが黒板を爪で引っかく音で切り裂くようなものである。どういうわけか説明できないが本能的に神経に触るキーッという音のように、サメは先史時代の深みから現れてブロディの世界をかき乱し、同時に世界に焦点を与えるのだ。犯罪にあふれるニューヨークシティから平和なアミティに転勤になったブロディは地元の空手学校の生徒たちがフェンスを空手で壊してしまうといった島の人々からの苦情、ささいな交通違反、そして建築規制の問題を処理するので手一杯である。しかしサメの恐怖はあらゆる関心を雲散霧消させ、もっとも基本的な問題である生存を浮き彫りにするのだ。しかしブロディは自分自身、あるいは自分の家族の生存のみに関心を持っているのではない。彼の強い市民としての義務感――アミティのすべての人々を守りたいという願望――が彼をこの映画の主人公として際立たせている。彼は仲間の人間を守りたいという社会的で無私の願望で動いている。彼は盲目的で頑固な政治家たち、および自身が持っている水恐怖症と意欲的に戦い、アミティの市民の安全を守ろうとする。そういうわけでラストが倫理的に満足のいくものになっているのだ。誰もが認める主人公であるブロディは非常に不利な状況に直面しつつも恐るべき脅威から世界を守るのである（Bowles 1976）。サメ退治の三人組のうち、残りのふたりは失敗してしまう。クイントは殺されるが、彼はサメという種全体に対する狂気に満ちて利己的な復讐心で行動している（USSインディアナポリスの沈没後、サメが彼の戦友たちの多くを食い殺してしまったのだとわたしたちはのちに知ることになる）。フーパーもすんでのところで殺されかけるが彼は利他主義というよりはむしろ科学的な好奇心によって動機づけられている。ブロディだけが自己を超えたところで行動するのである。彼は先見の明があり、粘り強く、共同体の生活を危険にさらしている古の脅威に対峙するのに十分なほど狡猾でもある。

『ジョーズ』は進化論的に際立った脅威に対する情報を慎重に与えることによって観客の関心を引き留めておく。この脅威に関する語りのうまさはこの映画のタイトル、公式のポスターデザイン、そして冒頭のシーンに示されている。この映画の公開に際して行われた宣伝キャンペーンはほとんどホオジロザメのみを前面に出し、人間のキャラクターと危険なサメの対決のドラマを観客に期待させることになった。ピーター・ベンチリーはこの映画の大成功について、インタビューでE・O・ウィルソン（1984）をパラフレーズしながら説明している。「わたしたちは単に捕食者を恐怖するのではなく、それらにくぎ付けになるのです。わたしたちはストーリーや寓話を紡ぎ、それらについて際限なくおしゃべりするようにできています。魅力は準備を生み、準備が生存をもたらすのです」(Salisbury and Nathan 1995)。彼の見解は本書で展開される進化論的アプローチと符節を合している。しかし映画は捕食者の描写にとどまるものではない―それは恐怖を克服し危険に対処する人間の試みについてのものであり、良心的で利他的な主人公が仲間の市民をほとんどこの世ならぬ脅威から守ろうとする苦闘についてのものである。『ジョーズ』は人間の存在のもっとも基本的で恐るべき側面―すなわちわたしたちの弱さ、わたしたちは「仮面をかぶった食べ物」(Plumwood 2012, 18)であるという事実についてのホラー・ストーリーである。しかしそれはまた工夫の才に富んだ個人がその恐るべきメッセージをもたらす存在に対して戦い打ち負かしたことについてのアクション・アドベンチャーなのである。この映画は警戒心、狡猾さ、そして堅忍不抜の精神をもってすればわたしたちは食料とならずにすむことを教えているのだ。

10．取り憑かれた家、取り憑かれた心：『シャイニング』(1977)

文学的野心、短気、そしてアルコールの問題を抱えた聡明で共感に満ちた男性ジャック・トランスは最近学生に暴行したことで高校教師の仕事を失ってしまった。彼のウェンディとの結婚は彼が酔っ払って怒り、過失で五歳の息子ダニーの腕を折ってしまって以来うまくいっていない。いろいろとつながりのある友人が彼に《オーバールック》ホテルの冬期の間の管理人としての仕事を周旋してくれる。このホテルはロッキー山脈の高級リゾートなのだ。ジャックはこの仕事を引受ける。仕事そのものも、それから仕事の間絶対に酒を飲んではならないという条件も、結婚の問題、そして先細りの文学的キャリアを救う最後のチャンスのように見えたのだ。ダニーは透視能力―「〝かがやき〟」―を持っているのだが、恐ろしいヴィジョンに悩まされ始める。彼は何か恐ろしいことが《オーバールック》で起こるであろうと感じているのだ。ホテルが冬を迎えて閉鎖されるそのすぐ前に家族はそこに到着したのだが、そのときにコックのハローランはダニーをそばに呼ぶ。ハローランも〝かがやき〟の能力を持っており、ダニーを仲間の超能力者だと知って、このホテル―とりわけ217号室が―が取り憑かれていること、しかし幽霊たちは彼には危害を加えないであろうことを告げる。ハローランはホテルが取り憑かれていると言ったことは正しかったが、ダニーに危害を加えないと言ったことについては誤っていた。《オーバールック》には邪悪な超自然的な力が潜んでいる。それは《オーバールック》の過去の所有者と住人―ギャング、軽犯罪者、そして無慈悲なビジネスマン―によって行われた残虐行為の超自然的な集積なのだ。その邪悪な力はダニーの霊能力によっていや増し、ついにダニーが217号室でゾンビの女に襲われてしまう。彼は何とか逃げ出す。ダニーとウェンディはホテルを離れたいと思うが、雪によって閉じ込められてしまい、ジャックが無線機を破壊しスノーモービルも使用不能にしたために外界との連絡手段を立たれてしまう。彼はいかなる危険も認めようとせず、ホテルを出て失職と嘲笑にさらされる気は毛頭ない。ホテルはダニーが独特な霊能力を有しているので彼を悪霊の群れに仲間入りさせようとするのだが、まず家族のもっとも弱い構成分子であるジャックに働きかけ、彼をアルコールと権力の約束で誘惑して息子を殺させようとする。邪悪な力は次第にジャックを崩壊させていき、彼は狂気に満ちた殺意を持って家族に襲いかかる。ダニーとウェンディは最後の瞬間にハローランによって救出される。ダニーが霊能力を用いて彼に助けを求めたのだ。一方、ジャックはホテルの古いボイラーの圧力を抜くのを忘れていたためにボイラーが爆発し、ホテルとジャックはもろともに壊滅してしまう。ダニー、ウェンディ、ハローランが逃げていく（King 2011）。

スティーヴン・キングは１９４７年に生まれ、世界でもっとも成功したホラー作家である。彼は７０あまりの本を出版し、ある統計によればそれはおよそ3億５０００万部ほど売れている（Hough 2012）。彼の本はおよそ50の言語に翻訳されている（Lilja 2015）。キングは数え切れないほどの賞を受けており、その中で際立ったものはナショナル・ブック・ファウンデーションの２００３年度アメリカ文学に最も貢献した者に贈られるメダル、２０１５年度の全米芸術基金のナショナル・メダル・オブ・アーツが挙げられる。１９７４年に『キャリー』（King 1999）〔永井淳訳、新潮社〕でデビューして以来、キングの作品は批評家から絶賛され、同時に酷評されている（Magistrale 2013）けれども、明らかに彼のストーリーは世界中の非常に多くの人々の心に訴えかけている。キングの人気には多くの理由がある。彼は読みやすい、口語的なスタイルで執筆し、そのプロットは波乱に富み劇的であって、善対悪といった大きな基本的なテーマに臆することなく取り組んでいる。そのキャラクターはどこにでもいるような普通の人々であるが、彼らが同族の人間に起因するものであれ超自然的なモンスターからのものであれ厳しい苦難に直面した際の反応が心理学的な複雑さと心からの共感をもって描かれている。さらに、キングの超自然主義─悪意を持った幽霊や邪悪なモンスターなどの伝統的なホラーの造形として姿を現す超自然的な倫理的な力─という顕著な特徴は、人間が直観的に有している、物質的世界に影響を及ぼす、目に見えず倫理的に二極化された超自然的な行為主体の存在に対する信念と共鳴するために広く訴えるものがある。そして最後に、キングのフィクションから生じる世界観は世界に存在する苦痛と苦しみと邪悪をひるむことなく認識しているけれども、その認識をロマンティックで時として感傷的な、人間の善への潜在性の賞賛で和らげているのである。この冷徹なリアリズムと倫理的な肯定が多くの読者にとっては魅力的に映るのだ。というのもニヒリズムに沈潜することなく、世界の厳しさについての難解だが重要な真実を捉えているように見えるからである。

こうした要素のすべては『シャイニング』〔以下TS〕〔深町眞理子訳、文藝春秋〕に顕著に見られる。これはキングが三番目に発表した小説であり、彼の最初のベストセラー（Magistrale 2010）であって、彼のもっとも長きにわたって売れたロングセラーのひとつでもある。文学批評家はTSに多くの視点から取り組んできている。アルコール依存症と闘う作家の描写にもっとも顕著に見られる小説の自伝的要素に注目したものもある（Buday 2015, Dickerson 1990, Winter 1984）。その文学的な歴史的系譜を暗いアメリカロマン主義（Mustazza 1990）、文学的自然主義（Reesman 1990）、そしてシェイクスピア悲劇（Magistrale 1990）に辿ったものもある。歴史主義者はTSを歴史的瞬間に位置づけようとしてきた。たとえばコーエンは、TSはジャックが自殺的な狂気に墜ちていく描写をしているという点で「ヴェトナム戦争後のアメリカ社会の分断のメタファ」（1990, 48）であるとしている。フェレイラはこの小説が「アメリカの政治的現実における同時代的な不調」（1990, 27）を反映しているという。この作品が《オーバールック》のおそるべき秘密と忌まわしい歴史に焦点を当てているためだ。これらの批評家は皆小説の重要な側面を扱っているのだが、読者の関心を引く永続的な力についての理解を深めてはくれない。ダヴェンポート（2000）は、TSが同時代の社会文化的組織から生じた男性特有の不安、すなわち男性性についての不安、男性であるとはどういうことかについての不安の指標として読めると主張している。この解釈ではジャックは「男性性の過渡期の形態の表象」、虐待する家父長的な父親によって彼に与えられた父親像と、愛する協力的な両親の一方、「主要な保護者」（Davenport 2000,317）としてのより同時代的でソフトな父親像との間で板挟みになっている存在である。これは鋭く重要な読みだが、このストーリーが時と時間を越えて読者に訴える力には迫れない。スティーヴン・ブラームはTSのより深い心理学的重要性に焦点を当てようとした（2012）。彼はラカンの精神分析の枠組みを用いてこの小説のクイア的な読みを行っている。それによれば、これは本当は抑圧された同性愛的、オイディプス的願望のストーリーなのである。この読みは小説の意味を深刻にゆがめてしまっている。ストーリーは彼らに抑圧された近親相姦の欲望の恐ろしさを提示することで読者の関心を引き、彼らを恐怖させるのではない―ジャックは、ブルームの説によれば、自らの息子に対する性的な欲望に直面して「精神崩壊と分裂」に至るのだという（Bruhm 2012, 470, ALegre2001, 109）。エディプスコンプレックスというフロイト的な概念は心理学的現実と何らの関係も持っていない（Daly and Wilson 1990）、し、ラカンの精神分析は科学的に非常に疑われている（Buekens and Boudry 2015）。対照的に、進化論的視点は小説の意味と読者を引きつけるその力に焦点を当ててくれるだろう。

ＴＳの中心的な葛藤、すなわち彼自身の内部と外部に存在する破壊的な力に対するジャックの葛藤、ならびに《オーバールック》に潜む危険を克服しようとするウェンディとダニーの葛藤はキングの特異な関心、そしてたいていの批評家たちによって議論されているアメリカの１９７０年代に特有な不安よりもさらに深いものがある。それらは人間の本性の基盤にまでさかのぼるものだ。これらの葛藤は進化論的に何度も繰り返されてきた適応的な問題、すなわち進化の結果獲得された動機が対立する場合―たとえば利己的な地位獲得願望と協力的な養育願望とが対立する場合―にそれらのバランスをとるという問題、そして自然界の敵意に満ちた力に負けず生き抜くという問題を反映しているのである。さらに、超自然的な要素―この小説の想像力の質、そしてホラー・ストーリーとしての効果の中心となる要素―は、魔術的な思考と形而上学的な二元論を求める、進化の結果獲得された認知的気質と強烈に響きあうのだ（Bloom 2004）。それらは多くの人々が直感的に考えていること、すなわち世界には非物質的で倫理的な力―反社会的な動機によって動いている超越的な邪悪の力、そして人間の中に宿る「霊的な」力、つまりそうした邪悪な力を感知し、それゆえに人々が邪悪をはねのける手助けをする〝かがやき〟のような力が働いているのだ、ということを裏付けているように見える。こうした理由が合わさって、この小説が世界中の人々をひきつけ続けている理由を説明してくれるだろう。

　キングは主観的な語りと複数の視点を通してキャラクターへの読者の共感を巧みに構築している(Dymond 2015)。わたしたちはそのために、彼らの目を通して〔心の〕内側も外側も見ることができるのである。わたしたちはジャックに共感する。彼は共感に満ちているが欠陥のある人物であり、彼が殺意を含む狂気に陥っていくにつれてその共感は恐怖に変わる(Manchel 1995)。わたしたちはまた、彼らが彼の殺意を含む怒りの標的になるとき、彼の妻と子の恐怖をも感じる。読者のジャックに対する共感の転換点は、ジャックが彼らの最後の脱出手段であるホテルのスノーモービルを調べに出ていくときに生じる。キングは中間話法を用いて、彼がホテルを出て家族を守るか、あるいはここにとどまって自らの野心を優先するかというジャックの内心をわたしたちに見せてくれる。ジャックはスノーモービルのバッテリーを見つけることができない。「そうとわかっても、すこしも当惑は感じなかった。じつのところ、ほっとしてさえいた。救われたと感じていた」(304)〔深町 下116〕ジャックはその後バッテリーを見つけるが、ウェンディとダニーにはうそを言うことに決める。スノーモービルが入っている小屋を去るとき、彼はダニーが雪遊びをしているのを見る。ここでもまた彼の思考が描写される。「(いったい全体、いままでおまえはなにを考えてたんだ?)答えは響くように返ってきた。(自分のことさ。自分のことを考えてたんだ)」。ここではジャックは明瞭に、自分がホテルの悪に屈しているど自覚する瞬間を経験している「いま、小屋の入り口にひざまずきながら、一瞬のうちにジャックはすべてをさとった。《オーバールック》がその力を働かせようとしているのは、ダニーにたいしてだけではない。自分にたいしてもなのだ。〔中略〕自分こそがもっとも脆弱な部分であり、押しまげ、ねじまげることができる部分なのだ—どこかがぽきんと折れるまで」(306)〔深町 下119〕。この明瞭なる分岐点の後、貧困とアルコール依存症の生活のヴィジョンが訪れる。これは成功の最後のチャンスである《オーバールック》を離れた場合に待ち受けていると彼が考える運命である。彼はそれから最後の決断をし、スノーモービルのエンジンの重要な部分を引き抜いて遠く雪の中に放り捨て、「安らぎ」(310)〔深町 下127〕にみちた気分にひたるのだ。ここで読者はジャックと共感に満ちた感情移入をやめ、彼の犠牲者たちと共感に満ちた同一化を進めていくことになる。

ジャックの堕落をたきつける破壊的な力はキャラクターの内部では心理学的なものであると同時に超自然的なものでもある。心理学的な力はジャックのキャラクターの弱点、彼のアルコール依存症の傾向、暴力的な激発、地位への欲求、そして精神病質的に虐待的な親であった彼自身の父親の記憶である。その記憶がジャックにとりついており、彼はそれが自らの中に反映されるのを恐れている。超自然的な力はダニーの透視能力によって目覚めさせられたホテルの邪悪な幽霊である。TSの超自然的な要素は一部の批評家が主張しているように社会的リアリストのストーリーの余分な「ケーキの装飾」(Herron 1982, 74, Alegre 2001, Notkin 1982) ではない。たいていの読者たちはこの小説のもっとも鮮明に記憶に残る瞬間の一部は主人公たちが超自然的な行為主体に会う瞬間を含んでいることを認識していることだろう。それらは過去、および現在からの倫理的力の物質的具現化なのである。ジャックにとって、過去の邪悪と彼自身に内在する隠れた邪悪は次第に現在を食い尽くし、彼の精神をのっとり、破壊的な怒りにすべてを飲み込んでしまう。ダニーにとって〝かがやき〟は特殊な洞察力であり、そのおかげで彼は恐怖に対して弱い存在になっているのだが、同時にそのおかげで彼は究極的にはそれを超越することができるようになっている。邪悪な力は彼の心の中には何ら魅力的なものとしてうつらないけれども、確かに彼にその魔手を伸ばしてくる。たとえば217号室に入らないという約束を破るようにそそのかしたりすることで、そうするのである。何世代にもわたって受け継がれている邪悪の循環の中にとらえられても、ダニーは自らを破壊しようとする邪悪を内在化しようとはしない。読者がジャックとの共感に満ちた同一化から逃れざるを得なかったのとちょうど同じように、ダニーは父親との感情的な絆を断ち切らざるを得ないのである。彼が知り、愛した父親はすでに過去の幽霊に食い尽くされてしまった。父親の代わりにダニーは母親との絆を持っている。その勇気は息子をかつて愛した夫の手から守るという困難につりあうものだ。そして彼はまたハローランとも絆を持っている。ハローランは彼の才能と同じものを持ち、透視能力のためにさらされることになる危険に対して彼を備えさせ、そして最終的にはダニーの代理の父親となる。ハローランはダニーを〝かがやき〟によって開かれた想像力あふれる世界へと招き入れる――これは父親のジャックができない重要な仕事だ。ジャックにそれができないのは彼がその能力を持っていないからであり、彼がその想像力あふれる世界の現実を自分自身に対してしか認めたがらないからだ。

ジャック・トランスのアルコール依存症と暴力的な怒りという気質は親の愛と養育という協調的な気質と対置されている。悪い状況に置かれた愛すべき、野心的な男として描写されているジャックは自らの野心を追求することと自らの家族の世話をすることとの間で板挟みにあう。これらはホテルの邪悪な力がアルコールと、権力と地位の約束で彼を誘惑し、その暴力的な傾向を引き出して家族を攻撃させるに至るにつれて、次第に相いれないものになっていく。ジャックはホテルの暴力的で忌まわしい過去、その前の持ち主の組織暴力とのつながり、そこで起こった自殺や暴力的な殺人事件にとりつかれていく。ホテルは彼に「責任ある地位」を約束し、ほかでは得ることができないと彼が考えている名声、権力、そして尊敬を約束する。それは彼に、ひとりの幽霊がジャックに言うように「あなただったら、この《オーバールック》の組織のなかで、どこまでご自分をのばせるか考えてごらんあさい。ことによると……いつかは……組織のトップにまでのぼりつめるかも」と約束する。(390)〔深町 下254〕。ジャックは《オーバールック》の歴史を書くという夢をもてあそびながら、文学的キャリアを取り戻すチャンスだとすら考え始める。スノーモービルを調べながら、彼は思う。

《オーバールック》はおれたちが立ち去ることを望んでいないし、おれもまた立ち去ることを望んではいない。(中略)ひょっとするとこのおれは、もはやここの一部分になっているのかもしれない。ひょっとすると《オーバールック》は、じつは大柄で散漫なサミュエル・ジョンソンなのであって、おれを自分のボズウェルとして選んだのかもしれない。なに、今度の管理人は物書きだって？　よろしい、そいつを雇え。そろそろわれわれが、われわれの立場を語ってもいいころだ。だがまず女と、洟たれのがきを始末させろよ。そいつの気が散るのは好ましくないからな。（390-310）〔深町 下125〕

ジャックの地位と社会的な権力力学に対する関心は小説の最初、まさに冒頭の一文から明らかである。「鼻持ちならん気どり屋のげす野郎め、というのがジャック・トランスのまず感じたことだった」（3）〔深町 上13〕。どのような状況かといえば、これは《オーバールック》の支配人とジャックの採用面接である。「鼻持ちならん気どり屋のげす野郎」こと管理人のウルマンはジャックに対して高圧的で、ジャックの過去の過ち、つまり前職を失ったこと、そしてアルコール依存症を無神経に掘り返す。ジャックは非対称的な権力構造をよく認識し、それに対して憤りを感じている「アルマンはデスクの向こうに、ジャックはこちら側に――面接するものと面接されるもの。嘆願者と、気のすすまない保護者。（中略）あらためて、最初に感じた嫌悪が波のように襲ってくるのを感じた」（5、7）〔深町 上17、21〕。ジャックはここでは服従する立場に追い込まれており、彼はそれを嫌っている。彼の地位への欲望は自分自身を「人気劇作家で、ニューヨーク批評家協会賞の受賞者、ジャック・トランス。文学者、著名な思想家、七十歳の年に（中略）ピューリッツァー賞を受けるはずの巨匠」（420）〔深町 下305〕とみなす空想の中のイメージに例証されているけれども、これは基本的で普遍的な動機の一表象である。人間――とりわけ男性は女性よりもその傾向がある――は、地位を希求するように進化してきた（Buss 2912, 361）。心理学者のデーヴィッド・バスが指摘するように、人間はふたつのルートで地位を獲得することができる。すなわち支配と名声である。支配は力、ないし力を用いるぞという脅迫によってもたらされ、非合法なものであるとみなされる傾向がある。一方名声は「自由意思によってもたらされる服従」（365）――すなわち、合法的な地位である。ジャックの名声による地位を得ようとする試みが失敗した――彼は「教師として、作家として、夫として、父として失敗した」（365）〔深町 下215〕――とき、彼はホテルの邪悪な力によってもたらされる攻撃的な支配に転じるのである。ホテルの邪悪な力そのものも、ホテルの前の所有者たち、ギャングたち、非道徳的なビジネスマンたちによって行われた暴力的な支配と非合法的な地位の形而上学的な具現化であると描写されている。

ホテルの悪い影響が次第に明らかになるにつれて――ジャックは短気で妄執にとらわれるようになり、ダニーは不吉な予感を伴う激しい発作を起こすようになる――ウェンディは次第にホテルを出たがるようになる。たとえそれがジャックが失職し、家族が経済的絶望に突き落とされることを意味していたとしても彼女の意思は変わらない。「《オーバールック》がジャックやダニーに与えているらしい影響、それがなんとしても気に入らない」（209）〔深町 上371〕。彼女の主要な関心事は家族の健康なのだ。しかしジャックはホテルを出ることを拒否する。彼は問題、息子に対する現実的な危険があることすら認めようとしない。ダニーが２１７号室でゾンビの女に襲撃された後、ジャックは調査に行く。彼は２１７号室には何かおぞましいものがいるのだと感じて逃げ出し、ダニーとウェンディに報告する。その場面の後にはこの小説のもっとも短く、4分の1ページしかない章、「評決」と題された章が続く。「『なにもなかったよ』われとわが声のまともなのに驚きながら、ジャックは言った。『まったくなにひとつだ』」（281）〔深町 下75〕。この章が「評決」と呼ばれているのはそれが彼の野心、地位への欲望を、息子の健康に優先させようとするジャックの決意が表れているからである。ジャックが仕事を辞めたくない理由、ホテルを離れたくない理由は、ウェンディがスノーモービルでホテルを去り、一番近い町であるサイドワインダーに行こうという自らの願いを明らかにした後に、中間話法によって示される。

この女は、なにひとつ触れなかった——自分たちが町へ降りたあと、パーティーが終わったあと、どうなるかについては。（中略）ダニーがこうした、ダニーがああした、そして、ジャック、わたしこわいわ、だ。ああそうだろうとも、たしかにこの女は押入れのなかのおばけや、うしろからとびかかってくる影を、ひどく恐れている。いやになるほどこわがっている。だが、そんなものじゃない、ちゃんと実体のある恐怖だって、ここには山ほどあるのだ。このまま山を降りれば、自分たち一家は懐中わずか六十ドル、着のみ着のままでサイドワインダーにたどりつくことになる。（中略）働くにしても仕事はない。パートタイムだろうが、季節労働だろうが、職らしい職は皆無。せいぜいが一回三ドルで、他人の家の雪かきに雇われるくらいのもの。ジャック・トランスともあろうものが、なんというざまだ。かつては『エスカイア』に載ったこともある作家。つぎの十年間に、アメリカ指折りの作家になろうという夢―必ずしも不当な夢だったとは思わないが―をいだいていたこともある男。その自分が、三十面さげて、サイドワインダー・ウエスタン・オートから借りてきたシャベルを肩に、よその家の呼び鈴を鳴らしてまわっているざま……（294）〔深町 下 98-99〕

この「姿」はホテルの超自然的な行為主体よりもジャックに恐怖を与える（294）。ジャックにとっては真の怪物とは地位の低い卑小な仕事、彼の活力を奪う憐れむべき仕事なのである。彼のこの「怪物」への恐怖は非常に強いので家族への心配などは消えてしまう。ジャックの一連の思考はウェンディを殺したいという衝動へとつながっていく。これは精巧で殺意に満ちた幻想である。それからジャックはダニーが悪夢を見ていることに気づく。「彼の感情の苦い錠前が外れた。ベッドを抜けだすと、自己嫌悪と恥ずかしさにとらわれながら、ダニーのそばへ行った。ダニーのことなのだ、いま考えねばならないのは。ウェンディのことでもない、自分自身のことでもない。（中略）どう事実をねじまげようと、心の奥底では、ダニーをここから連れだすべきだということはよくわかっている」（296）〔深町 下 101-102〕。小説のこの時点において、ジャックはまだ相反する動機によって引き裂かれているが、読者は彼の頭の中にいるのが次第に不快になってくる。彼が徐々に協調的な気質を抑え、利己的な支配行動と殺意に満ちた攻撃性を好むようになるからだ。

ジャックの不快感を催させるような心理的な変化は、子供のころに父親が母親を酔っぱらって乱暴に打擲していたときのことを二度思い出す際の視点の変化によって示される。キングはジャックが最初に「いわれなき」(248)〔深町 下17〕打擲を思い出す際にはぞっとするほど詳細にわたって描写を行っている。ジャックの父親がジャックの母親を杖で殴り、彼女の頭蓋を裂いて眼鏡を皿の上のグレイヴィー・ソースにとばし、3日間入院させるとき、7回も「どすん」(247)〔深町 下15〕という擬音語を用いている。ジャックはこの出来事を恐怖と戦慄をもって思い出すのだが、小説の終盤でこのエピソードに触れる際、彼の殺意に満ちた狂気がだいぶ進行しているために、彼は「それがいかに必要だったかがわかる。父はたんに酔ったふりをしていたにすぎず、その下でどれだけ知性が鋭くとぎすまされ、どれだけ活発に働いていて、ほんのわずかな不服従のしるしも見のがすまいとしていたか、それが理解できる。(中略)二十年後に、ようやくこの自分も、父がどれだけ賢かったかを認めたのである。」(422)〔深町 下308〕。ジャックの視点の変化は天秤が傾いて彼が善ではなく悪の傾向を帯び始めたこと、闇の悪の力が勝利をおさめ始めたことを示している。彼は今や暴力的な支配を地位と充足の正当なルートとして評価しつつあるのである。

キングの概念の中では、闇、ないし悪の力は超自然的な力として特徴づけられているかもしれないが、それらは究極的には、親の保護、他者への愛といった動機と対立する利己的な動機として、人間の本性の中にその起源をもっている。キングは決して《オーバールック》の超自然的な力が何を求めているのか、どのようにして存在するようになったのかを語らないが、ジャックにアルコールを与えて同じ力を彼の中に引き起こそうと試みる、虐待的で権力と地位を求める攻撃的に支配的な力としてホテルの幽霊を特徴づけている。ホテルが邪悪なのは、そこに住んできた人々が邪悪なこと、「麻薬、非行、強盗、殺人等」（179）〔深町 上317〕をしてきたからだという暗示もある。217号室の女性マッシー夫人は金を与えた愛人と不倫するために《オーバールック》に出かけたのだが、彼に捨てられて失意のあまりバスタブで自殺したのである。その前にはホテルに泊まっていたギャングたちに別のギャングとその二人のボディガードが「大口径の散弾銃で撃たれ」て殺され、逃げる前に睾丸を切り取られたのであった（180）〔深町 下319-320〕。カギとなる場面でジャックはホテルのバーで幽霊たちに囲まれている。その中にはホテルの前の所有者のホレス・ダーウェントもいる。彼は億万長者のプレイボーイで、海賊版の作成、ギャンブル、売春、武器の密売などの組織犯罪に深くかかわっていた。ダーウェントは友人でありかつての愛人であったロジャーを挑発し侮辱することに非常な喜びを見出し、ほかの幽霊たちを楽しませるために彼に犬の真似をさせる。「ダーウェントが小さな三角のサンドイッチをロジャーの鼻先につきつけて、みなさんをお慰めするために、とんぼがえりをしてみせろとけしかけていた。（中略）それからふいにロジャーはとびあがると、頭を下にして、空中で回転しようとした。だがその跳躍は低すぎたし、彼は疲れすぎていた。体は背中からぶざまに床に落ち、脳天がしたたかにタイルを打った。あんぐり口をあけたままの犬の仮面から、うつろなうめき声がもれた。ダーウェントが先頭に立って拍手した。『もう一度やれ、ワン公！　もう一度だ！』」（385）〔深町 下246〕。友人を公の場でけなすことは邪悪な超自然の力にしては些末な時間つぶしのように見えるけれども、この場面は邪悪は基本的には人間的なものであること、人間の行動の産物、より具体的に言えば組織犯罪の精神、純粋な支配と権力の階級構造のまわりに構築された精神によって培われた行動の産物であることを示唆している。社会的な支配は普遍的に邪悪の概念の中核にある。というのも支配とはその定義からいっても共同的な行動と社会的な団結に必要とされる社会的動機と緊張状態にあるからだ（Kjeldgaard-Christiansen 2016）。人類はほかの霊長類と同じように支配欲を進化させてきたが、ほかの霊長類とは異なりそれらの気質を悪いものとし、社会性と利他主義を尊重する傾向がある（Carroll et al. 2012）。ジャックはホテルの力と協力することで権力と尊敬を得られるが、これらの力は家族感情、同情、相互の愛とは相いれないものである。キングの視点からすればこれらの力は邪悪なものなのだ。だからキングは支配を求める力と協調的で社会的な傾向の間にゼロサムゲームを作り上げることで進化の結果獲得された素朴倫理観を利用しているのである。

木槌で息子を殺害しようとする小説の終わりまでに、ジャックは完全に邪悪に屈してしまう。ジャックにとりつく三つの闇の力―彼自身の破壊的な傾向、父親の遺産、そして《オーバールック》の邪悪―が、この木槌を振るうモンスターの中で協力している。ジャックはダニーの視点から見ると「《オーバールック》を支配する力が、父の姿をとって」（468）〔深町 下 382〕いるのである。超自然的な、そして心理学的な邪悪は同じ反社会的な動機を持っており、その動機は暴力的な支配と攻撃である。したがってホテルの力は（ウェンディやダニーではなく）ジャックを権力、地位、そして《オーバールック》の幽霊たちを管理する責任でもって誘惑することができるのだ。だからここに彼の「最後の、最大のチャンス―《オーバールック》の一員となり、うまくいけば……いつの日か、マネージャーの栄位をきわめることすらできるかもしれないチャンス」(422)〔深町 下309〕がある。この時点までに、ジャックと彼の地位と権力の最終的成就の間に立ちはだかるのは彼の妻と子だけになっている。

五歳のダニーは気づくと《オーバールック》の超自然的な力によって脅かされている。敵意を持った力によって食い物にされる子どもというだけで十分恐ろしいが、キングはそのシナリオの持つ恐怖を、子供の主人公の父親を彼と対決させることでいっそう確固たるものにし、ダニーの感情と反応を読者に感じさせることでその恐怖を本質的に存在させている。キングは小説のごく序盤で、ダニーが危険にさらされていることを知らせる。彼の予知的なヴィジョンは彼に《オーバールック》に対する警告を発しているのだ。彼はひとりで、暗い、未知の環境にいて、危険な行為主体の餌食になるヴィジョン—基本的なホラーのシナリオ—を見る。小説のもっとも記憶に残る恐ろしい場面(Herron 1982, 66)で、ダニーはハローランの、その部屋がとりわけひどく取りつかれているという警告にもかかわらず、217号室を調査しようとする。彼は好奇心と、キングが示唆するように、ホテルに促されて、そうするのである。ダニーが217号室に入るとき、わたしたちは彼の心の中にいて、彼に共感し、彼の視点と戦慄を共有する。このように共感的で弱い登場人物と視点を共有することでこの場面には感情に訴える催眠的な力が与えられている。キングは217号室で行われた非道行為の描写をダニーの心というフィルターを通して描写し、描写とダニーの恐怖とを融合させている。彼は生者の、敏感な意識—ダニーの意識—を、人間の形をとった虚無、バスタブの中の生ける屍の恐怖と対峙させているのである。

生ける屍は読者の中に強い恐怖と嫌悪の感情を起こさせるように描写されている。ダニーは浴室に入ってシャワーカーテンを引き、何が潜んでいるかを見ようとする。「浴槽の中にいた女は、死んでからだいぶたっていた。全身がふくれあがって、紫色に変わり、（中略）ダニーを凝視している目は、どんよりして、大きく、ビー玉を思わせる。顔には無気味なにやにや笑いが浮かび、紫色のくちびるがめくれあがって、歯がのぞいている。（中略）すべりどめのいぼがある浴槽のふちに、両手をかけているが、その手は凍りついて、かにのはさみ然としている。」(239)〔深町 上 419〕。この状況はそれ自体、気味の悪いものである。病原菌がいっぱいの死体は人間に強い嫌悪感を与える（Curtis, Aunger, and Rabie 2004）し、このイメージを思い描くだけでも不快なことだ。死体が動き出すのでさらに悪くなる。「なおもにやにや笑いながら、巨大なおはじきのような目で、じっとダニーを見すえて、上半身を起こした。死んだ手のひらが浴槽の磁器の上をすべり、きいっと音をたてた。（中略）女は呼吸していなかった。死体なのだ。とうのむかしに死んだ死体なのだ。」(239)〔深町 下 420〕。行為主体、つまり邪悪な意図と運動能力を持った腐敗しかかっている死体というのは感染に弱い被捕食者にとっては恐るべき概念である。それは死んだ生物についての基本的な人間の直感、つまりそれらは意思も運動能力も持たない、という直感に反しており、きわめて危険である。読者の恐怖と嫌悪はダニーのこのモンスターに対する反応の描写によっていっそうひどいものとなる。「ダニーは悲鳴をあげた。だが声は、ついに口からは出てこなかった。逆に、内へ、内へと向かい、井戸に投げこまれた石のように、彼の内部の暗黒のなかに落ちこんだ。よろめくように一歩後退すると、（中略）同時に、小便がもれて、そのまま一気にほとばしりでた。（中略）ダニーは背を向けて逃げだした。」（239）〔深町 上 419-420〕。

TSがホラー・ストーリーとして効果を上げているのは、それが読者を写実的に描写された、きわめて危険な状況に置かれたキャラクターの心の中をのぞかせてくれるからである。しかし読者の中に強い感情的反応を引き起こす以上に、この小説は読者がキングの小説に期待するようになっている心理学的、社会的洞察を与えている。ジャックが自らの弱さと破壊的な衝動を抑え込もうとして結局失敗するという苦悶の描写において、この小説は本質的に反社会的で人間の本性の一側面、自然なものではあるけれども不可避的なものではない人間の本性の一側面としての悪の倫理的ヴィジョンを与えている。結局のところジャックだけが邪悪なるものの魅惑の呼びかけに屈しているからである。ダニーの代理父ハローランもウェンディ、ダニーもそれに抵抗している。TSは時代を通じてもっとも人気のあるホラー小説になっているが、それは極めて効果的に生物学的に人目を惹く対立と恐怖を引き起こし探究しているからであり、これらの葛藤や恐怖に対して妥協の余地のないほど現実を見据えていながら、究極的には楽観的な視点をとっているからである。小説のエピローグで、キングはハローランに、ダニーに対して以下のような助言を送らせている。「世のなかってのは、むごいところなのさ。われわれのことなんか、なんとも思っちゃいない。おまえさんやわしを憎んでいるわけじゃないが、かといって愛してもいない（中略）世のなかはおまえさんを愛しちゃくれない。だが、ママはおまえさんを愛してるし、わしも愛している。（中略）のりこえる努力をせにゃならん。そうするのが、このつらい世のなかで生きていくための人間の務めなんだ。前向きに、どんなことがあっても、くじけずにそれをのりこえること」（497）〔深町下 428-429〕。ほかの完成された悲劇と同様、ＴＳは「苦痛に満ちた感情を引き起こすが、人間の経験を動かす力についてより深く適切な理解を得たという感覚を残してくれる」（Carroll 2012a, 59）。特に、ＴＳはわたしたちがこの世界の闇の力、より具体的に言えば、人間の本性にひそむ攻撃的で破壊的で支配を求める衝動、個々の環境において協力的で社会的な衝動を上回るに足るほど強力な衝動についてよりよい理解をしたという感覚を与えてくれる。それがＴＳにおいて強力に表現されている真実なのだ。

11. ハック・アンド・スラッシュ：『ハロウィン』

ハロウィンの夜、六歳のマイケル・マイアーズは説明のつかない状況で彼の十代の姉をキッチンナイフで殺害する。彼は精神病院に収容される。十五年後、マイヤーズは病院を抜け出してハロウィンの夜に故郷―静かな郊外、イリノイ州ハドンフィールド―に帰ってくる。マイヤーズは不気味なマスクと作業員の服を着て三人の地元のティーンエージャー―ローリー、アニー、リンダー―につきまとう。ローリーは彼が遠くから様子をうかがっているのを数回にわたって目撃し、懸念を表明するが、彼女の無頓着な友だちはその不安を笑い飛ばしてしまう。一方マイヤーズの主治医ルーミス医師はマイヤーズを追ってハドンフィールドにやってきて、地元の警察にマイヤーズの「純粋な悪」によってもたらされる危険について警告する。その間にマイヤーズはアニー、リンダのボーイフレンド、そして最後にリンダを殺す。彼はローリーを襲うが、ローリーは預かっているふたりの子どもを守って反撃する。ルーミスがうまい具合にまにあってマイヤーズにリボルバーの全銃弾を撃ち込む。マイヤーズは二階のバルコニーから転落するが、ローリーとルーミスがマイヤーズを探したとき、彼は消えていた（Carpenter 1978）。

『ハロウィン』は意外にも驚異的な売り上げを記録した。低予算映画で無名の役者を使い、プロットも単純で、制作も大手の映画会社によるものではなく、若い映画製作者ジョン・カーペンター―彼は監督し、脚本にも携わり、音楽も作曲した―によってわずか21日で撮影されたのである（Rockoff）。『ハロウィン』が『サイコ』（Hitchcock 1960）、『暗闇にベルが鳴る』（Clark 1974）〔1974年 日本ヘラルド〕、そして『悪魔のいけにえ』（Hooper 1974）のような、サイコパスによって殺される若い主人公たちを描いた先行する映画に影響を受けているとはいえ、カーペンターの映画はスラッシャー映画ブームを巻き起こし、数多くの派生作品―続編、模倣作品、そしてリメイク―を生み出した。『ハロウィン』はスラッシャー映画、すなわち「謎に包まれた、武器を振り回す精神異常者が日常的な郊外の環境においてパーティー好きの若者グループにつきまとい殺していくという明白なストーリー構造に特徴付けられる」映画（Nowell 2011a, 54）の代表的な例となった。この映画類型は一儲けしようとする映画製作者にとって非常に魅力的なものとなり、１９８０年代の「もっとも注目を浴びる〔映画〕制作トレンド」（Nowell 2011b, 137）となるに至った。スラッシャー映画は短期間に安く作れ、大勢のティーンエージャーたちが見に来る。いわゆる第一次スラッシャーブームの波は『ハロウィン』に始まって１９８０年代初頭まで続き、その数年の間に似たような映画を何十個も生み出したのである。

なぜティーンエージャーたちはスラッシャー映画に魅了されるのか。「武器を振り回す」異常者によって「パーティー好きな」ティーンエージャーがなます切りにされるのを見ることにどんな楽しみがあるのか。批評家たちはその答えを求めて時代背景に目を向けた。ケンダル・フィリップスは１９７０年代後半と１９８０年代前半のティーンエージャーたちは自分たち自身のパーティー好きの快楽主義的なライフスタイルに対して無意識的な罪悪感を持っており、その罪悪感を虚構の中での自分たちが保守的な倫理のおそるべき執行者によって報いを得るのを目の当たりにすることによって軽減しようとしてスラッシャー映画に目を向けるようになったと主張している（2005, 140）。別の批評家たちは、観客たち――その多くは男性であると推定される――はおぞましくもスラッシャー殺人鬼と同一化し、彼が女性のキャラクターを惨殺することにミソジニー的な喜びを見いだすのだと主張した。有名な映画評論家のロジャー・イバートとジーン・シスケルは彼らが「危険な映画における女性たち」（Kendrick 2014）と呼んだものに対する公共キャンペーンを行った。この中にはスラッシャー映画、レイプに対する復讐を扱った映画が含まれるが、彼らはこうした映画の多くは観客が女性嫌いの殺人者に同一化することを促すと主張したのである。しかし彼らは『ハロウィン』はやり玉に挙げなかった。なぜなら彼らはこの映画が本物の「芸術性」（Ebert 1981, 56）を持っており、さらに重要なことには、観客を殺人鬼に感情移入させることはないと判断したからであった。だから大半の批評家は、初期のスラッシャー映画はカウンターカルチャーによって喧伝されるリベラルな価値観と性的な解放に対する保守派からの逆襲を内包していたという点で意見を一致させている（Dika 1987, Hutchings 2004, Phillips 2005）。ロビン・ウッドはスラッシャー映画を「げんなりするほど保守的」（Wood 1987, 82）であると言った。マーク・ヤンコヴィッチは何人かの批評家を引用して、スラッシャー映画は「性的に奔放な女性が単に『因果応報』として殺されるところを描くことによって〔女性の性的な側面を〕抑圧しようとした」（Jancovich 1994, 29）とした。しかしこれらの解釈は『ハロウィン』のようなスラッシャー映画の核心をとらえていない。アメリカのティーンエージャーたちが自らの快楽主義的ライフスタイルに対して罪悪感を抱いていたという証拠もなければ、仮にそうした罪悪感が存在したとして、スラッシャー映画がそれらを軽減するという証拠もないのである。実際、スラッシャー映画の観客たちは「主に男性」であるわけではなく、ヴェラ・ディカによれば50パーセントは女性であり（1987, 87）、『ハロウィン』を含む多くのそうした映画は明白に女性のティーンエージャーに対しても宣伝されている（Nowell 2011a, b）。たいていのスラッシャー映画は女性のキャラクターを惨殺する描写にふけっているわけではない―研究によればスラッシャー映画の犠牲者たちは男女の比率がほぼ半々である（Dika 1987, 89-90, Nowell 2011a, 251-252, Weaver et al. 2015）。初期のスラッシャー映画は文化的に顕著な不安、たとえば家族ないし共同体に重点を置いた価値観からより自己中心的な倫理への移行、あるいは郊外の中産階級の生活の腐敗といったアメリカの社会政治学的状況における大規模な変動に対する不安を確かに利用していた（Gill 2002）。だから『ハロウィン』ではティーンエージャーたちは突如として危険に満ちた世界におかれても大人の権威を頼るのではなく自分たちで何とかしようとする。しかしそのシナリオは文化的な瞬間を越えて人々の心に響くのである。

『ハロウィン』の感情的、想像力的な力はその源泉を人間の本性に持っている。映画の中心的な前提─他の人間によって殺される恐怖─は進化論的に見てかなり古くから存在する危険、わたしたちの気質の中に深く刻み込まれた危険である。同族による殺害行為は何百万年にもわたって社会生活の中に恒常的に存在する危険であり続けた（Buss 2005, Duntley 2005）。『ハロウィン』は同時代の舞台においてその危険を効果的に喚起する（Clasen and Platts in press）。この映画は突然、人間以下でもあり超人的でもある殺人者に襲われる、静かで秩序だっていて治安のよい郊外に済む愛すべき平和なキャラクターたちに感情移入させることでその力を得ている。快楽主義的な喜びと無頓着な交際を追求するのに忙しすぎてせまる危険に気づけないキャラクターたちは殺されてしまう。注意深いキャラクター、ローリー・ストロードは脅威を認識して自分だけでなく預かっている子どもたちも助ける。一部の批評家たちは、ローリー・ストロード、このジャンルに典型的な「ファイナル・ガール」（Clover 1992）の命が助かるのは彼女だけが性的に保守的で家父長的なイデオロギーを侵犯していないからだという（Phillips 2005, 139）。カーペンター自身、この解釈には繰り返し反対している（Boulenger 2001, 99）。彼女の生存をもたらした主要な語り上の動機はローリー・ストロードが危険を察知し適切に反応した唯一のキャラクターであるという事実である。ある場面では、ローリーは友人のアニーと歩いており、マイヤーズが歩道に立って彼女を見ており、その後藪の後ろに隠れるのを見つける。アニーはマイヤーズを見逃してしまうが、藪のうしろを探してみて、何も見つけられない。彼女はローリーの不安を無視して「頭どうかしてるんじゃないの、藪の後ろに男を見るなんて」という。別の場面ではローリーが教室にいてノートを取っており、教師の声が背景音として流れていて、ローリーはいささか退屈しているように見える。彼女は窓の外を見て、マイヤーズが通りの向こうにじっと立っているのを見つける。教師は彼女に質問をしてその注意をそらすのだが、ローリーはそれに対して賢明な答えをすぐさま返す。彼女は注意深いだけでなく賢明で良心を持っている―これはわたしたちの共感の焦点となる。ほかのキャラクターたちはそれほど用心深くなく、『ハロウィン』のたいていのサスペンスに満ちた場面は主人公たちがマイヤーズが近くに潜んでいるという手がかりに対して何らの行動も反応もとらないときに生じている。ある場面はアニーがガラスのドアに背を向けて電話で話しているところを映している。わたしたちは突然、マイヤーズが幽霊のようにドアの向こうに現れるのに気づくが、アニーは彼を認識していない（図11・1）。彼女は電話に向かって無頓着に話し続けている。わたしたちは彼女がきわめて危険な状態にあると知り、彼女がそれに気づいていないこともわかる。この非対称的な語り―キャラクターに先立って観客に危険を知らせる手法―は観客の関与を醸

図11. 1: ジョン・カーペンターの独創的なスラッシャー『ハロウィン』（1978）のキャラクターが、殺人鬼マイケル・マイヤーズが後ろからのぞきこんでいるのも知らず、楽しそうに電話で話しているところ。観客は彼女が危機に瀕していること、そしてそれに気づいていないことがわかる。このために観客は彼女に感情移入し、関心を引きつけられることになる。

成する上できわめて重要である。ディカが指摘するように（1990）、スラッシャー映画の観客はしばしばスクリーンと関わりを持とうとする―キャラクターに叫んで警告したり、軽率な行動をとがめたり（「そっちに行っちゃダメだ！」）などする。だから危険を認識することはこの映画の主要なテーマ的関心事なのである。ペニントンは「通常スラッシャー映画においては潜む危険に気づかないことでキャラクターの生存確率は下がる」（2009, 59）と指摘しており、彼はこのジャンルの慣習としてのこのパターンを指摘している点では正しいのだが、このコンヴェンションは捕食・被捕食関係の現実世界のパターンに根ざしているのである。潜む危険に気づかないことは現実世界の生物の生存確率を下げるのであり、『ハロウィン』はこの基本的な生物学的事実を中核として構成されている。彼女の仲間うちの中ではローリーだけが生存できるだけの注意深さと、わたしたちの全幅の共感に値するだけの利他的な傾向を備えている。映画の後半部分でマイヤーズが連続殺人の一環として彼女の家に入るとき、彼女は自分のことを心配する前に預かっている子どもたちを安全な場所に移す。この映画の倫理的秩序のために彼女は生き延びるのだ。というのも彼女は危険に思慮深く反応し、ボーイフレンドとセックスを楽しむためにベビーシッターの義務をローリーに喜んで譲渡する彼女の利己的な仲間と対照的に、他者のことを心配するからである。

『ハロウィン』は観客に、ローリー・ストロードを応援し、マイケル・マイヤーズを恐怖するように促す。にもかかわらず、一部の批評家たちは映画の最初の場面に現れる第一人称の映画撮影術の使用―子どものマイヤーズの視点で撮影されたショット―を、彼に感情移入させる仕組みであると見ている。ロジャー・イバートは、「カメラが第一人称視点をとると、観客は同じ視点をとるように促される」(1981, 55) と指摘する。そしてフィリップスは、「『ハロウィン』は観客に、殺し、殺されるという行為に関与するよう促す」(2005, 141) という。しかしある人物と視覚を共有するからといって、ただちに倫理的ないし共感的に同一化が生じるわけではない (Smith 1995)。スラッシャー映画が第一人称視点の映画制作術を用いるのは、主人公によって知覚されていない行為主体が存在することを示し、その行為主体のアイデンティティを観客から隠すためである (Dika 1987, Hutchings 2004)。これはサスペンスの技術であり、『ハロウィン』では序盤の場面にしか用いられていない。ここではわたしたちは誰かの目を通して、その人物が家の周りに潜み、家の中にいるティーンエージャーたちをのぞきみ、家に忍び込み、男の子が（おそらく女の子との恐ろしく速いセックスの後で）出て行くまでしばらく待ちそれから女の子の寝室に入るのを見ている。女の子は裸で髪をとかしているが、侵入者に気づいて「マイケル！」と叫ぶ。その間、この第一人称のキャラクターはキッチンナイフを取りあげてマスクをつける。恐ろしい音楽が、キャラクターが悪意を持っていることを示唆する。実際、彼は裸の女の子を刺し殺し、手に血まみれのナイフを持ったまま家を後にするのだ。外で、彼は中年の夫婦――おそらく町で夜を過ごしてきたのであろう――に出会い、彼らは「マイケル？」と尋ね、マスクを取る。カメラアングルがかわり、わたしたちはこのナイフの殺人者はハロウィーンの扮装をした子どもだとわかる。この夫婦はマイケルの両親であり、犠牲者は彼の姉だとわたしたちは結論するのだ。この場面はこの子どもの堕落の深さを強力に知らしめるために構成されているのであって、彼に共感したり同一化させたりするために作られているのではない。カーペンター本人が述べているように、「映画は全体として恐怖を生き延びることについてのものであり、恐怖と同一化することについてのものではない。『気をつけろ』というものだ」（筆者による個人的な聞き取り）。

カーペンターはアメリカを舞台にし、ティーンエージャーたちの主人公の写実的な描写がターゲットとなる観客にとってきわめて身近にうつるような映画世界を作った。観客の子どもたちはこの種の町を知っていたし、おそらくハドンフィールドのような町に住んでいたかもしれない。彼らはスクリーンで目にしているようなティーンエイジの子どもを知っていたし、彼らの行動、服装、会話のトピックも知っていた。監督は古いホラー映画に登場するような目立って不気味なロケーションから脱したがっていた。彼は「ホラー映画を郊外の雰囲気、小さなこぎれいな家々が並び、美しく装飾された芝生と、とても安全だと思われるような場所のある郊外の雰囲気に落とし込みたいと思った。なぜならそんな場所で恐怖があなたをとらえるとなれば、もうどこにも安全な場所はないからだ」(qtd. in Jones 1997, 64)。彼は若手の共同脚本執筆者デブラ・ヒルに、女性キャストの会話をリアルに書いてくれと頼んだ。『ハロウィン』の前提となる設定はきわめてありえないようなものである――純然たる悪は本当は存在しないし、敵意のある他者を非人間化するために用いられる認知的ラベル、架空の形而上学的な概念として存在するのみである(Clasen 2014, Kjeldgaard-Christiansen 2016)。そして連続殺人者なるものもきわめて稀な存在である(Buss 2005)けれども、設定とキャラクター造形においてこうしたリアリズムを用いることでこの前提は想像力の中では理解可能で切迫したものになるのである。

マイケル・マイアーズは未知の、私的な動機にかられた、そして半超人的な力を持つ殺人的な力である。彼はほとんど不可能と思えるほど素早く静かに移動するし、何を考えているかは観客には全く分からない。デーヴィッド・バスは殺人の進化心理学的研究の中で、人間が別の人間を殺す際、精神病理学的な異常が背景にある場合はほとんどないと述べている。彼らは理解しやすく、しばしば合理的な理由のために殺すのである。

殺人はわたしたちに人間の本性の核心をとらえたX線写真を与えてくれる。それはあらゆる人間にとってもっとも重要な事柄、すなわち生存の必要性、地位の獲得、恐怖からの防衛、望ましいパートナーの獲得、恋人の忠実さ、同盟者との絆、敵の征服、子供たちの保護、そして遺伝子の伝達の成功といった事柄を赤裸々にさらけ出してくれる。これらはわたしたち人間と、わたしたちの驚くほど勝利を収めてきた先祖たちが常に喜んで殺し、殺されてきた原因である。（2005, 244）

マイケル・マイヤーズの殺しがX線写真だとすれば、それらは彼の青白く無表情な仮面で反射されてしまう。その背後に暴露されるものは何もないのだ。彼はいかなる識別可能な感情や動機によって動いているわけでもないのである。地位、名誉を求めるわけでもなく、自衛のためでも性的欲望のためでもない。彼が守るものは何もないのだ。さらに、マイヤーズのマスクは文字通り彼の顔の表情を通してその心を推し量ろうとするわたしたちの試みを遮断してしまう。人類は行動、顔の表情を通して他者の精神の内容を推し量る能力を進化させてきた。悪人の顔を塗料やマスクで覆うことによって映画製作者はその悪人をいっそう不快なものにすることができる（Clasen 2012b）。悪人の行動を予想することができなくなり、彼と交渉することもできなくなる。訴えるべき可視的な人間の感情がないからである。鍵となる場面は見事にマイヤーズの非人間性を示している。リンダのボーイフレンドのボブが暗いキッチンをビールとグラスを求めてあちこち探し回っている。マイヤーズの荒い息がかすかに聞こえ、彼が近くにいることがわかる。ドアがきしみながら開く。ボブは友だちがいたずらをしかけているものだと思って調べに行く。「オーケー、リンダ。出てこいよ」と彼は別のドアを開けなが

図11.2: カーペンターの『ハロウィン』(1978) のマイケル・マイヤーズが罪もない男性を刺殺したところ。マイヤーズは一歩下がっていぶかしげに自らの行為の結果を眺めている。まるで現代美術の画廊でとまどいながら作品を見ている客のようだ。この場面はマイヤーズの非人間性、共感の欠如を示唆している。彼は怪物的な、非人間的な死の使いなのである。

ら言う。ここで驚くべきことにマイヤーズがドアから飛び出してきて、ボブを壁に乱暴に叩きつける。超人的な力でマイヤーズは彼を片手で床から持ち上げ、もう一方の手でナイフを持ち、腹の部分を刺して彼を壁に串刺しにするのだ。マイヤーズは一歩下がって彼の犠牲者が死んで動かなくなるのを眺めている。マイヤーズはじっと立って、頭を右に、そして左に、また右にかしげる。この効果はきわめて不快なものだ。この男は今まさに無辜の他人を乱暴に襲って殺したところだ。彼は何をするのだろうか。一歩下がってどこか当惑したように、自分の作品を眺めてご満悦なのである(図11・2)。この場面はマイヤーズが殺人者であることを示しているのはもちろん、彼に共感や人間性が欠如していることをも示している。彼にとっては他の人間は単なる肉塊なのであり、動いているか否かの違いしかない。刺されればそれらは動かなくなる。絞め殺しても動かなくなる。マイヤーズの主治医ルーミス博士は彼が六歳のマイヤーズにあったとき「何も残されていなかった。理性も良心も理解も。もっとも基本的な生と死、善と悪、正邪の区別も〔中略〕わたしは8年かけて彼を理解しようとし、7年かけて彼を閉じ込めておこうとした。あの少年の目の背後にあるのは純粋な、単純な〔中略〕悪だからだ」という。映画全体がこの精神科医の評価を裏付けている。わたしたちはなぜマイヤーズがその行動に出るのかわからないし、その行動はきわめて不快なまでに非論理的である。映画の終わりまでに、ローリーは不安そうに、リンダが厄介事に巻き込まれているらしい家に入っていく。寝室に入ると、彼女はアニーの遺体がベッドに横たえられているのを見つける。その枕元にはマイヤーズの姉の墓石が置かれている。マイヤーズが墓地から盗んできたのだ。ボブの遺体が足から逆さづりにされてクローゼットから飛び出してくる。別のクローゼットのドアがバタンと開いてリンダの遺体が現れる。マイヤーズはなぜこのような恐怖のタブローを作り上げたのか。どうやってこんなに速く作業ができたのか。映画は何も語ってくれない。この映画はこの場面を利用してマイヤーズが理性でははかれないこと、危険なまでに常軌を逸しており、不自然なまでに速く強靱であるというわたしたちの感覚を強めるのである（Kendrick 2014）。

観客にマイヤーズの動機を知らせないという映画製作者の決断によって、一部の批評家はそれを創作しようとするに至った。たとえばロビン・ウッドは「最初の殺人の基盤にあるのは性的な抑圧である。少女が殺されるのは、彼女が窃視者であり殺人者〔である弟〕の中に、彼が暴力的な攻撃という形で否定し、同時に昇華させた感情を引き起こしたからである」（Wood 1979, 26）と述べている。映画の中にはそのような解釈の手がかりになるようなものは何もない。手がかりはウッドの頭の中に、倒錯した幼児の性についての疑わしいフロイト的な考えによって触発されて存在するだけだ。同様に、ピーター・ハチングスはマイヤーズの姉殺しについて、それは「近親相姦や子どもの性といった社会的タブーを思わせる。小さな子どもが裸の、性行為をした後の姉を大きな、明らかに男根を思わせるカーヴィングナイフで殺すのだから」（2004, 74）と述べている。映画の実際の内容に手がかりを求めたよりあり得る解釈は、6歳のマイヤーズは怒り狂うソシオパスであって、両親が不在の間に自分の面倒を見るのではなく利己的な快楽を追求したが為に姉を攻撃した――あるいはよりありうることだが――そもそも何ら理解可能な動機などなかった、彼はルーミスの言葉を借りれば「純然たる単純なる悪」であった、というものである。彼の両親が殺しの後でマスクを外すと、子どものマイヤーズは無表情で、ほとんど眠そうな顔をしている。情欲も怒りも、何ら強い感情は見られない。さらに、ナイフに性心理学的な重要性を付与する解釈上の必要はない。ナイフを殺人の武器として選んだのは語りの上の必要による――それは通常の環境において6歳の子どもに手に入る数少ない致死性の道具のひとつだからだ――し、マイヤーズの殺しの持つ挑戦的な性質に寄与している。ケンドリックが指摘しているように、「たいていのアクション・アドベンチャー映画やスリラーでよくあるように遠くから銃で撃たれるのとは異なり、刺されるのはきわめて個人的であり、物理的に近接的な暴力行為であって、見る者にいつまでも続く不快感を与える」（2014, 319）。

成人したマイヤーズは一貫して存在してきた祖先にとっての脅威、すなわち殺人者の男性という脅威の反映であるが、同時に彼は非人間化され殺すことができないように見える。彼は『ジョーズ』の巨大なホオジロザメにいくぶん似ている（Nowell 2011a, 92）が、決定的な違いはサメは水に縛られているけれどもマイヤーズは自由に動き回れてどこにでも出てくることができるという点である。映画全体を通して、彼は縫い針、鉄のコートハンガー、キッチンナイフで刺され、近距離から六回撃たれ、2階のバルコニーから負傷した状態で落ちてもまだ動き続けている。この映画はマイケル・マイヤーズが現れた場所のモンタージュで終わるが、そこにマイヤーズの息の音がオーヴァーラップされている。これは彼がまだ生きているだけでなく、あらゆるところに潜んでいるという暗示である。マイヤーズがホラーのアイコンになったのは彼が性的な罪悪感の象徴であるからでも保守主義の男根を振り回す代弁者であるからでもなく、古来から存在した危険、すなわち理性では理解できない同族の殺人者、何かしら道具があれば人を殺すことができ、また喜んで殺すような殺人者―という危険の誇張された表象であるからだ。デーヴィッド・バスが指摘しているように、人間が殺人や殺人者に魅力を覚えるのは「進化の結果として獲得された殺人予防心理の結果である」（2005, 21）。人間の進化史を通して、他の人間は常に「自然界にもっともよく見られる敵対勢力のひとつ」（Duntley 2005, 224）であった。この強い選択圧によって「人間は他者の中の殺意を過剰評価するようになり」その結果、特にきわめて不確実な状況においては防衛装置として「自分が殺されるかもしれないという確率を体系的に過剰評価するように」（241）なったのである。誤警報は警報の不作動よりもずっとよいからだ。

わたしたちは他者の中の怒りを素早く察知し、同族の中の敵意に綿密な注意を払うように（Ohman, Lundqvist, and Esteves 2001）、すなわち潜在的な殺人者を警戒するように進化してきた。また、殺人や殺人者が持つ魅力はスラッシャー映画の悪人の虚構の表象にも拡大的に適用されるのである。事実マイヤーズは何百万年にもわたってわたしたちの祖先を脅かしてきた人間の殺人者よりもずっと危険である。超人的な力を持ち、人間性が完全に欠如しているからだ。この表象によって標的にされている、進化の結果として生じた心理学的気質を理解すれば、彼が映画のアイコン、人間の悪の永続的な象徴になったのも不思議ではない。

『ハロウィン』は現代の観客の琴線に触れ、後続のホラー映画に大きな影響を与えた。第一次スラッシャー映画ブームが1980年代初期にピークを迎えると、第二次ブームが1984年の『エルム街の悪夢』（Craven）〔1986年 日本ヘラルド映画、アルシネテラン〕で幕を開けた。1990年代にはこのジャンルに精通した第三次のスラッシャー映画ブーム──1996年『スクリーム』（Craven）を嚆矢とする──が、第一次ブームのファンと同様新しい世代のホラー・ファンをも喜ばせた。第三次ブームの映画は明らかにこのジャンルの慣習で「遊んで」おり、観客がそうした慣習を知っていることを前提としている。『スクリーム』では主役のシドニー・プレスコットは殺人者からの脅迫電話を受ける。彼は「怖い映画が好きか？」と尋ねるが、シドニーは答える。「何が言いたいの？　みんな同じじゃない。馬鹿な殺人鬼が演技が下手で胸の大きな女の子を追いかけるの。玄関から逃げていくべき時にいつも階段を上っていくわけ。侮辱的だわ」。すべてのスラッシャー映画のファンは彼女が言及している陳腐な映画を喜んで認識するであろう。１９９９年の映画 *Cherry Falls*（Wright）〔日本劇場未公開〕はセックスが死に直結するというプロットの慣習を念頭に置き、処女を狙うスラッシャー殺人鬼を導入した。この結果町中がセックスにとりつかれることになる。しかしこうしたポストモダンな自意識や抜け目のない慣習に対する遊びがどうであろうと、これらの三回のブームで作られた映画は皆、進化の結果として獲得された気質、主として同族の殺人者を察知し適切に対処するための気質に効果的に照準を合わせたときに機能するのである。『ハロウィン』がもともと対象にしていた観客―アメリカ郊外のティーンエージャー―はこの映画のシナリオにとりわけ反応しただろう。彼らは自力更生を学びつつある発達段階にあり、世界が以前考えていたよりも危険で不安定なものだと感じていたかもしれない。家族構造は緊密なものではなくなり、社会的、性的規範はゆるやかに変動していき、世界は彼らの周りで変化しつつあった。『ハロウィン』が観客の心を捉えたのは、広まっていた不安感を利用したためである。その不安感を、ほとんどこの世ならぬ邪悪な行為主体、こぎれいな小さな家の間に、美しく手入れされた芝生に急に登場し、同じくらい急に姿を消し、視界の外に潜んでいる行為主体が平和な郊外に進出するという恐怖の真骨頂に変えたのだ。

カーペンターは観客にスリルを与えている。観客は捕食という進化論的に強力なシナリオに没入できるのだが、カーペンターは同時に邪悪は征服することもできると伝えたいのである。彼が述べているように「映画で伝えたいことがあるとすれば、それはこの世を生き抜くことができるということだ（中略）悪の可能性に気づいていることは人生で重要なことだ（中略）世界は邪悪で、暗く、危険なものになりうるが、わずかな幸運と覚醒によって生き延びることができるのだ」(Carpenter 2003)。映画のそのような解釈は、ホラー・ストーリーが脅威シミュレーション装置として機能しているという進化論的仮説とよく符合する。それらはわたしたちの感覚を危機に対してとぎすまし、感情的、認知的、行動的効果を有している―しかしそれらはまたわたしたちが悪について考え、危機に対処し、反応を調整する一助ともなるのだ。

12. 悪い森の中でさまよい、狩られること：『ブレア・ウィッチ・プロジェクト』(1999)

『ブレア・ウィッチ・プロジェクト』は黒い背景に白い文字で書かれた短いメッセージで幕を開ける。「1994年10月、3人の学生の映画製作者がメリーランド州バーキッツヴィル近くの森で映画撮影中に姿を消した。一年後、そのフィルムが発見された」。このメッセージに続いて学生たちのフィルムが流れる。それはブレアウィッチの伝説を追う三人の若いアマチュアの映画製作者たちについての一貫した語りになるように編集されている。この伝説によれば、魔女の亡霊―エリー・ケドワーズ―が、18世紀の後半、魔女狩りと児童誘拐の容疑で殺されて以来、バーキッツヴィル(かつてのブレア）の郊外にある森にとりついている。それ以来、この地域の子供たちは不定期に、そして不可思議に姿を消していった。１９４０年代には地元の隠者ラスティン・パーが七人の子供を誘拐して殺害し、魔女の幽霊の影響下で行動したと主張した。さて今、監督のヘザー・ドナヒューとふたりの援助者—撮影技師ジョシュ・レオナードと音響技師マイク・ウィリアムズ—がバーキッツヴィルの住人に伝説についてインタビューし、それから魔女を探しにブラック・ヒルズに入る。彼らはすぐに広大な森の中で道に迷ってしまい、不気味な前兆に出くわす。七つの石の墓標がある原始的な墓地らしきものだ。そのひとつをジョシュが誤って倒してしまう。そして木から吊り下げられている数多くの人間の形をした木の枝も発見される。森の中でキャンプせざるを得なくなり、彼らは真夜中に不快な、特定不能の音で目覚める。地図をなくしてしまい、もはやどうしようもなく道に迷ってしまったために、三人の間の信頼は悪化する。それから助手がいなくなり、テントの外に血まみれの歯を包んだ布が発見され、ヘザーとマイクは悲鳴を追って老朽化した家にたどり着く。悲鳴を追って地下室に入ったマイクとヘザーはカメラには映らない行為主体の手によって死んでしまったように描かれる。映画の最後のショットはヘザーのカメラからのものだが、それは地下室の床に落ちて回りっぱなしになっていたものだ。

『ブレア・ウィッチ・プロジェクト』（Sánchez and Myrick 1999, 以下ＢＷＰ）はその芸術性というよりも低予算の制作とマーケティングのいきさつによってよく知られているものであろう。たいていの学術研究は圧倒的にブレア・ウィッチ現象の複数のメディア間にわたる間テクスト性、その革新的な複数の媒体にわたるマーケティングキャンペーン、そして映画撮影で用いられたこれまでにない方法に焦点を当ててきた（Higley and Weinstock 2004, Roscoe 2000, Turner 2015, Velikovsky 2014）。BWPが1999年7月にニューヨークで初演される何か月も前に、観客の関心は補完的なメディアの作品によって刺激されていた。映画公開の二日目にはブレアウィッチの伝説と行方不明の映画製作者に関する45分のドキュメンタリー『ブレア・ウィッチの呪い』（Myrick and Sanchez 1999）がサイ・ファイ・チャンネルで放映された（Roscoe 2000, Turner 2015）。そのドキュメンタリーは法廷でも使えるような証拠、ニュース報道の動画、捜査関係者、歴史家、三人の映画製作者の親戚へのインタビューで構成されていた。もちろんすべて創作ではあるのだが、本物らしく見えるように作られていた。それに先立って、ヘザー、ジョシュ、マイクの写真付きの行方不明者のポスターが大学のキャンパスに配布された（Keller 2004）。1998年6月には、ウェブサイト www.blairwitch.com が公開された。ウェブ全体で45番目に訪問者の多かったサイトであり（Katz 1999）、ある情報源によれば一週間で7500万件の閲覧数があったという（Roscoe 2000）。『ブレア・ウィッチの呪い』と同様、このウェブサイトは警察関係者による写真、魔女伝説についての背景となる情報、そして行方不明の映画撮影者の学生たちについての情報が掲載されていた。数多くのファンサイトが作られ、ブレアウィッチの実在、これらの仕掛けがすべてでっち上げなのかどうかなどについて熱心な議論が行われた。多くの人々にはまるで見当もつかなかった。BWPが公開された後しばらくの間、インターネット・ムービー・データベースはドナヒュー、レオナード、そしてウィリアムズを「行方不明、おそらくは死亡」（Newman

2011, 439）として記載していた。『ブレア・ウィッチ・プロジェクト完全調書』（Stern）〔大森望訳、角川書店〕なる本が1999年9月に出版されたが、ここにはさらに多くの偽物の警察の報告書、ヘザーの日記の記録、そしてBWPの設定を事実として表現したほかの疑似ドキュメンタリー的な資料が含まれていた。これはみな監督のエドアード・サンチェスとダニエル・マイリックの計画であった。彼らは手の込んだ偽の話を作ろうとしたのではなく、わざと曖昧な言葉を用いて疑いを起こさせたのである（Klein 1999, Roscoe 2000）。このプロジェクト全体の信じられないほどの商業的な成功―映画は6万ドルと広告費で作られ、2億5000万ドル近くの売り上げがあった―のためにサンチェスとマイリックは1999年8月の『タイム』誌の表紙を飾ったのである。

BWPを扱うたいていの批評家がその並外れた製作とマーケティングの手法に焦点を当てている一方、何人かの批評家はこの映画の象徴的内容と意味に取り組んでいる。映画の商業的成功の心理学的基盤に明確に注目した者はいない。アレクサンドラ・ヘラー＝ニコラス（2014）は、BWPをフェミニストの視点から論じ、これを女性嫌いの映画であるとしている。彼女によれば、ヘザーは映画製作のプロセスをコントロールしようとしたために―カメラに象徴されるメイル・ゲーズ（男性の視点）を支配しようとしたために―そして、ジョシュとマイクを「非男性化しようとした」ために罰を受けたのだという（Heller-Nicholas 2014, 109）。ヘラー＝ニコラスは、ジョシュがヘザーに、彼らがおかれた絶望的な状況にもかかわらず彼女が「まだ映画を撮っている」といってののしる場面は序盤に登場したショッピングカートのマシュマロのバッグを映したショットと深い意味を持って対照されているのだという。どちらのショットにおいてもズームインが使用されている。最初のショットはマシュマロに、後のショットはヘザーにズームインする。ヘラー＝ニコラスによれば、このような形式面での並行性は「女性の肉体—そして女性の苦しみ—を、柔らかく手に入りやすい商品に還元する男性の視線の本能」(109)を意味しているのだという。これは言い過ぎであり、これらの場面の意味と語りの上での機能をゆがめるものだ。マシュマロを映した先の場面は、焚火とマシュマロ焼きを伴うキャンプ旅行になるだろうと彼らが予想しているものに対して準備をする無邪気な映画学生を映し出している。その場面の機能は、憔悴し、恐怖し、そしてマシュマロのことなどもはやどうでもよくなっている映画学生を映した後の場面と鮮烈な対照を形成することだ。後の場面では、ジョシュは自らが置かれた危険を認識しないこと、集団の安全性よりも映画製作プロジェクトのほうを優先していることに対してヘザーを叱責している。この場面はこの映画のテーマである「見過ごされた危険」〔を表現するの〕に貢献しており、ヘザーが撮影を継続したことを暗黙の裡に正当化し、それに動機を与えている(それがなければ映画もなかったわけであるから)—「これしか残ってないのよ」と彼女はジョシュの攻撃に対して泣きながら反論する。さらに、ヘラー＝ニコラスは映画そのものが魔女などいないことを示唆しているのだが、観客は「女性を非難する」ことによって安心感を得るために「映画自体の内的な論理に反して」非理性的にも魔女の存在を信じ続けると主張することで自らのイデオロギー的な読みを補強している(107)。彼女が言うには、実際にはジョシュが狂って仲間を殺したのだが、観客は男性を非難したがらない〔ために魔女のせいにする〕というのである。この主張には説得力はない。なぜなら映画の内的な論理は超自然的な行為主体を強く示唆しているからだ。この映画はその力の大半を超自然的行為主体の示唆から得ており、そうした行為主体を示唆する多くの鍵を示している。もっとも顕著なものはジョシュもいるところでテントの中から記録された夜ごとの不審な物音である。そしてジョシュが狂って殺意を持つようになったなどということを暗示する手掛かりはどこにもない。ブレア・ウィッチ現象をテクスト的なお化け屋敷の周囲で踊るシニフィアンの集積であるとするポスト構造主義的な読みと同様（Keller 2004）、ヘラー＝ニコラスのイデオロギー的な解釈はこの映画の想像力的、感情的力を説明することはほとんどしていない。その力を適切に説明しようとすれば、マーケティングキャンペーンと映画それ自体によって標的にされた心理学的気質に焦点を当てなければならないだろう。

ＢＷＰの成功は効率的な複数のメディアにまたがるマーケティング戦略の機能に全面的に依拠しているわけでもなければ、ポストモダンな間テクスト性の精神の遊びやミソジニスト的な見世物の機能のせいでもなく、進化の結果として獲得された心理学的メカニズムに照準を合わせる映画の（そしてそれを補完するようなメディア作品の）能力に本質的に依存している。映画の前提そのもの──未知の、敵意ある環境の中で道に迷い、何らかの悪意を持った、明らかに超自然的な行為主体に追われる人間──が、人間の本性の中にある強力な防衛メカニズムに作用するために極めて人目を引くものとなっている。ＢＷＰの前提は荒野にさまよい出て行くことの危険、道に迷うこと、餓死すること、危険な敵に攻撃されることの危険についての狩猟採集社会で語られるストーリーにみられる中核的なシナリオ

図 12. 1: サンチェスとマイリックの『ブレア・ウィッチ・プロジェクト』(1999) は享楽家な今風のアメリカの若者たちがブレア・ウィッチ伝説のドキュメンタリーを撮るために暗い森の奥深くに呪われた旅をする。彼らはハイテクの視聴覚機器を扱ったり陽気に騒いだりするのは得意だが、ブラック・ヒルズに潜む敵対的な力を侮り、それが命取りになる。

に似ている。そのようなストーリーは時代を超えて、それに伴う危険を強調し誇張することでさ迷い歩くことを止めるために狩猟採集社会の子供たちに語られてきた(Scalise Sugiyama and Scalise Sugiyama 2011)。さまよい歩き、道に迷い、荒野で死ぬというシナリオは何百万年にもわたってわたしたちの先祖たちにとって実際に考えられるものであり、BWPにおいてきわめて強迫的に喚起されている。この映画は三人の当世風でどこにでもいそうな格好の弱いキャラクターたちの、原始的な危険シナリオに対する非常に起こりうる反応を提示している。彼らは社会をどのようにわたっていくか─序盤の場面には彼らがバーキッツヴィルのモーテルの部屋でリラックスしてお互いにからかいあっている様子が映されている(図12・1)─そしてハイテクの視聴覚装置をどのように扱ったらよいかは知っているけれども、彼らに付きまとっているらしい超自然的な行為主体を含む自然界の敵対的な力、悲惨なまでに彼らが過小評価していた力に対しては完全に無力であると気づく。彼らは危険な場所に準備が不十分なまま乗り出していって、巨大で邪悪な力に出くわし、自らの侵犯行為に対して恐るべき対価を払ったのである。さらに、この映画が本物らしく見えるという魅力、実際に起こったことの本物の記録を見せるのだという暗黙の約束によって、語りの前提はますます人目を引くものになる。たいていの観客にとって、BWPはごっこ遊び以上のものを約束してくれる。それは本物の恐怖―実際に起こったこと、起こったかもしれないこと、あるいは少なくとも、本当に起こったのだとしたらそのように見えるであろうように見えるものを提供してくれるのだ（Heller-Nicholas 2014, 7）。

公開前のキャンペーンによって生み出された作り話と期待は病的なまでに過敏な好奇心という進化の結果獲得された気質に訴えかける。多くの他の動物たちと同様、わたしたちは暴力的な死の光景に魅了される。たとえばカモメ（black-headed gull）は仲間が襲われると逃げるが、「彼らがいかなる敵に直面しているのか」見るために遠くにとどまる（Kruuk 2002, 169）。病的なまでに過敏な好奇心の背後にある適応的な論理は、仲間に対する攻撃、そして暴力的な死の原因に関心を払うことで、自分が似たような運命に陥るのを避けられるというものだ（von Gersdorff 2016）。BWPのマーケティング・キャンペーンは悪意ある、おそらくは超自然的な行為主体の手による機械で暴力的な死を暗示することで観客をひきつけた。ウェブサイトと疑似ドキュメンタリーはおぞましいパズルのピースを提供した。すなわち、正しく組み合わせれば、映画製作者たちの不可解な失踪についての真実に近づくことができるような情報、伝説、そして証拠というピースである。映画そのものが最大のパズルのピースであり、魅力を持つ主要な存在であり、いまだにかなりの数の観客をひきつけているブレア・ウィッチというメディア・コンプレックスの一部に過ぎない。伝説に付随した存在論的な曖昧性〔伝説が本当に存在するかどうかあいまいであること〕のために、おそらく、多くの映画の観客たちは伝説を調べ、映画のチケットを買って真相に近づこうとしたであろう。〔映画が〕実話であるという主張、そして複数のメディアにまたがったキャンペーンによって観客たちは映画を真剣に受け止めることになり、そうすることで主人公たちの死をもたらした過ちを許す気になるのである。映画の「補完的な作品」は、魔女伝説についての情報と警察関係者の「証拠」を含んでいたが、それらが「熱狂的に迎えられた」のは、それらのために観客は邪悪な魔女についての超自然的なストーリーとしてのミソジニスト的映画理解を保つことができたからではなく（Heller Nicholas 2004, 111）、それらが観客の持つおぞましいものを見たいという好奇心を満たし、進化の結果獲得された警戒メカニズムを効率的に利用していたからである。

ＢＷＰが実話に見えるように制作されたのは観客の反応を強めるためである。本物のホラーは人工的なホラーよりも恐ろしいし、心底怖がっているように見える人間は明らかに演技でこわがっている人間よりも見る者の心に響く。映画でわたしたちが見る映像は三人の俳優によって記録されたものだ。それはいかにも素人らしく手振れがひどく、しばしば不鮮明で—言葉を換えていえば、実際に起こったことの生《なま》の記録という感じがする。したがって観客はこの映画を「本物のホラーの中立的な記録」（Roscoe 2000）として受け取ったのである。映像はコンシューマーグレードのビデオカメラ（Hi8カムコーダー）と白黒の16ミリ映画用カメラで撮影されている。ビデオカメラは主にドナヒューが操作しており、楽屋裏の映像を記録し、ドキュメンタリー撮影の記録をするために用いられている。映画用カメラはジョシュが操作しており、ドキュメンタリー映画の一部となる映像を撮影するために用いられている。俳優たち自身、説得力を持ったアドリブの演技ができる能力をもとに選ばれ（Turner 2015, 21-22）、本物らしく見えるように行動し反応するよう指導された。サンチェスとマイリックは俳優たちに、映画についての情報をほとんど与えなかった。彼らは視聴覚機器の扱い方についてごく手短に教わり、そのまま地元の人々にインタビューするためにバーキッツヴィルに送られたのである。インタビューされている人の中には俳優もいれば本当の地元の人もいる。ドナヒュー、レオナード、そしてウィリアムズはそれからGPS装置を与えられて三人だけで森に置き去りにされ、そこでGPSの指示に従い、カメラの新しいバッテリー、録音装置、そしてどんどん少なくなっていく食料の配給とその日のルートについての短い指示を探して7日間を過ごした（Turner 2015, 22-29）。俳優たちは次第に空腹になり、寒さを覚え、睡眠不足に陥り、心から不安を感じるようになった。真夜中になると撮影スタッフが彼らに見えないようにテントを揺らし、子供の笑い声を含む不気味な録音テープを流した。恐怖し、憔悴し、パニックに陥る三人の多くのリアクション・ショット―彼らは実際に恐怖し、プレッシャーを感じている（図12・2）―が観客の中に共感的な反応を引き起こす。この多くのリアクション・ショットと、悪意を持った超自然的行為主体の示唆によって生み出されるおどろおど

図 12. 2:『ブレア・ウィッチ・プロジェクト』(Sanchez and Myrick 1999) は心底から怖がっているキャラクターたちのリアクション・ショットを多く含んでいる。俳優たちは極度の緊張感に置かれ、撮影中はずっと暗い場所に留め置かれた。このため彼らの「素の」反応を引き出すことに成功し、それゆえ観客は映画で描写されている出来事に対してますます強い感情を抱くことになる。

ろしい雰囲気が、ロジャー・イバートの言葉を借りれば、BWPが「異常なまでに効果的なホラー映画」(1999) になったゆえんを説明してくれる。

BWPは荒涼たるさびしい森に迷い込んだ若者たちの描写に超自然的な存在がいそうだという忌まわしい暗示を組み合わせているが、その行為主体はスクリーンには決して映し出されず、説明されることもない。いかなるモンスターも、いかなる可視的な暴力も見ることはないのだ。流血にもっとも近づくのは血まみれの歯のショットである。BWPは畏怖 (dread) の雰囲気を効果的に作り出し、それを維持している (Freeland 2004)。畏怖は、シンシア・フリーランドの定義によれば、「何か深

図 12.3: サンチェスとマイリックの『ブレア・ウィッチ・プロジェクト』(1999) は超自然的で悪意を持った行為主体が森に潜んでいるとくり返しほのめかすことでじわじわと観客の恐怖をかきたてる。その行為主体は三人の主人公を狙っており、木々からぶら下がる棒の人形のような不気味な物を残していく。これらの物が何を意味しているのかは不明瞭だが、磔ないし絞首による死を暗示しているようだ。

く神経に触り邪悪ではあるが、定義も理解もされていない存在からの切迫した脅威に対する現在進行中の恐怖」(2004, 191) である。そのような邪悪ではあるがほとんど理解されていない力とは魔女(あるいはキャラクターたちにとりついている存在)であり、それは決して直接的に目撃されることはない—わたしたちはその行動の結果を見るだけなのだ。映画製作者たちが、自分たちが森に迷ったと悟ったすぐ後、彼らは真夜中にうなりぶつかるような物音で目を覚ます。これらの音響効果はあいまいであるが何らかの行為主体の存在を暗示するものだ。理由はわからないが、誰か、あるいは何かが三人のテントの外にいるのは明白である。彼らは映像に記録されている物音がどこから来るのか突き止めることはできない。翌日の夜も同じようなことが起こる。次の朝、彼らは三つの小さな石の山がテントの外にできているのを見つける。それらは彼らの迫りくる死を表し、彼らをおびやかしている行為主体からの警告として意図されたもののように見える。この「標識」はとりわけ不安を誘うものだ。というのも森にいかなる行為主体が潜んでいるにせよ、それは受動的な力ではないからである。それは彼らに狙いを定めているのだ。そのあとすぐ、彼らは多くの人間の形をした木の棒の造形が木々から釣り下がっているのに遭遇する（図12・3）。ジョシュが言うように、「なんとも気味が悪い」ものだ。なんとも気味が悪いのは、この造形が何らかの曖昧模糊たる行為主体を明確に示すものであり、それらが絞首ないし磔による死を暗示しているからだ。次の夜、彼らは何かがテントを探っているような物音で目が覚め、子供たちの笑い声を聞く。ヘザーはカメラを持って暗闇の中に走っていく。しかしどこにも子供たちの姿は見えない。カメラには光源がついているから、彼女がカメラを持って走るにつれて光の環が無秩序にあちらこちらに跳ね回る。「まったく、いったいあれは何なの」と彼女は息を切らしながら叫ぶが、わたしたちには彼女が見ているものが見えない。ジョシュはそれから姿を消す。ヘザーとマイクは遠くのほうで苦痛に満ちた叫び声を聞き、テントの外でジョシュのシャツの繊維に包まれた血まみれの歯を見つける。わたしたちは彼らのほかにだれかいること、彼らを追い立てているものが何であれ、それは悪意と、現実的な損害を引き起こす力を持っていることを知る。しかしその行為主体がスクリーンに映らないために、それはあいまいで未知の存在であり、それゆえ予測不能である。予測不能な敵はよく知られた敵よりもずっと危険で脅威的であり、この原則は畏怖を引き起こす行為主体をスクリーンの外にとどめておくというBWPの戦略で利用されているのだ。

BWPの三人の主人公たちは陽気で快活な人物として描写されている。因果応報であるというようなニュアンスは映画の中にはないけれども、彼らは警告を無視し、過度に過小評価している自然環境の中に愚かにも入っていく。最初の場面ではヘザーが『森の中でいかに生き抜くか』という本を荷物に入れているところが映っているが、たいして役立っていない。彼らはバーキッツヴィルの老婆が危険なブレアウィッチの幽霊について話している間、笑って、彼女が狂っていると考える。また、森の中で出会ったふたりの年配の釣り人は彼らに警告しようとする。「愚かな子供は決して学ぼうとしない」とひとりが言う。イバートが指摘しているように、映画製作者たちはブレアウィッチについての伝説や怪談を「警告ではなく、すぐれた映像」(1999)としてみている。映画の序盤、彼らは七つの小さな石塔を見つけ、そのひとつをジョシュが偶然倒してしまう。ヘザーは息をのんで「壊しちゃだめ、壊しちゃだめ」という。映画はこの不注意な行為とジョシュの運命の間に因果関係があることを示唆している。わたしたちはラスティン・パーが七人の子供たちを殺したという事件について聞いているから、これらの石塔が墓標ではないかと考える。ジョシュの不注意は軽率な倫理的侵犯であり、この映画は彼がそのためにおぞましい形で罰されたと巧妙に暗示している。さらなる侵犯は若者たちが魔女だけでなく森全体に敬意を払わないことである。地図がなくなったと彼らが気付いた時にヘザーは「今のアメリカでは道に迷うことは難しいし、迷ったままでいることはずっと難しい」というのだが、彼女はおおいに、致命的に、誤っている。

ブラック・ヒルズの森は邪悪な場所、荒涼として死にかかっている場所、「恐るべき秘密が隠されている場所」（Higley 2004, 88, Ebert 1999）―物理的、倫理的腐敗に満ちた場所として描かれる。この地域の倫理的腐敗はそのおぞましい歴史から生じている。すなわちパーの殺人、魔女の殺人、そして魔女に対して行われた犯罪である。場所に倫理的価値を付与するという心理学的傾向は、適応度にかかわる（そして、したがって、感情的に重要な）出来事とその物理的状況とを関連付けるという適応的な傾向から生じている。この傾向が適応的であるのは、何か悪いことが起こった場所に否定的な価値を与えることで人間は危険な場所を避けるようになるからである。何か悪いことが過去に起こったのであれば、同じ場所でそれがもう一度起こる可能性がある。とりわけ、自然の脅威がかなりの確率で特定の場所、たとえば捕食者がよく来る場所、地形的に危険な場所、あるいは汚染されている食料源や水源といった場所に関連付けられる場合においてはそれが顕著である。同じ心理学的現象は、人々が殺人やほかのとりわけ暴力的な、あるいはおぞましい犯罪が起きた家を避ける場合にも働いている。犯罪の非道徳性―それが誤っているという感覚―がその場所を（ちょうど《オーバールック》・ホテルのように）汚染しているかのように感じられるのだ。若い映画製作者たちがブレア・ウィッチの伝説を笑い飛ばすとき、彼らは森に潜む実際の危険を無視し、その代価を払わされることになるのである。

ＢＷＰは何度も見るような映画ではない―美しく撮られているわけでもなければ、精巧な製作上のデザインがあるわけでもなく、美的に喜びを与えるようなロケーション設定がなされているわけでもない。映画撮影技法は吐き気を催すほど素人じみていて、製作デザインはほとんど見られず、ロケーション設定はしばしば明らかに行き当たりばったりである。しかしこれらの欠点は欠点ではなく、この映画の力に直接的に貢献しているのだ。BWPは単純な映画技法、示唆的な複数の媒体による宣伝キャンペーンを用いて観客の関心をひきつけ、彼らの中に強い感情的反応を引き起こすことにおいてきわめて効率的であった。基本的な捕食のシナリオが脳の深いところに〔はるか太古から〕保存されている、進化の結果獲得された気質と結びつき、実話であるという魅力が関連性を探る動きに拍車をかけたのである。BWPは「フィルムが発見された」系のホラー映画第一号というわけではないし、同じような趣向の作品は今後も作られるだろう。しかしこの映画はマイナーなジャンルを一気に主流に変えた（Heller-Nicholas 2014, 95）。批評家たちはこの映画が陰謀論や超常現象（Roscoe 2000）のコンテクストに特化した魅力、不確実性への世紀末的な不安（Weinstock 2004, 242）を利用したものだと主張してきている。しかし不確実性は人間の経験には常についてまわるものだ。人間の知覚にも理解にも限界があるからである。わたしたちは自らの感覚と認知能力が制限されているために、そして世界がどの程度複雑なものか予測不能であるために、何ひとつ確かに知ることはできない。意図的な行為主体はとりわけ予測しがたい。そういうわけで暗い森に迷い込み、目に見えない行為主体に追われる若者たちの描写はとりわけ恐怖を誘うのである。BWPが文化的に悪名高くなり、商業的には成功を収めたのは、観客をポストモダンのシニフィアンのとらえがたい網に浸したからでも、女性嫌いや世紀末の不安をもてあそぶことを可能にさせたからでもない。それは悪意を持った超自然的行為主体と、この行為主体の手にかかって恐ろしいありさまで死んでいく弱い若者たちについての魅力的で実話に見えるストーリーを様々な媒体で宣伝することを通して進化の結果獲得された生存メカニズムに焦点を当てることで脚光を浴びたのである。

第3部　ホラー・エンターテイメントとホラー研究の将来の進化について

13. ホラーの未来

わたしはこれまで、ホラーがさまざまな文化に浸透しているのは、このジャンルが本質的な人間のニーズ、とりわけ脅威的な設定の中で擬似的な経験を積むという進化の結果生じたニーズを満たすことに特化されているからだと主張してきた。現代の「正典」となっているホラー文学やホラー映画の読みを通して示してきたように、そうした作品は進化の結果獲得された幅広い感情を惹起し、きわめて多様な想像的な経験をもたらし、驚くほど種々様々な世界観に満ちている。高揚させるようなホラー作品もあれば、暗澹たる気分にさせるものもある。実存的な脅威と哲学的な絶望という舞台設定を持つものもあれば、悪意のある捕食者や超自然的な悪との主人公の対決を描いたものもある。ショック、驚き、嫌悪といった一過性の感情を引き起こすことを狙ったものもあれば、精神がいかに脆弱で人生がいかにはかないものかについての鮮やかで長く記憶に残る印象を残すものもある。最良のホラーはわたしたちの精神を生涯にわたって変えてしまう――わたしたちは危険に敏感になり、重要な適応能力が発達し、共感する能力が高まり、悪とは何かについての理解を深め、感情的なレパートリーを豊かにし、倫理観を養い、暗く心乱す存在へ向かって想像力を飛翔させるのだ。

ホラーは何百年もかけて次第に適応的に進化してきた心理的メカニズムに作用することで機能する。このジャンルそのものはテクノロジーの発展を含む文化的多様性に応える形で変化してきた。ホラーの未来を予測することは困難だが、確かなことはひとつある。ホラーは消え去ることはない、ということだ。わたしたちが恐怖を覚え想像力を働かせる生物である限り、わたしたちの文化において恐怖は中心的な位置を占めるであろうし、人類が恐怖も想像力も持たない生き物に近い将来進化していくと信じるに足る理由はない。自然選択による進化はゆっくりと生じるものだし、人類が持つ恐怖のシステムも想像力も、わたしたちの本質のきわめて中核的な部分をなすものであるから、それらが消えて無くなるためには強力で持続的な選択圧が必要となるからだ。わたしたちは依然として、ときとして危険で予測不能な世界の中で警戒しつつ生きていくために恐怖を感じる必要があるし、この世界と、その中における自分たちの立場を理解し、自分たちの行動を導くためには想像力が必要なのだ。それは21世紀においてもなおそうであるし、おそらくそれに続く世紀においても変わらないだろう。

わたしたちの遠い子孫たちのホラーは多くの点においてわたしたちのホラーと類似したものにな

るであろう。メディアは変わるだろうが、内容はそれほど大きくは変化しないだろう。わたしたちのホラーと同様、子孫たちのホラーも人間が危険な超自然的な力と対決する様子を描くことであろう。進化の結果獲得された恐怖や不安に焦点を当て、人間を食いものにする捕食的で超自然的、嫌悪感を催すような行為主体が登場するに相違ない。子孫たちはわたしたちよりもより幅広いホラー体験にアクセスできるだろう。そのうちの一部はわたしたちが現在手にしているいかなるものよりももっと没入的で、ずっと感情的に強力なものであろう。テクノロジーの革新によって、安全な環境で否定的な感情や脅威を経験するというわたしたちの願望を満たす新たな手段がもたらされるだろう。わたしたちはすでにそうした技術革新が生じ、根づきつつあるのを目にしている。ホラービデオゲームは円熟期に入り、没入的なヴァーチャルリアリティ技術は今手軽に手に入り、十分説得力を持つものになっている。リアルタイムのインタラクティブなホラー体験をもたらすほかの形式、たとえば「お化け屋敷」的なアトラクションは現在新たなテクノロジーをデザインに取り入れ、これまでにない人気を誇るようになっている。拡張現実（augmented reality）は実際の景色とスクリーン上のデジタルオブジェクトを融合するものであり、複合現実（mixed reality または hybrid reality）はデジタルオブジェクトと現実世界の物体を特定の空間内で共存させ相互作用させるものであるが、この両者ともホラーの舞台設定と親和性が高い。たとえば、好奇心のある人はスマートフォンのカメラを用いてユーザの環境をうつしだし、同時に恐ろしい要素、たとえば突然現れて叫び出す幽霊など（スマートフォンを通してのみ見えたり、聞こえたりする）をその空間内に登場させるアプリをダウンロードすることができる。映像は非常にぞっとするようなものだ—スクリーン上には自分の家が映っているのだが、突如としてそこに名状しがたい存在が現れたり不気味な音が聞こえたりするのである。これは拡張現実の例であり、このきわめて単純な方法によってユーザはリアルタイムで展開するホラー・ストーリーに没入することができる。テクノロジーは新しいが、怖がらせる戦術は進化の結果獲得された防衛メカニズムを惹起するようなおなじみのものだ。青白く、はっきりとした肉体を持たない幽霊のような行為主体があなたの家に侵入し、悪意を持っているかのように振る舞う。突然の物音があなたを驚かせる。暗闇が圧迫感をもたらし、あなたの警戒本能に赤信号をともさせる。こうしたテクノロジーはまだ揺籃期にあり、物語や修辞技法としてはたいして見るものはない。せいぜいが「ジャンプ・スケア」の連続である。対照的に、一部のホラービデオゲームはメディアの潜在能力を十全に引き出し、ユーザに独特の没入的なホラー体験をもたらす。中には豊かな物語性を持ち美的に鑑賞に堪えるような描写をおこなうものもある。

ホラービデオゲームはホラー映画と同じ特徴を持っているが、ユーザーとのインタラクティブな関係が加わっているところが重要な違いである（Clasen and Kjeldgaard-Christiansen 2016, Krzywinska 2002）。そのようなゲームでは、プレイヤーはゲーム内でのデジタル化された行為主体—アバター—をコントロールする。プレイヤーの行動がゲームの結末を左右するのだ。わたしたちはゲームの世界でさまざまな事柄を実際に行うことができ、ゲームの世界はそれに反応する（Fox, Arena, and Bailenson 2009, Landay 2014）。このようなインタラクティブな性質によって没入感が生まれる。没入感

（immersion）とは「デジタルの環境に入り込んで忘我の状態になり、物理的な世界と没交渉になる」（Fox, Arena, and Bailenson 2009, 96, Therrien 2014）ことを意味する。プレイヤーはゲームの世界の中に存在し、ゲームの環境に囲まれているように感じる。彼らは自分が恐るべきゼロサムゲームの主人公であり、物語の展開に直接関わっているという感覚を抱く。アバターが死んでしまうと、そのレベルをやり直すか、ゲームそのものを一から始めなければならない。燃料や弾薬といった貴重なゲーム内通貨を失ってしまうこともあるだろう。仮想現実を通してプレイヤーが没入感を得ているということは、彼らがゲームプレイ体験をほかの人々に語るとき一人称を用いるという興味深い事実に表れている。彼らは「俺はバルカンでゾンビの群れを一掃した」だとか「わたしは蛇の穴を飛び越えて、人食いワニをよけた」といった表現をする。対照的に、正気な人物であれば誰も『ハロウィン』（Carpenter 1978）を見ている際、いかにローリー・ストロードに強く感情移入していたとしても、「わたしはかろうじてマイケル・マイヤーズの魔の手から逃れることができた」などと言うことはない。

ホラービデオゲームのもっとも純粋な例はサバイバルホラーと呼ばれるサブジャンルである。このサブジャンルに属するゲームは基本的には一人称視点を採用している。プレイヤーは危険がいっぱいのゲーム世界に置かれ、防衛手段がまったく、あるいはほとんどないというきわめて不利な状態にある。これらの要素は２０１０年製作の『アムネジア：ザ ダーク ディセント』（Grip and Nilsson）で効果的に融合されている。これは「記憶にあるうちでもっとも恐ろしいゲームのひとつ」（Onyett 2010）と賞賛された。プレイヤーは記憶喪失のキャラクター、ダニエルを操作する。ダニエルは19世紀の城の中にいて、たったひとりで闇の中で恐ろしいモンスターに追いかけられる。地図も武器もなく、何が起こっているのかほとんどわからない。プレイヤーはゲームをクリアするために多くの謎を解かなければならず、背景となるストーリーは断続的に挿入されるカットシーン―短い、プレイヤーが操作不能なムービー―で与えられる。ゲームは一人称視点を用いて、図13・1に示したように、プレイヤー自身がゲームの世界にいるという錯覚を生み出している。それはあたかも、わたしたちがダニエルの目を通してものを見ているかのようである。ゲームデザイナーは「主たる目的のひとつはプレイヤー自身が主人公になることでした」(Grip 2010) と述べている。この錯覚は、出来事に密接に関係した視聴覚フィードバックによってさらに強いものとなる。ダニエルが血まみれの壁や迫り来るモンスターといった嫌悪感を催すものを見ると、視界がゆがんでしまう(図13・1)。そして荒い呼吸音、速い心臓の鼓動音、うめき声が流れるのだ。この視聴覚フィードバックは恐怖によって引き起こされる知覚的生理学的変化を模している (Clasen and Kjeldgaard-Christiansen 2016)。ゲームはプレイヤーに否定的な感情を惹起するために古くからおなじみの刺激を用いている。ダニエルに襲いかかるモンスターたちは、爪、鋭い歯を持つ大きく開かれた口といった捕食動物の形態的特徴を備えた人間様の生物である(図13・1)。彼らは超正常的な捕食者であり、主人公を攻撃するという欲望のみによって動いているように見える。対照的に、主人公は自分を守るために何もできない―できるのはただ、たとえばクローゼットの中に隠れたりすることだけだ。プレイヤーは仮想現実の環境に綿密に注意を払わなければゲーム世界で生き残り、ストーリーを進行させることができない。注意深くあり続

図13.1:『アムネジア：ザ ダーク ディセント』(Grip and Nilsson 2010) のようなサバイバルホラーゲームは没入感を与えるように作られている。プレイヤー自身が脅威に満ちたゲーム世界の中にいるという錯覚を持続させるためにゲームは一人称視点を採用し、恐怖によって引き起こされた知覚的な変化を模した視聴覚的フィードバックを与える。歯をむき出しにしたモンスターは祖先たちを悩ました捕食動物たちを思わせる。

けることによってのみ、プレイヤーはモンスターを早めに発見して隠れるための十分な時間を稼ぎ、ランタンの燃料を見つけることができるし、モンスターを避け、ゲームの進行を可能にする謎を解こうとする試みを続けることによってのみ、完全な背景となるストーリーを知り、ゲームを終えることができるのだ。

『アムネジア：ザ ダーク ディセント』はきわめて効果的にプレイヤーの否定的感情を引き起こすことで知られている。これはおそらく奇妙なことかもしれない―ゲームで描写される状況は大半の人々の生活とはあまりにもかけ離れているから、自分に関係のないことだと思われてしまうことが予想されるからである。いったいわたしたちの中の何人が、古いドイツの城で超自然的な捕食者に追いかけられる状況に陥るだろうか―あるいは、そうした状況に陥ったところを想像するだろうか。しかしわたしたちの本質にある古くからの精神構造にはひとつの基本原則が存在している。限りなく長い時間、わたしたち〔の祖先〕は爪や鋭い牙をもった危険な行為主体に追い立てられていた。資源を求めて未知の、暗い環境をさまよい歩かなければならなかった。知略を尽くして障害を克服し、生きるためには警戒し続ける必要があった。『アムネジア』は捕食行為というシナリオで想像上の経験を積みたいという、進化の結果として生じた欲望を満足させるために、この古くからある人間の気質を利用している（Clasen and Kjeldgaard-Christiansen 2016）。城を徘徊するモンスターたちは説明がつかないものであるかもしれないが、きわめて現実的に見える—現実的に見えるからこそ、二次元のスクリーンに映し出されたピクセルパターンの動きではなく、危険な行為主体として認知的感情的に処理されるのだ。最近行われた実験で、大学生にホラービデオゲームの体験についてアンケートをとったところ、ストーリー上のリアリズム（ゲームで描写される出来事が現実世界で起こりうるかどうか）よりも、視覚的なリアリズム（ゲーム世界が現実世界のように見えるかどうか）の方が恐怖を引き起こす確率が高いことがわかった（Lynch and Martins 2015）。わたしたちの関心をとらえ、否定的な感情を引き起こすために『アムネジア』が用いている刺激はサバイバルホラーゲームによくあるものである。研究によれば、恐怖を引き起こす刺激のうちもっとも頻繁に言及されるものは暗闇、身体の一部が損壊された人間、ゾンビ、そして未知の存在である（Lynch and Martins 2015）。恐怖を引き起こす視覚情報に伴う、突然の大きな物音などの効果音も恐怖をかきたてるのに重要な役割を果たす（Toprac and Abdel-Meguid 2011）。これらは進化論的視点から見れば皆納得できる、人類に否定的効果を及ぼす刺激である。同様の刺激はホラー文学にもホラー映画にも見ることができるが、『アムネジア』をプレイすることは物語を読んだり映画を見たりする体験とは質的にも量的にも異なる。『アムネジア』はわたしがこれまで読んだどんな小説、これまで見たどんな映画よりもずっと恐ろしいが、最良のホラーストーリーや映画に比べると想像力の面でも知的な面でも満足度は低い。サバイバルホラービデオゲームはほかのメディアのホラーよりも効果的に否定的な感情や没入感を引き起こすが、物語の豊かさ、キャラクター造形の深み、象徴的構造の複雑さなど、文学や映画におけるホラーが成し遂げてきたものは欠落している。

より最近の、より高い技術を用いたホラービデオゲーム『アンティル・ドーン 惨劇の山荘』(Bowen, Reznick, and Fessenden 2015) はホラー映画のクオリティとビデオゲームの力を融合させようとする試みである。このゲームの中では、若者の集団が数日間を過ごすために人里離れた山小屋に向かう。よくある展開だが、彼らは悪意のある行為主体—実際は複数存在するが—に追われることになる。おどろおどろしい仮面をつけた精神異常者や、危険な「ウェンディゴ」たちが登場する。仮想現実の環境は綿密に作られており、シーンの多くはフォトリアリズムに近い。このゲームでは、プレイヤーは八人のキャラクターのそれぞれを、三人称視点から交互に操作する。この視点によってプレイヤーとアバターが融合するという感覚は減じられる—キャラクターの行動をコントロールすることはでき、その運命を左右することはできるけれども、アバターの運命が自分の運命だという感覚はそれほど強くない。ひとりの若者が死んでもそれほど大きな打撃ではない。コントロールできるキャラク

図13. 2: ホラービデオゲーム『アンティル・ドーン 惨劇の山荘』(Bowen, Reznick, and Fessenden 2015) はビデオゲームの楽しみとホラー映画の喜びを融合させ、プレイヤーをインタラクティブなスラッシャー映画のただ中に放り込む。ここではプレイヤーはキャラクターのひとりアシュレイを捜査して、不気味な地下室を探索している。

ターはあと七人いるし、キャラクターの一部は非常にいらいらさせるような存在となっているからだ。『アンティル・ドーン』はホラー映画で用いられるものに似たリアクションショットを用いて、三人称視点によって生じる没入感の減損を補っている。しかしゲームがジャンプスケアの手法を用いる場合、視点は時として三人称から一人称へと変わる。ある時点においてプレイヤーはキャラクターのひとりアシュレイを操作することになる。アシュレイは自分が幽霊を見たと思っており、別のキャラクター、クリス（この時点ではコンピュータが操作している）とともに、神経をとがらせながら恐ろしげな古い地下室を探索している（図13・2）。突然幽霊のような顔がどこからともなく現れ、同時に視点が一人称に変わって脅威の知覚がより個人的なものとなり、プレイヤーを驚かせるのだ（図13・3）。複数の視点を用いることで、プレイヤーは完全な没入感の喜びと、

図 13・3: キャラクターのアシュレイが『アンティル・ドーン』(Bowen, Reznick, and Fessenden 2015) で恐ろしい幽霊に遭遇すると、視点は距離を置いた三人称から没入感あふれる一人称に移行し、驚きの効果を増大させる。幽霊の脅威はより個人的で切迫したものに感じられる。

キャラクターの行動と運命をコントロールするという一歩引いた楽しみの両方が得られるのだ。

『アンティル・ドーン』は脚本に厳密に基づいたシークエンスと、プレイヤーがかなりの部分を操作できる部分をうまくバランスを取って組み合わせている。これはプレイヤーに特定のコースに沿ってゲーム体験をさせつつ、ゲームというメディアに特徴的な主体性を与える必要のあるホラービデオゲームに特徴的な要素だ（Krzywinska 2002）。一部のシークエンスではプレイヤーはキャラクターをほとんどまったく操作することができない。しかし別のシークエンスではゲーム内の環境を探索して重要なリソースを見つけたり、生死を分けるような選択をしたりする必要がある。『アンティル・ドーン』において、いくつかのそうした選択肢が捕食行為を描いたシークエンスの重要な分岐点に現れる。たとえばキャラクターが精神異常者に負われて部屋に入る

図 13. 4:『アンティル・ドーン』(Bowen, Reznick, and Fessenden 2015) においてプレイヤーは限られた時間内で重要な決断をしなければならない。ここではプレイヤーはサムをコントロールしている。彼女は仮面をかぶった殺人狂の精神異常者に追われている。逃げるか、隠れるか。プレイヤーはプレイステーションのコントローラを左に傾けるか右に傾けるかして選択を行う。

と、隠れる選択肢と逃げる選択肢が示されるのだ。ゲームの中盤あたりで、プレイヤーは魅力的な若い女性サムを操作することになるのだが、その衣服は奇妙にも（そして不都合なことに！）彼女が入浴を楽しんでいる間に消えてしまう。今や彼女は山荘の中をバスタオル一枚の姿で歩き回らなければならない。すると次の場面で彼女は仮面をかぶった精神異常者の攻撃を受ける。彼女は逃げ出すのだが、逃走している間、ある決められた間隔で、プレイヤーはごく限られた時間内に重要な選択をしなければならない。ベッドの下に隠れるのか、飛び越えるのか？　図13・4に見えるように、逃げ続けるのか、それとも隠れるのか？　決断はすぐに行われなければならない。このゲームの舞台設定は痛々しいほどにおなじみのものだ。人里離れた場所で、殺人狂の精神異常者や超自然的なモンスターと対峙する若者という図式はわたしたちは嫌になるほど見てきた。しかし『アンティル・ドーン』はプレイヤーがその物語を作るのである。ゲームの序盤で、プレイヤーは血や虫といったおなじみの恐怖を引き起こす事物のリストから〔自分が特に怖いと思っているものを〕選択する必要がある。そこで選択されたものがゲームの後の場面で登場するのである。このゲームではわたしたちは地下室から聞こえる奇妙な物音を調べようとするヒロインに向かって〔やめるようにと〕叫ぶ必要はない。わたしたち自身がその物音を無視してどこか別のところに行くことができる。ヒロインが逃げ続けるのではなくベッドの下に隠れる決断をしたために殺されたのだとしたら、責任は決断を下したプレイヤー自身にあるのだ。ゲームの結末が〔そしてキャラクターたちの運命が〕プレイヤーの警戒心にかかっているのだから、スクリーンからプレイヤーは片時も目を離すことができない。これはプレイヤーを強く引きつけるゲーム体験であり、芯から心胆を寒からしめるものである。テクノロジーはホラー愛好家の選択肢を広げつつある—とりわけホラーを単に鑑賞するのではなく積極的に参加したいと思っている愛好家にとってはその傾向はさらに顕著である。

ホラービデオゲームはプレイヤーとゲームとの相互作用を通して没入感とプレイヤーの関与を約束する。拡張現実〔これは現実世界にデジタルの要素を付加するものだ〕とは異なり、ビデオゲームはわたしたちを別の、デジタル的に作られた世界へと誘う。しかし没入感はディスプレイというメディアに制限されている。プレイヤーはホラービデオゲームをプレイするために視界の3分の1ないし2分の1を占める二次元のスクリーンを見つめ、インタフェースを通じてデジタルな行為主体の行動をコ

図13. 5: 没入的な VR 技術はホラーの舞台設定を持つきわめて恐ろしいシミュレーションを生成する。ここではコンシューマ VR 機 Oculus Rift は立体視のできる映像を筆者に送っており、同時に筆者の周囲の現実世界からの感覚刺激を遮断している。関心をそぐものは何もないから、没入感は非常に強く、テクノロジーの存在は目に見えないものとなる。心臓の弱い人にはおすすめできない。写真：ラース・クルーズ、オーフス大学。

ントロールするのだ。『アムネジア』のプレイヤーがキーボードのWを押せばアバターは前に進む。『アンティル・ドーン 惨劇の山荘』のプレイヤーはワイヤレスコントローラのスティックを倒す。これは現実世界を歩くのとは大違いだ(Gregersen 2014)。いわゆる没入的なヴァーチャルリアリティ(VR)技術は対照的に、現実世界の一人称視点で生成される現象とデジタルの仮想環境内での行動との橋渡しをしてくれる。典型的なVRはヘッドマウントディスプレイを用いている。それぞれの目の前に小さなスクリーンが位置しており、微妙に違う映像を映し出す。そうすることでコンピュータによって生成された高精細な環境という生態的にリアルな立体像が生まれるのである〔図13・5〕。ヘッドセットは実際の環境からの感覚刺激を遮断する―目に見えるのは三次元の見事なデジタルの世界しかない。さらに、ヘッドセットは頭部の動きを追跡するモーションセンサーを備えている。ユーザが頭を動かすと、場面が変わる―つまり、デジタル環境は視点の変化に合致するようにアップデートされるのだ。この視覚的テクノロジーはほかの様式の感覚―たとえば聴覚、触覚―フィードバックを行い、音や感触の刺激を生み出すテクノロジーや、仮想現実内で動きを再現する、身体に取り付けられたモーションセンサーに支えられている。実際、不格好なコントローラやキーボードではなく、ユーザの身体そのものがインタフェースとなるのだ。こうしたテクノロジー〔の産物〕すべてを装着するのは大がかりなものであるが、逆説的に、VRがうまく機能すると、このテクノロジーは目に見えないものになってしまう（Fox, Arena, and Bailenson 2009）。ユーザがコンピュータに生成された世界の中に本当に存在しているように感じられるのだ。没入感はほとんど完璧なものになるのである。VR経験はあまりにも真に迫ったものになりうるので、このテクノロジーは恐怖反応を研究するため（Meehan et al. 2005, Slater et al. 2006）、医療、軍事関係者を訓練するため、そして次第に仮想経験を強化することによって恐怖症を治療するためにさえ（Fox, Arena, and Bailenson 2009）用いられている。事実、VRによって生成される〔自分が別の世界にいるという〕錯覚も惹起される感情も非常に強いものであるから、このテクノロジーが身体的痕跡をまったく残さず、それでいて多大な精神的ダメージを与える効果的な拷問の手段として用いられるのではないかと懸念する研究者もいる（Madary and Metzinger 2016）。

ごく自然なことに、VRはゲーマーを心の底から震え上がらせるためにも用いられている〔図13.5〕。VRが生成する存在感はきわめて強いから、プレイヤーが操作できない〔鑑賞するしかない〕シミュレーションであっても非常に没入感の高いものになりうる。たとえば、コンシューマVR装置Oculus Rift のヘッドセット向けの単純なシミュレーション「デス・シミュレータ」(Germouty 2015)はたき火が焚かれ、何本かの木々があり、遠くに仮面をかぶった人物がいる夜の情景をうつしだす。ユーザーはこの仮想世界に干渉することはできないし、その中を動き回ることすらできないが、頭を動かすとコンピュータで生成された視点が変わる。プレイヤーが見下ろすと、仮想の胴体が椅子に縛り付けられているのが見える。シミュレーションを見ている間、実際にはコンピュータの前に座っているユーザにとって、仮想現実のリアリティは驚くほど強い。〔シミュレーション上で〕想定される感覚刺激と実際の感覚刺激とが合致しているからだ。頭を動かすと視点は変わるが、体は動かすことができず、ただ見ることしかできない。仮面をかぶった人物がプレイヤーにナイフを投げ始めると、〔仮想現実を強く体験できているという〕喜びは恐怖に変わる。最初のナイフが空を切って飛んできて、頭のすぐ右側に音を立てて突き刺さる。その後にまた数本のナイフが続く。ついに、仮面をかぶった人物はナイフをプレイヤーの真正面に投げてくる。ナイフはプレイヤーの腹部に当たり、血が大量に流れ出る〔様子が描写される〕。アバターと自分が全く関係ないかのように、逃れようとして身をよじることもなく、腹部に痛みに近いものを感じることもないという人はほとんどいないであろう。よりインタラクティブな性質を持つシミュレーションもある。それらはサバイバルホラーゲームで発展してきた要素を用いているが、没入度のレヴェルをさらに高めており、筋金入りのホラー・ファンにもほとんど耐えがたいようなものとなっている。しかし将来、おそらく〔科学の〕発展によって技術が相当程度改善され、デジタルの環境が現実の環境と見分けがつかなくなり、〔プレイヤーがとれる〕行動の幅が無限になり、すべての感覚、味覚や嗅覚さえも〔シミュレーションの〕対象となるであろう。VRのゾンビゲームで、腐敗しつつあるゾンビの群れと対峙し、嗅覚のフィードバックが与えられることを想像してみてほしい。ゾンビがプレイヤーに噛みつくと、肩に―VRスーツに内蔵された力学的フィードバック機構を通して―強い痛みを感じる。そのような非常に〔描写されている世界に〕忠実なホラー・シミュレーションはきわめてニッチな層にしか訴求力を持たないと思われる。あまりにもリアリティがありすぎ、あまりにも拷問に近いものになるため、適応の結果として生じた、擬似的な経験を求める欲望を満たさなくなってしまうのだ。この種の体験は知覚の上では現実世界でホラーに遭遇するのと区別がつかなくなってしまうだろう。痛みは軽減されたものになるだろう―シミュレーションでゾンビに噛まれた痛みを最大限に感じたいと思う者はいない―が、たいていの人々にとってはあまりにも恐ろしすぎ、真に迫りすぎている。本書の冒頭で示唆したように、人々は自分自身と恐怖を引き起こす刺激の間に心理的美的距離がない限り、自ら好んで恐怖を引き起こす経験を求めたりはしないものだ。

デジタルホラービデオゲームとVR技術の急速な発展と歩調を合わせて、「お化け屋敷」として知られる没入感のあるホラー体験施設が次第に人気となっている（Kerr 2015, Ndalianis 2012）。お化けが出ると評判の〔現実世界の〕屋敷ではなく、訪問者が歩いて回れるホラーを売りにした施設のことだ。施設内はおどろおどろしくデザインされており、しばしばゾンビの大発生、精神病院といったストーリー的な設定を持ち、恐ろしいメイクをしてそれらしい衣装をつけた俳優が中で待ちかまえている。たいていのお化け屋敷はハロウィン近辺でのみオープンしている。この施設はハロウィンの時期に「いたずらっ子たちの注意をなんとかしてそらしたいと」(Morton 2012, 100) いう親たちの願いに応える形で1930年代のアメリカに始まったゴーストトレインのようなダーク・ライド〔暗い屋内での乗り物体験〕、恐ろしさを売りにしたカーニバルのアトラクション、そしていわゆる「トレイルズ・オブ・テラー」に起源を持っている。トレイルズ・オブ・テラーとは家庭内ないし庭に作られた、恐怖や嫌悪感を催すような要素を含んだ迷路である。しかしお化け屋敷の歴史における決定的な出来事は1969年にディズニーランドのホーンテッドマンションがオープンしたことである。これは幽霊のような幻影やアニマトロニクスで操作される幽霊といった恐ろしい景色や効果を備えたダーク・ライドである (McKendry 2013, Ndalianis 2012)。これはまたたくまに大ヒットした。「オープン直後のわずか1日で8万2000人以上がホーンテッドマンションを体験した」(Heller 2015)。このホラー・アトラクションは無数の追随者を呼び、その中には1970年代に盛んになったチャリティ目的のお化け屋敷もあれば、商業的なお化け屋敷産業も含まれる。この産業が盛んになったのは1990年代のことであり、現在も成長を続けている。ある推計によれば、2015年の時点でアメリカには2700のお化け屋敷が営業中であるという (Heller 2015)。ホラービデオゲームやVRと同様、お化け屋敷では訪問客がリアルタイムで展開するホラーストーリーの主人公になれる。しかしお化け屋敷では、訪問客は恐るべき行為主体がそうであるのと同様、生身の体で、実際にそこにいるのだ。この現実的な環境が脅威をもたらすのである。

２０１４年にオープンしたディストピア・ホーンテッド・ハウスはデンマーク最大のお化け屋敷である。プロジェクトの科学的アドバイザーであるわたしはこの施設のデザインを知悉しているから、このアトラクションを用いてお化け屋敷の具体的な説明をしてみよう。ディストピアはハロウィーン前の月の週末のみオープンしているが、ワンシーズンで５０００人以上の訪問客を集めており、毎シーズン、料金を払って入場した何百人もの訪問者が〔ホラーの〕体験に圧倒されて中途でリタイアしてしまう。凄惨な状況に失神したり、恐怖のあまり失禁したり、パニックになって〔敵役の〕俳優に襲いかかったりして、〔死んではいないが、生気を失って〕施設外に運び出されるのだ。ディストピアはアメリカの施設をモデルに作られており、アメリカのお化け屋敷産業で使われているのと同じ〔特殊〕効果を用いている。設計者たちはお化け屋敷産業に携わる人々のためのアメリカの第一級イベント、トランスワールドを定期的に訪問して〔勉強して〕おり、すべての俳優は英語を話す。訪問客は四人か五人一組で、グループで行動する。しかし追加料金を払えばひとりで、あるいはふたりで入場し、さらに過激な体験をすることもできる。わたしたちは訪問客の恐怖を最大限に呼び起こすために訪問客を対象にした調査を行っている。たとえばお化け屋敷での体験について、あるいは個人的な恐怖の対象についてのアンケート調査などがそれだ。ディストピアには詳細なストーリー設定があり、それは訪問客が列に並んでいる間に俳優によって説明され、またソーシャルメディアを介して広く公開されている。〔そのストーリーとは以下のようなものだ〕時代は近未来、社会は崩壊しつつある。伝染性の真菌による病気「スポア」（The Spore）が猛威を振るい、人々を人肉を食らうモンスターに変えている。抑圧的で全体主義的な政治体制「ガバメント」（The GOVERNMENT）は地下組織「レジスタンス」（The RESISTANCE）が大流行の原因であると非難している。別の組織「カルト」（The CULT）は、人肉を食べることで病気が治ると信じている。ディストピアで訪問客は（ゾンビやほかのモンスターに加え）この三つの組織の代表者と会い、この精巧に作られた世界に想像力を駆使して参加するように促される。訪問客は、自分たちの任務は「エッセンス」（The ESSENCE）──大流行の零号患者から採取された髄液──を確保することだと告げられる。彼らは途中でいくつかの障害に直面するが、最終的にはとても体調の悪そうな若い女性にとりつけられたプラスチックのチューブから蛍光色の液体を抽出することになる。

訪問客がお化け屋敷──廃工場の中にある──に入ると、茶色の服を着た俳優たち（〔設定上は〕カルト信者たち）が訪問客に近寄ってそのにおいをかぐ。彼らはあたかも暴力的な精神病の発作を必死でおさえているかのような、常軌を逸した動きをする。訪問客は心穏やかでなくなる。これが演技だと分かってはいるが、俳優たちがあまりに近づいてくるので平静ではいられないのだ。それに、カルト信者たちはどこか正気を失っているように見える。お化け屋敷を探索している間、訪問客はグループから切り離され、真っ暗な部屋で感覚を奪われ、蜘蛛や虫に出くわし、非常に大きなナタを持った、肉

図13.6：お化け屋敷では訪問客は自分の周囲でリアルタイムに展開するホラー・ストーリーの主人公になれる。怖がらせるための俳優はフィクションのモンスターにはできない方法で訪問客を悩ませる。ここでは、ディストピア・ホーンテッド・ハウスの「シェフ」は料金を払って入場したふたりの訪問客に過度に接近し、おどかすような視線を向けている。訪問客は恐怖を感じているようだが、払った入場料に見合うものを得ている―スリルを求める人々は没入的なホラー体験を求めてお化け屋敷にやってくるのだ。写真：Andres Baldursson, Baldursson Photography.

屋の服装をした筋肉質の男に攻撃的に声をかけられる（図13・6　この男性は「シェフ」と呼ばれている）。彼らは拷問や切開手術などといったおどろおどろしい場面を目にし、病的で正気を失っているように見える子どもたちに遭遇し、腐敗しつつあるゾンビに追いかけられる。体調が悪そうな少女をケージから解放するかどうか、といった倫理的なジレンマに陥ることもある。彼女を解放すればその後に生じる障害についての重要な情報を教えてもらえるが、その後少女は燃えさかる炉で焼かれて死んでしまうのだ。もっとも訪問客の度肝を抜くのは豚の頭―実はラテックスのマスク―をして本物のうなりをあげるチェーンソーを振り回す大男が訪問客の方に走り寄ってくる時だ。スタッフはこの俳優を親しみを込めてミスター・ピギーと呼んでいる。

これらのさまざまな要素は人類が共通して持っている恐怖心をかき立てるために慎重に調整されている。唐突な物音、閉鎖的な空間、高所、暗闇、地を這うもの、異形の、敵意を持った人間、損壊された肉体、ありとあらゆるところにある、汚染と感染を示すサイン、そして個人的なスペースの侵犯などである。お化け屋敷のある地点では、訪問客はひとつの部屋から別の部屋に移動するために暗く狭いトンネルを這って進まなければならない。すると突然光が訪問客の下から照らされ、（強化ガラスの向こうに）腐った死体が動きながらやってきて、不快感を与えるような叫び声をあげるのが見える。この特殊効果で失神した訪問客は数多い。ひとりの訪問客はその場で恐怖のあまり「かたまって」しまい、数人がかりで運び出されなければならなかった。別の客は恐怖に駆られてトンネルから慌てて這い出す際に腕を怪我してしまった。こうした不幸な事故のためにスリルを求める人々はかえってディストピアに引き寄せられてくるのである。わたしたちの調査によれば、圧倒的多数の訪問客がアトラクションを通して強い感情的影響を受けており、やはり圧倒的多数が将来また訪問したいと答えている。舞台設定、俳優、特殊効果などによって生じる否定的な影響こそ、訪問客が求めているものなのである。彼らは三十分あまりの時間を何も考えずただ怖い思いをするだけに大金を払っており、そして顧客満足度調査が示すように、そうした体験を好んでいるのである。

お化け屋敷はホラービデオゲームやVRシミュレーションとは対照的な様式において「リアル」

である。消費者と恐怖を引き起こす環境との間に技術的なインタフェースは存在せず、画像の乱れも感覚フィードバックの制限もない。もちろん訪問客はすべてが作り物だと知っており、「安全装置」―両手を頭に当てる動作―を「作動」させればすぐにスタッフが施設外に連れ出してくれることについても聞いている。しかしお化け屋敷内の俳優たちはデジタルレンダリング処理された行為主体にはできない方法で人々と関わりを持つ。「シェフ」役の俳優はわたしに以下のように語ってくれた。「わたしはただお客の目をじっと見るだけです。何も言わず、ただお客の目を見て、ゆっくり、大げさに息をします。そうするとお客はとても怖がるのです。毎回、例外はありません」。「シェフ」はがたいが大きく手強そうで、暴力的な気質を示す視覚的行動的なサインを示している。たとえば額や衣服についた返り血、ナタの柄を強く握り示す様子などだ。無作法に相手の目を見つめる行為からは自制心の欠如、社会的規範を無視する傾向が読み取れる。大げさな音を立ての呼吸は彼が健やかならざる、おそらくは性的な関心を訪問客に抱いていることを物語る。見知らぬ人に数秒以上じっと見つめられたいと思う人はいない。このキャラクターは図13・6に示すように、訪問客の心を乱すのに最適なのだ。

お化け屋敷はほかのメディアのホラーで提供されているのと同一ではないが類似した経験を与えてくれる。デジタル的にレンダリングされたホラーに比べると、お化け屋敷では脅威がより個人的なものとして捉えられる。ディストピアの設計者のひとり、ヨーナス・ブーイ・ペデルセン（スタッフからは「恐怖の建築家」と呼ばれている）によれば、「人々は、自分が安全な環境で恐怖を覚えるために

図 13. 7: 最近、ホラー・キャンプやホラー・ランといった実演型のホラー体験が次第に人気になってきている。これは、ディストピア・ホラー・ラン 2016 の参加者が「ハイになった」ゾンビから逃げようとしているところ。ランはデンマークのヴァイレ郊外にある森で夜行われた。写真 : Klaus Dreyer / Headturn Images.

金を払うということは知っています。しかしわたしたちの仕事は、彼らが安全であるということを、たとえ一瞬であっても忘れさせることなのです」（筆者との個人的な談話）と述べている。最近、お化け屋敷の新しい「変種」が広く見られるようになってきた。たとえばホラー・キャンプでは訪問客は森の中で斧を持った殺人者たちに狩り立てられて一夜を過ごす。ホラー・ランでは訪問客はゾンビに追いかけられて暗い森を走り抜ける（図13・7）。これらの屋外のホラー体験はエクストリーム・スポーツや、既存のスポーツのアレンジのように見えるけれども、何らかの物語的要素や設定を持ち、参加者たちがリアルタイムで展開されるホラー・ストーリーの主人公になるように促している。そうした場においてはすべてが作り物であるという事実は驚くほど容易に忘れ去られてしまうのだ。

インタラクティブなホラー体験―ゲーム、VR、お化け屋敷など―はホラー愛好家に没入感あふれる体験を提供している。こうした没入型の、インタラクティブなホラー体験は今後ますます増え、効果的になっていくだろうが、伝統的な文学や映画といった物語型のホラーにとってかわることはないだろう。両者が与える喜びは重なるときもあるが、決して同一のものではない。わたしたちの調査結果によれば、ディストピアの多くの訪問客―全員ではない―はホラー・フィクションのファンでもある。インタラクティブなホラー体験はより効率的に強い感情的反応を引き起こすけれども、物語的メディアにおける最良のホラー・フィクションによって与えられるのと同じ心理的、社会的、実存的洞察を与えてはくれない（Ndalianis 2012, 22）。一部のお化け屋敷は参加者に倫理的なシナリオ（ディストピア・ホーンテッド・ハウスのストーリーや構造に含まれている政治的意識など）に反応するように促してはいるけれども、そうした〔インタラクティブな〕ホラー体験には対象を解釈するという努力はほとんど必要とされないし、批評的な考察を迫るようなきっかけもほとんど与えられることはない。将来、〔ホラー〕体験を強化するためにさまざまなホラーのメディアが他のメディアと融合し、他のメディアで用いられている技術を応用するようになれば、メディア間の垣根もかなり取り払われてくるであろう。ビデオゲームやお化け屋敷の中のストーリー要素が強くなったり、映画にインタラクティブな側面が加わったりすることも考えられる。そしてホラーの進化にともない、ホラー研究もその姿を変えていかなければならなくなるだろう。

ホラー研究は長年にわたって行われてきたが、このジャンルのあらゆる側面について、そしてそのあらゆる魅力についてわたしたちが理解できるほど長く続いてきたわけではない。研究者たちはたとえばホラーとそのサブジャンルの歴史を詳述し、形態的な特徴、イデオロギー的な文脈、文化的影響について概観することにおいては格段の進歩を遂げてきた。しかし第1章でわたしが論じたように、多くの「人間主義的な」ホラー研究は今や時代遅れとなってしまった心理学モデルに依拠していたり、文化的要因にあまりにも焦点を当てすぎていたりするためにその切れ味が鈍っており、重要な問題が多く未解決のまま残されている。メディア心理学の研究者たちはパーソナリティ特性（スリル追求など）やジャンルの嗜好についての問いを投げかけ、ホラーに対する反応を左右する要因としてジェンダーと発達段階に焦点を当てて研究している（Weaver and Tamborini 1996, Cantor 2002, Hoffner and Levine 2005)。しかしホラーが行動に及ぼす効果についてはまだよくわかっていないし、心理に及ぼす効果についても同様だ。ホラー愛好家のパーソナリティ特性や動機についても明確になっているとは言いがたい。このジャンルの神経生理学的基盤についてもまだ知られていないことが多く、ホラーの設定を考える時に作家の精神に何が起こっているのか、そもそも彼らはどのような種の人間なのかも未知の領域である。これらの問いに答えるためには、ホラー研究者は科学の手を借りなければならない。

本書では、わたしはホラーに対する進化論的アプローチを提示した。進化論を基盤とした社会科学、自然科学から得られた人間の本性についての知見に基づいたアプローチである。これはホラー研究と科学とを融合させるひとつの重要な試みだ。すなわち、関連する科学的知見を用いて〔批評の〕モデルを構築し、そのプロセスで時代遅れになった理論や仮説をふるい落としていくのである。思うに、この種の研究―理論の構築とホラー作品の精読―がもっと多く必要なのだ。サブジャンル、作家、そしてさまざまなメディアにおけるホラー作品をもっと科学的に研究しなければならない。科学的な知見を用いて生活史の様々な段階とホラーの内容との関連性―たとえば子供向けホラー、ヤングアダルト向けホラー、成年向けホラーの体系的な相違―を調査する必要がある。社会科学者と、人文科学の領域における進化論に理解のある研究者たちが人間の本性についてのより洗練されたモデルを構築するにともない、進化論に基づいたホラー研究も遅れずに変化していかなければならない。だがそれがすべてではないのだ。ホラーの研究者は科学的手法を用いる必要がある。伝統的には、大半の人文学領域の研究者たちは質的な、主観的な方法に依拠してきた。それらは重要な洞察を生み出しうるものだから不可欠な手法ではある。しかしそうはいっても、一連の重要な問いに答えるためには不適切な手法でもあるのだ。ホラーによってわたしたちはより多く恐怖を抱くようになるのだろうか、それともその逆だろうか。こうした問いには、心理学の対照実験が必要である。わたしが本書で行ったように、関連する証拠に基づき、またそれによって制限される形で、勘をはたらかせることはできる―しかしこうした推論は科学的な検証によって精査される必要がある。ホラー愛好家は特定のパーソナリティ特性を有しているのだろうか。たとえば彼らはやや神経過敏なのだろうか―否定的な刺激に他の人よりも少し過敏に反応しているのだろうか。それとも感情的な反応が他の人よりも大きいのだろうか。あるいはその逆なのだろうか。精神測定学に基づく研究を行わなければわからない。人文学の研究者たちは自らの研究領域において実験的な、あるいは量的な手法をとることを嫌う傾向にある。しかしそのような手法を研究方法に加えない理由はないのだ（Carroll et al. 2012, Gottschall 2010 [2008]）。

将来のホラー研究は重要な問いに光を当てるために様々な実証的手法を用いなければならない。ケーススタディ、自然科学的な観察研究、相関研究、そして実験室での調査研究が、ホラーの謎にさらに迫るために必要なのだ。巨大コーパスのテクストマイニングといったデジタル・ヒューマニティーズの手法を用いて、歴史的時期や文化などを横断して大規模な傾向を明らかにすることも要求されよう。ホラーの鑑賞がわたしたちの恐怖システムを左右するのか、もしそうであるとすればどの程度まで、そしてどのようなメカニズムを通して行われるのかを調べるためには実験心理学の力を借りなければならない。おそらくホラー映画を見たり、恐ろしい短編小説を読んだりすることで環境内に潜む脅威を素早く検知できるようになるのかもしれない。神経画像学の研究によって、ホラーの鑑賞者やホラーの創作者が暗い想像力の世界に遊ぶとき、彼らの脳の中で何が起こっているのかが理解できるだろう。バイオフィードバックの研究は特定のホラー体験への反応の強度が人によって違う現象を調べることができる。観察研究を行うことで社会的なホラー体験が人々を団結させるのか離間させるのかを調査することができる―ホラー映画を見た後映画館を出る人々は歴史ドラマを見た後そうする人々よりも（自衛のために）口数が多くなり、より固まって行動するようになるのだろうか。あるいは逆に、病原体嫌悪が過敏になっているために、ゾンビ映画を見た観客は他の人との距離を置くようになるだろうか。ホラーを鑑賞することで人は集団内の他者に対して社交的になるのだろうか。集団外の他者に対してはどうだろうか。わたしたちはこれらに問いに対して全く無知である。しかしこれらはすべて実証可能な問いであり、調査する価値のあるものだ。実証的、量的なホラー研究は広く開かれており、想像力のみが—そして訓練の欠如や資金獲得機会の欠如（Carroll 2010）といった制度的な障壁のみが—この領域の発展を阻む要素となる。

なぜ、ホラーはわたしたちを魅惑するのか。なぜ、わたしたちは娯楽の暗い側面、つまり、否定的な効果を通して喜びをもたらすようにデザインされた芸術作品やインタラクティブな体験に抗しがたくひきつけられてしまうのか。人間の本性についての現在のわたしたちの最良の知識に基づいて言えば、その答えは、わたしたちには安全な環境で暗闇に対峙するという適応の結果生じた必要性があるからだ、ということになる。ホラーが魅力的なのは、深淵をのぞいてみたい、考えられる限りの最悪の状態に陥った自分を想像してみたいというわたしたちの願望を非常に効果的に満たしてくれるからだ。ホラーの機能やその効果についてわたしたちが知らないことの方が、知っていることよりもずっと多い。しかしあらゆるジャンルの中でももっとも暗いこの領域を理解するための探索の旅は着実に進行しているのだ。

引用文献

Alegre, Sara Martín. 2001. "Nightmares of Childhood: The Child and the Monster in Four Novels by Stephen King." *Atlantis* 23 (1):105–114.

Andreasen, James, creator. 1982. *Haunted House*. Videogame. New York: Atari.

Andrews, Nigel. 1999. *Nigel Andrews on* Jaws. London: Bloomsbury.

Atran, Scott, and Ara Norenzayan. 2004. "Religion's Evolutionary Landscape: Counterintuition, Commitment, Compassion, Communion." *Behavioral and Brain Sciences* 27 (6):713–730; discussion 730–770. doi: 10.1017/S0140525X04000172.

Arnzen, Michael A. 1994. "Who's Laughing Now? The Postmodern Splatter Film." *Journal of Popular Film and Television* 21 (4):176–184. doi: 10.1080/01956051.1994.9943985.

Asma, Stephen T. 2015. "Monsters on the Brain: An Evolutionary Epistemology of Horror." *Social Research: An International Quarterly* 81 (4):941–968.

Bahna, Vladimír. 2015. "Explaining Vampirism: Two Divergent Attractors of Dead Human Concepts." *Journal of Cognition and Culture* 15 (3–4):285–298. doi: 10.1163/15685373-12342151.

Baldick, Chris, and Robert Mighall. 2012. "Gothic Criticism." In *A New Companion to the Gothic*, edited by David Punter, 267–287. Somerset, NJ: John Wiley & Sons.

Balmain, Colette. 2008. *Introduction to Japanese Horror Film*. Edinburgh: Edinburgh University Press.

Barber, Paul. 2010 [1988]. *Vampires, Burial, and Death: Folklore and Reality*. Rev. ed. New Haven, CT: Yale University Press.

Barrett, Deirdre. 2010. *Supernormal Stimuli: How Primal Urges Overran their Evolutionary Purpose*. New York: W. W. Norton.

Barrett, H. Clark. 2005. "Adaptations to Predators and Prey." In *The Handbook of Evolutionary Psychology*, Vol. 1, edited by David M. Buss, 200–223. Hoboken, NJ: John Wiley & Sons.

Barrett, Justin L. 2004. *Why Would Anyone Believe in God?* Walnut Creek, CA: AltaMira.

Barrett, H. Clark, and Tanya Behne. 2005. "Children's Understanding of Death as the Cessation of Agency: A Test Using Sleep Versus Death." *Cognition* 96 (2):93–108. doi: 10.1016/j.cognition.2004.05.004.

Becker, Matt. 2006. “A Point of Little Hope: Hippie Horror Films and the Politics of Ambivalence.” *The Velvet Light Trap* 57 (1):42–59. doi: 10.1353/vlt.2006.0011.

Benchley, Peter. 1974. *Jaws*. Garden City, NY: Doubleday.

Biancorosso, Giorgio. 2010. “The Shark in the Music.” *Music Analysis* 29 (1-3): 306–333. doi: 10.1111/j.1468-2249.2011.00331.x.

Bierce, Ambrose. 2007 [1898]. “The Damned Thing.” In *In the Midst of Life*. Project Gutenberg. http://www.gutenberg.org/ebooks/23172.〔「あん畜生」芹沢和之訳『ビアス選集 3 幽霊 1』東京美術刊〕

Biskind, Peter. 1975. “*Jaws*: Between the Teeth.” *Jump Cut: A Review of Contemporary Media* 9:1–26.

Blatty, William Peter. 1971. *The Exorcist*. New York: Harper & Row.〔『エクソシスト』宇野利泰訳、新潮社刊〕

Bloch, Robert. 1959. *Psycho*. New York: Simon and Schuster.

Bloom, Clive. 2010. *Gothic Histories: The Taste for Terror: 1764 to the Present*. London: Continuum.

Bloom, Clive. 2012. “Horror Fiction: In Search of a Definition.” In *A New Companion to the Gothic*, edited by David Punter, 211–223. Somerset, NJ: John Wiley & Sons.

Bloom, Paul. 2004. *Descartes’ Baby: How the Science of Child Development Explains What Makes Us Human*. New York: Basic Books.

Bloom, Paul. 2010. *How Pleasure Works: The New Science of Why We Like What We Like*. New York: W. W. Norton.

Boehm, Christopher. 2012. *Moral Origins: The Evolution of Virtue, Altruism, and Shame*. New York: Basic Books.

Booth, Michael, creator. 2008. Videogame. *Left 4 Dead*. Bellevue, WA: Valve Corporation.

Bordwell, David, and Kristin Thompson. 2013. *Film Art: An Introduction*. 10th ed. New York: McGraw-Hill.

Botting, Fred. 1996. *Gothic*. London: Routledge.

Boulenger, Gilles. 2001. *John Carpenter: The Prince of Darkness: An Exclusive Interview with the Director of* Halloween *and* The Thing. Los Angeles, CA: Silman-James Press.

Bouzereau, Laurent. 1995. *The Making of Steven Spielberg’s* Jaws. DVD. Universal City, CA: Universal Home Video.

Bowen, Nik, Graham Reznick, and Larry Fessenden, designer and producers. 2015. *Until Dawn*. Videogame. Supermassive Games. San Mateo, CA: Sony Computer Entertainment.〔『アンティル・ドーン惨劇の山荘』ソニー・コンピュータエンタテインメント〕

Bowles, Stephen E. 1976. "*The Exorcist* and *Jaws*." *Literature/Film Quarterly* 4 (3):196–214.

Boyd, Brian. 2005. "Literature and Evolution: A Bio-Cultural Approach." *Philosophy and Literature* 29 (1):1–23. doi:10.1353/phl.2005.0002.

Boyd, Brian. 2009. *On the Origin of Stories: Evolution, Cognition, and Fiction*. Cambridge, MA: Belknap Press of Harvard University Press.

Boyd, Brian, Joseph Carroll, and Jonathan Gottschall. 2010. "Introduction." In *Evolution, Literature, and Film: A Reader*, edited by Brian Boyd, Joseph Carroll and Jonathan Gottschall, 1–17. New York: Columbia University Press.

Boyer, Pascal. 2001. *Religion Explained: The Evolutionary Origins of Religious Thought*. New York: Basic Books.

Boyer, Pascal. 2007. "Specialised Inference Engines as Precursors of Creative Imagination?" In *Imaginative Minds*, edited by Ilona Roth, 239–258. London: British Academy.

Boyer, Pascal, and Brian Bergstrom. 2011. "Threat-Detection in Child Development: An Evolutionary Perspective." *Neuroscience & Biobehavioral Reviews* 35 (4):1034–1041. doi: 10.1016/j.neubiorev.2010.08.010.

Brewster, Scott. 2014. "Gothic and the Question of Theory: 1900–Present." In *The Gothic World*, edited by Glennis Byron and Dale Townshend, 308–320. Abingdon, UK: Routledge.

Brooks, Max. 2006. *World War Z: An Oral History of the Zombie War*. New York: Crown.〔『ワールド・ウォーZ』東宝東和〕

Brown, Charles Brockden. 2010 [1798]. *Wieland, or, The Transformation: An American Tale*. Mineola, NY: Dover.

Brown, Donald E. 1991. *Human Universals*. New York: McGraw-Hill.

Brown, David, and John David Scoleri. 2001. "Richard Matheson Interview." *The I Am Legend Archive*. Accessed 18 May 2015. http://iamlegendarchive.blogspot.co.uk/p/richard-matheson-interview.html.

Browning, John Edgar. 2011. "Survival Horrors, Survival Spaces: Tracing the Modern Zombie (Cine)Myth." *Horror Studies* 2 (1):41–59. doi: 10.1386/

host.2.1.41_1.

Browning, Tod, dir. 1931. *Dracula*. DVD/Video. Universal City, CA: Universal Pictures Corporation.〔『魔人ドラキュラ』大日本ユニバーサル社〕

Bruhm, Steven. 2012. "Picture This: Stephen King's Queer Gothic." In *A New Companion to the Gothic*, edited by David Punter, 469–480. Oxford: Blackwell.

Buday, Maroš. 2015. "From One Master of Horror to Another: Tracing Poe's Influence in Stephen King's *The Shining*." *Prague Journal of English Studies* 4 (1):47–59. doi: 10.1515/pjes-2015-0003.

Buekens, Filip, and Maarten Boudry. 2015. "The Dark Side of the Loon: Explaining the Temptations of Obscurantism." *Theoria* 81 (2):126–142. doi: 10.1111/theo.12047.

Burghardt, Gordon M. 2014. "A Brief Glimpse at the Long Evolutionary History of Play." *Animal Behavior and Cognition* 1 (2):90–98. doi: 10.12966/abc.05.01.2014.

Buss, David M. 2005. *The Murderer Next Door: Why the Mind is Designed to Kill*. London: Penguin.

Buss, David M. 2012. *Evolutionary Psychology: The New Science of the Mind*. 4th ed. Boston: Pearson Allyn & Bacon.

Cacioppo, John T., and William Patrick. 2008. *Loneliness: Human Nature and the Need for Social Connection*. New York: W.W. Norton.

Cannibal Corpse. 2014. "Kill Or Become." In *A Skeletal Domain*. Sanford, FL: Metal Blade Records.

Cantor, Joanne. 2002. "Fright Reactions to Mass Media." In *Media Effects: Advances in Theory and Research*, edited by Jennings Bryant and Dolf Zillman, 287–306. Mahwah, NJ: Lawrence Erlbaum.

Cantor, Joanne. 2004. "'I'll Never Have a Clown in My House'—Why Movie Horror Lives On." *Poetics Today* 25 (2):283– 304. doi: 10.1215/03335372-25-2-283.

Cantor, Joanne, and Mary Beth Oliver. 1996. "Developmental Differences in Responses to Horror." In *Horror Films: Research on Audience Preference and Reactions*, edited by J. B. Weaver and R. Tamborini, 63–80. Mahwah, NJ: Lawrence Erlbaum.

Cantor, Joanne, and Becky L. Omdahl. 1991. "Effects of Fictional Media Depictions of Realistic Threats on Children's Emotional Responses,

Expectations, Worries, and Liking for Related Activities." *Communications Monographs* 58 (4):384–401.

Caputi, Jane E. 1978. "*Jaws* as Patriarchal Myth." *Journal of Popular Film* 6 (4): 305–326. doi: 10.1080/00472719.1978.9943447.

Carleton, R. Nicholas. 2016. "Fear of the Unknown: One Fear to Rule Them All?" *Journal of Anxiety Disorders* 41:5–21. doi: 10.1016/j.janxdis.2016.03.011.

Carpenter, John, dir. 1978. *Halloween*. DVD. Falcon International Productions, Compass International Pictures/Trancas Pictures. Universal City, CA: Compass/Trancas Pictures.〔『ハロウィン』 ジョイパックフィルム〕

Carpenter, John, dir. 1994. *In the Mouth of Madness*. DVD. Los Angeles, CA: New Line Productions.〔『マウス・オブ・マッドネス』 松竹富士〕

Carpenter, John. 2003. *Halloween Audio Commentary with Writer/Director John Carpenter*. Halloween 25th Anniversary Edition. Anchor Bay Entertainment. DVD.

Carroll, Joseph. 1995. *Evolution and Literary Theory*: Columbia: University of Missouri Press.

Carroll, Joseph. 2004. *Literary Darwinism: Evolution, Human Nature, and Literature*. New York: Routledge.

Carroll, Joseph. 2006. "The Human Revolution and the Adaptive Function of Literature." *Philosophy and Literature* 30 (1):33–49. doi: 10.1353/phl.2006.0005.

Carroll, Joseph. 2008. "Rejoinder to the Responses." *Style* 42 (2–3):308–370.

Carroll, Joseph. 2010. "Three Scenarios for Literary Darwinism." *New Literary History* 41 (1):53–67.

Carroll, Joseph. 2011. *Reading Human Nature: Literary Darwinism in Theory and Practice*. Albany: SUNY Press.

Carroll, Joseph. 2012a. "The Adaptive Function of the Arts: Alternative Evolutionary Hypotheses." In *Telling Stories: Literature and Evolution*, edited by Carsten Gansel and Dirk Vanderbeke, 50–63. Berlin: De Gruyter.

Carroll, Joseph. 2012b. "The Truth about Fiction: Biological Reality and Imaginary Lives." *Style* 46 (2):129–160.

Carroll, Joseph. 2013. "A Rationale for Evolutionary Studies of Literature." *Scientific Study of Literature* 3 (1):8–15. doi: 10.1075/ssol.3.1.03car.

Carroll, Joseph, Jonathan Gottschall, John A. Johnson, and Daniel J. Kruger. 2012. *Graphing Jane Austen: The Evolutionary Basis of Literary Meaning*. Basingstoke, UK: Palgrave Macmillan.

Carroll, Kathleen. 1968. "*Rosemary's Baby* Is Horribly Frightening." *New York Daily News*. Last modified 11 June 2015. http://www.nydailynews.com/entertainment/movies/rosemary-baby-shockingly-captivating-1968-review-article-1.2251841.

Carroll, Noël. 1990. *The Philosophy of Horror, or, Paradoxes of the Heart*. New York: Routledge.

Cherry, Brigid. 2009. *Horror*. New York: Routledge.

ChildFund Alliance. 2012. *Small Voices, Big Dreams 2012: A Global Survey of Children's Hopes, Aspirations, and Fears*. Edited by Heather Wiseman. Richmond, VA. Accessed 23 February, 2017. http://www.indiaenvironmentportal.org.in/files/file/Small-Voices-Big-Dreams-2012.pdf.

Choudhury, Suparna, Sarah-Jayne Blakemore, and Tony Charman. 2006. "Social Cognitive Development during Adolescence." *Social Cognitive and Affective Neuroscience* 1 (3):165–174. doi: 10.1093/scan/nsl024.

Clark, Bob. 1974, dir. *Black Christmas*. DVD. Canada: Film Funding International; Vision IV; Canadian Film Development Corporation; Famous Players.〔『暗闇にベルが鳴る』 日本ヘラルド〕

Clasen, Mathias. 2004. *Homo Timidus: Om Gys og Gru—Med Fokus på Danske Horrorforfattere*. Ruds-Vedby, Denmark: Tellerup.

Clasen, Mathias. 2007. "Darwin and Dracula: Evolutionary Literary Study and Supernatural Horror Fiction." MA diss., Department of English, Aarhus University.

Clasen, Mathias. 2009. "A Conversation with Peter Straub." *Cemetery Dance* (61):40–48.

Clasen, Mathias. 2010a. "The Anatomy of the Zombie: A Bio-Psychological Look at the Undead Other." *Otherness: Essays and Studies* 1 (1):1–23.

Clasen, Mathias. 2010b. "Vampire Apocalypse: A Biocultural Critique of Richard Matheson's *I Am Legend*." *Philosophy and Literature* 34 (2):313–328. doi: 10.1353/phl.2010.0005.

Clasen, Mathias. 2012a. "Attention, Predation, Counterintuition: Why Dracula Won't Die." *Style* 46 (3):378–398.

Clasen, Mathias. 2012b. "'Can't Sleep, Clowns Will Eat Me': Telling Scary

Stories." In *Telling Stories: Literature and Evolution*, edited by Carsten Gansel and Dirk Vanderbeke, 338–360. Berlin: Walter de Gruyter.

Clasen, Mathias. 2012c. "Monsters and Horror Stories: A Biocultural Approach." PhD diss., Department of Aesthetics and Communication, Faculty of Arts, Aarhus University.

Clasen, Mathias. 2012d. "Monsters Evolve: A Biocultural Approach to Horror Stories." *Review of General Psychology* 16 (2):222–229. doi: 10.1037/a0027918.

Clasen, Mathias. 2012e. *Monstre*. Aarhus, Denmark: Aarhus University Press.

Clasen, Mathias. 2014. "Evil Monsters in Horror Fiction: An Evolutionary Perspective on Form and Function." In *A History of Evil in Popular Culture: What Hannibal Lecter, Stephen King, and Vampires Reveal about America*, edited by Sharon Packer and Jody Pennington, 39–47. Santa Barbara, CA: Praeger.

Clasen, Mathias. 2016. "Terrifying Monsters, Malevolent Ghosts, and Evolved Danger-Management Architecture: A Consilient Approach to Horror Fiction." In *Darwin's Bridge: Uniting the Humanities and Sciences*, edited by Joseph Carroll, Dan P. McAdams and E. O. Wilson, 183–193. New York: Oxford University Press.

Clasen, Mathias. 2017. "The Evolution of Horror: A Neo-Lovecraftian Poetics." In *The Call of Cosmic Panic: New Essays on Supernatural Horror in Literature*, edited by Sean Moreland. Forthcoming.

Clasen, Mathias, and Jens Kjeldgaard-Christiansen. 2016. "A Consilient Approach to Horror Video Games: Challenges and Opportunities." *Academic Quarter* 13: 127–142.

Clasen, Mathias, and Todd K. Platts. In press. "Evolution and Slasher Films." In *Don't We All Like It? Popular Literature and Culture under an Evolutionary Lens*, edited by Dirk Vanderbeke and Brett Cooke.

Clover, Carol J. 1992. *Men, Women, and Chainsaws: Gender in the Modern Horror Film*. Princeton, NJ: Princeton University Press.

Cochran, Gregory, and Henry Harpending. 2009. *The 10,000 Year Explosion: How Civilization Accelerated Human Evolution*. New York: Basic Books.

Cohen, Allan. 1990. "The Collapse of Family and Language in Stephen King's *The Shining*." In *The Shining Reader*, edited by Tony Magistrale, 47–60. Mercer Island, WA: Starmont House.

Conroy-Beam, Daniel, David M. Buss, Michael N. Pham, and Todd K. Shackelford. 2015. "How Sexually Dimorphic Are Human Mate Preferences?" *Personality and Social Psychology Bulletin* 41 (8):1082–1093. doi: 10.1177/0146167215590987.

Cooke, Brett. 1999. "On the Evolution of Interest: Cases in Serpent Art." In *Evolution of the Psyche*, edited by David H. Rosen and Michael C. Luebbert, 150–168. Westport, CT: Praeger.

Coplan, Amy. 2006. "Catching Characters' Emotions: Emotional Contagion Responses to Narrative Fiction Film." *Film Studies* 8 (1):26–38. doi: 10.7227/FS.8.5.

Cosmides, Leda, and John Tooby. 1997. "Evolutionary Psychology: A Primer." Last modified January 13, 1997. http://www.cep.ucsb.edu/primer.html.

Craven, Wes, dir. 1972. *The Last House on the Left*. DVD. Sean S. Cunningham Films. Universal City, CA: Universal Studios Home Entertainment.〔『鮮血の美学』 日本ヘラルド映画〕

Craven, Wes, dir. 1984. *A Nightmare on Elm Street*. DVD. The Elm Street Venture, Media Home Entertainment, Smart Egg Pictures. Los Angeles, CA: New Line Cinema.〔『エルム街の悪夢』 日本ヘラルド映画、アルテシネラン〕

Craven, Wes, dir. 1996. *Scream*. DVD. Woods Entertainment. New York: Dimension Films, The Weinstein Company.〔『スクリーム』 アスミック・エース〕

Crawford, Dean. 2008. *Shark*. London: Reaktion.

Creed, Barbara. 1996. "Horror and the Monstrous-Feminine." In *The Dread of Difference: Gender and the Horror Film*, edited by Barry K. Grant, 35–65. Austin: University of Texas Press.

Crichton, Michael. 1990. *Jurassic Park: A Novel*. New York: Knopf.〔『ジュラシック・パーク』 酒井昭伸訳、早川書房刊〕

Cunningham, Sean S, dir. 1980. *Friday the 13th*. DVD. Georgetown Productions. Hollywood, CA: Paramount Pictures.〔『13 日の金曜日』 ワーナー・ブラザーズ〕

Curtis, Valerie, and Adam Biran. 2001. "Dirt, Disgust, and Disease. Is Hygiene in Our Genes?" *Perspectives in Biological Medicine* 44 (1):17–31. doi: 10.1353/pbm.2001.0001.

Curtis, Val, Robert Aunger, and Tamer Rabie. 2004. "Evidence that Disgust

Evolved to Protect from Risk of Disease." *Proceedings of the Royal Society of London B: Biological Sciences* 271 (Suppl 4):S131-S133. doi: 10.1098/rsbl.2003.0144.

Daly, Martin, and Margo Wilson. 1990. "Is Parent-Offspring Conflict Sex-Linked? Freudian and Darwinian Models." *Journal of Personality* 58 (1):163–189. doi: 10.1111/j.1467-6494.1990.tb00912.x.

D'Ammassa, Don. 2006. "Introduction." In *Encyclopedia of Fantasy and Science Fiction*, edited by Don D'Ammassa, v–viii. New York: Facts on File, Inc.

Darabont, Frank, dir. 2010–. *The Walking Dead*. AMC. New York: AMC Studios.

Darwin, Charles. 1998 [1872]. *The Expression of the Emotions in Man and Animals*. 3rd ed. New York: Oxford University Press.

Darwin, Charles. 2003 [1859]. *On the Origin of Species by Means of Natural Selection*. Peterborough, Ont.: Broadview Press.〔『人及び動物の表情について』浜中浜太郎訳、岩波書店刊〕

Davenport, Stephen. 2000. "From Big Sticks to Talking Sticks: Family, Work, and Masculinity in Stephen King's *The Shining*." *Men and Masculinities* 2 (3):308–329. doi: 10.1177/1097184x00002003004.

De Backer, Charlotte J. S. 2012. "Blinded by the Starlight: An Evolutionary Framework for Studying Celebrity Culture and Fandom." *Review of General Psychology* 16 (2):144–151. doi: 10.1037/a0027909.

De Gelder, Beatrice, Josh Snyder, Doug Greve, George Gerard, and Nouchine Hadjikhani. 2004. "Fear Fosters Flight: A Mechanism for Fear Contagion when Perceiving Emotion Expressed by a Whole Body." *Proceedings of the National Academy of Sciences of the United States of America* 101 (47):16701–16706. doi: 10.1073/pnas.0407042101.

Demme, Jonathan, dir. 1990. *The Silence of the Lambs*. DVD. Strong Heart/Demme. Los Angeles, CA: Orion Pictures.〔『羊たちの沈黙』ワーナー・ブラザース〕

De Palma, Brian, dir. 1976. *Carrie*. DVD. Red Bank Films. Culver City, CA: United Artists and MGM Home Entertainment.〔『キャリー』ユナイト映画〕

Dibble, Jayson L., and Sarah F. Rosaen. 2011. "Parasocial Interaction as More than Friendship: Evidence for Parasocial Interactions with Disliked Media Figures." *Journal of Media Psychology: Theories, Methods, and*

Applications 23 (3):122–132. doi: 10.1027/1864-1105/a000044.

Dickens, Charles. 2003 [1854]. *Hard Times for These Times*. Edited by Kate Flint. London: Penguin.

Dickerson, Mary Jane. 1990. "The 'Masked Author Strikes Again': Writing and Dying in Stephen King's *The Shining*." In *The Shining Reader*, edited by Tony Magistrale, 33–46. Mercer Island, WA: Starmont House.

Dika, Vera. 1987. "The Stalker Film, 1978–1981." In *American Horrors: Essays on the Modern American Horror Film*, edited by Gregory A. Waller, 86–101. Chicago: University of Illinois Press.

Dika, Vera. 1990. *Games of Terror:* Halloween, Friday the 13th, *and the Films of the Stalker Cycle*. Rutherford, NJ: Fairleigh Dickinson University Press.

Dillard, R. H. W. 1987 [1973]. "*Night of the Living Dead*: It's Not Like Just a Wind That's Passing Through." In *American Horrors: Essays on the Modern American Horror Film*, edited by Gregory A. Waller, 14–29. Urbana: University of Illinois Press.

Docherty, Brian, ed. 1990. *American Horror Fiction: From Brockden Brown to Stephen King*. New York: St. Martin's.

Dozier, Rush W. 1998. *Fear Itself: The Origin and Nature of the Powerful Emotion that Shapes Our Lives and Our World*. New York: St. Martin's Press.

Dumas, Chris. 2014. "Horror and Psychoanalysis: A Primer." In *A Companion to the Horror Film*, edited by Harry M. Benshoff, 22–37. Malden, MA: John Wiley & Sons.

Dunbar, Robin I., and Susanne Shultz. 2007. "Evolution in the Social Brain." *Science* 317 (5843):1344–1347. doi: 10.1126/science.1145463.

Duntley, Joshua D. 2005. "Adaptations to Dangers from Other Humans." In *The Handbook of Evolutionary Psychology, Vol. 1: Foundations*, edited by David M. Buss, 224–249. New York: Wiley.

Dutton, Denis. 2009. *The Art Instinct: Beauty, Pleasure, and Human Evolution*. New York: Bloomsbury.

Dymond, Erica Joan. 2015. "Objectivity and the Overlook: Examining the Use of Multiple Narratives in Stephen King's *The Shining*." *The Explicator* 73 (2):124–128. doi: 10.1080/00144940.2015.1030585.

Ebert, Roger. 1969. "*Night of the Living Dead*." 5 January 1969. Accessed 27 April.2015. http://www.rogerebert.com/reviews/the-night-of-the-living-dead-

1968.

Ebert, Roger. 1981. “Why Movie Audiences Aren't Safe Any More.” *American Film* 6 (5):54–56.

Ebert, Roger. 1999. “The Blair Witch Project.” Accessed 16 May 2016. http://www.rogerebert.com/reviews/the-blair-witch-project-1999.

Ekman, Paul. 2005. “Basic Emotions.” In *Handbook of Cognition and Emotion*, edited by Tim Dalgleish and Mick J. Power, 45–60. John Wiley & Sons.

Erwin, Edward. 1996. *A Final Accounting: Philosophical and Empirical Issues in Freudian Psychology*. Cambridge, MA: MIT Press.

Fahs, Travis. 2009. “IGN Presents the History of Survival Horror.” IGN.com. http://www.ign.com/articles/2009/10/30/ign-presents-the-history-of-survival-horror.

Feinstein, Justin S., Ralph Adolphs, Antonio Damasio, and Daniel Tranel. 2011. “The Human Amygdala and the Induction and Experience of Fear.” *Current Biology* 21 (1):34–38. doi: 10.1016/j.cub.2010.11.042.

Ferreira, Patricia. 1990. “Jack's Nightmare at the Overlook: The American Dream Inverted.” In *The Shining Reader*, edited by Tony Magistrale, 23–32. Mercer Island, WA: Starmont House.

Finney, Jack. 1999 [1955]. *Invasion of the Body Snatchers*. London: Prion.〔『盗まれた街』福島正実訳、早川書房刊〕

Fox, Jess, Dylan Arena, and Jeremy N. Bailenson. 2009. “Virtual Reality: A Survival Guide for the Social Scientist.” *Journal of Media Psychology* 21 (3):95–113. doi: 10.1027/1864-1105.21.3.95.

Freeland, Cynthia A. 2004. “Horror and Art-Dread.” In *The Horror Film*, edited by Stephen Prince, 189–205. New Brunswick, NJ: Rutgers University Press.

Freud, Sigmund. 2003 [1919]. *The Uncanny*. Translated by David McLintock. New York: Penguin.

Friedkin, William, dir. 1973. *The Exorcist*. DVD. Hoya Productions. Burbank, CA: Warner Bros.〔『エクソシスト』ワーナー・ブラザース〕

Gazzaniga, Michael S. 2008. *Human: The Science behind What Makes Us Unique*. New York: Ecco.

Germouty, Nicolas, creator. 2015. *Death Simulator: Halloween*. VR Oculus Rift. *Wearvr*. https://www.wearvr.com/apps/death-simulator-halloween

Gill, Pat. 2002. “The Monstrous Years: Teens, Slasher Films, and the Family.”

Journal of Film and Video 54 (4):16–30.

Gilmore, David D. 2003. *Monsters: Evil Beings, Mythical Beasts, and All Manner of Imaginary Terrors*. Philadelphia: University of Pennsylvania Press.

Goddard, Drew. 2012. *The Cabin in the Woods*. DVD. Mutant Enemy. Culver City, CA: United Artists, Metro-Goldwyn-Mayer〔『キャビン』クロックワークス〕

Gottlieb, Carl. 2005. *The* Jaws *Log*. 30th anniversary ed. New York: Newmarket.

Gottschall, Jonathan. 2010 [2008]. "Literature, Science, and a New Humanities." In *Evolution, Literature, and Film: A Reader*, edited by Brian Boyd, Joseph Carroll, and Jonathan Gottschall, 457–468. New York: Columbia University Press.

Gottschall, Jonathan. 2012. *The Storytelling Animal: How Stories Make Us Human*. Boston: Houghton Mifflin Harcourt.

Gottschall, Jonathan, and David Sloan Wilson, eds. 2005. *The Literary Animal: Evolution and the Nature of Narrative*. Evanston, IL: Northwestern University Press.

Grant, Barry Keith, ed. 1996. *The Dread of Difference: Gender and the Horror Film*. Austin: University of Texas Press.

Gregersen, Andreas. 2014. "Cognitive Theory and Video Games." In *Cognitive Media Theory*, edited by Paul Taberham and Ted Nanicelli, 253–267. New York: Routledge.

Grillon, Christian, and Michael Davis. 1997. "Fear-Potentiated Startle Conditioning in Humans: Explicit and Contextual Cue Conditioning following Paired versus Unpaired Training." *Psychophysiology* 34 (4):451–458. doi: 10.1111/j.1469-8986.1997.tb02389.x

Grip, Thomas. 2010. "How the Player Becomes the Protagonist." *In the Games of Madness*, 22 November 2010. Accessed 10 September 2016. http://frictionalgames.blogspot.com/2010/11/how-player-becomes-protagonist.html.

Grip, Thomas, and Jens Nilsson, creators. 2010. *Amnesia: The Dark Descent*. Videogame. Frictional Games. Helsinborg, Sweden.

Grodal, Torben Kragh. 2009. *Embodied Visions: Evolution, Emotion, Culture, and Film*. New York: Oxford University Press.

Gross, James J., and Robert W. Levenson. 1995. "Emotion Elicitation Using

Films." *Cognition and Emotion* 9 (1):87–108. doi: 10.1080/02699939508408966.

Gurven, Michael. 2012. "Human Survival and Life History in Evolutionary Perspective." In *The Evolution of Primate Societies*, edited by John C. Mitani, Josep Call, Peter M. Kappeler, Ryne A. Palombit, and Joan B. Silk, 293–314. Chicago: The University of Chicago Press.

Hadley, Mark J. 2012. *Slender: The Eight Pages*. Videogame. USA: Parsec Productions.

Hajdu, David. 2008. *The Ten-Cent Plague: The Great Comic-Book Scare and How It Changed America*. New York: Farrar, Straus and Giroux.

Hand, Richard J. 2006. *Terror on the Air! Horror Radio in America, 1931–1952*. Jefferson, NC: McFarland.

Hantke, Steffen. 2016. "The Rise of Popular Horror, 1971–2000." In *Horror: A Literary History*, edited by Xavier Aldana Reyes, 159–187. London: The British Library.

Harris, Thomas. 1988. *The Silence of the Lambs*. New York: St. Martin's Press.

Harrison, Kristen, and Joanne Cantor. 1999. "Tales from the Screen: Enduring Fright Reactions to Scary Media." *Media Psychology* 1 (2):97–116. doi: 10.1207/s1532785xmep0102_1.

Hart, Donna, and Robert W. Sussman. 2009. *Man the Hunted: Primates, Predators, and Human Evolution*. Expanded ed. Boulder, CO: Westview.

Hartz, Glenn A. 1999. "How We Can Be Moved by Anna Karenina, Green Slime, and a Red Pony." *Philosophy* 74 (4):557–578.

Hawthorne, Nathaniel. 1982 [1851]. *The House of the Seven Gables*. Edited by Milton Stern. New York: Penguin.〔『七破風の屋敷』鈴木武雄訳、泰文堂刊〕

Hayward, Philip, ed. 2009. *Terror Tracks: Music, Sound and Horror Cinema*. London: Equinox.

Heller, Chris. 2015. "A Brief History of the Haunted House." *Smithsonian.com*. Accessed 10 September 2016. http://www.smithsonianmag.com/history/history-haunted-house-180957008/?no-ist.

Heller-Nicholas, Alexandra. 2014. *Found Footage Horror Films: Fear and the Appearance of Reality*. Jefferson, NC: McFarland.

Herron, Don. 1982. "Horror Springs in the Fiction of Stephen King." In *Fear Itself: The Horror Fiction of Stephen King (1976–1982)*, edited by Tim

Underwood and Chuck Miller, 57–82. London: Pan.

Higashi, Sumiko. 1990. "*Night of the Living Dead*: A Horror Film about the Horrors of the Vietnam Era." In *From Hanoi to Hollywood: The Vietnam War in American Film*, edited by Linda Dittmar and Gene Michaud, 175–188. New Brunswick, NJ: Rutgers University Press.

Higley, Sarah L. 2004. "'People Just Want to *See* Something': Art, Death, and Document in *Blair Witch, The Last Broadcast*, and *Paradise Lost*." In *Nothing That Is: Millennial Cinema and the Blair Witch Controversies*, edited by Sarah L. Higley and Jeffrey Andrew Weinstock, 87–110. Chicago: Wayne State University Press

Higley, Sarah L., and Jeffrey Andrew Weinstock, eds. 2004. *Nothing That Is: Millennial Cinema and the Blair Witch Controversies*. Chicago: Wayne State University Press.

Hill, Joe. 2014. "Peering into the Darkness." *New York Times*. October 30. Accessed 10 March 2015. http://opinionator.blogs.nytimes.com/2014/10/30/peering-into-the-darkness/.

Hitchcock, Alfred, dir. 1960. *Psycho*. DVD. Shamley Productions. Hollywood, CA: Paramount Pictures.〔『サイコ』 パラマウント映画〕

Hoekstra, Steven J., Richard Jackson Harris, and Angela L. Helmick. 1999. "Autobiographical Memories About the Experience of Seeing Frightening Movies in Childhood." *Media Psychology* 1 (2):117–140. doi: 10.1207/s1532785xmep0102_2.

Hoffner, Cynthia A., and Kenneth J. Levine. 2005. "Enjoyment of Mediated Fright and Violence: A Meta-Analysis." *Media Psychology* 7 (2):207–237. doi: 10.1207/S1532785XMEP0702_5.

Hogle, Jerrold E. 2006. "Theorizing the Gothic." In *Teaching the Gothic*, edited by Anna Powell and Andrew Smith, 29–47. Basingstoke, UK: Palgrave McMillan.

Hogle, Jerrold E., and Andrew Smith. 2009. "Revisiting the Gothic and Theory: An Introduction." *Gothic Studies* 11 (1):1–8. doi: 10.7227/GS.11.1.2.

Hooper, Tobe, dir. 1974. *The Texas Chain saw Massacre*. DVD. USA: Vortex.〔『悪魔のいけにえ』 日本ヘラルド映画〕

Hooper, Tobe, dir. 1982. *Poltergeist*. DVD. SLM Entertainment. Culver City, CA: Metro-Goldwyn-Mayer.〔『ポルターガイスト』20 世紀フォックス〕

Hopkins, Stephen, dir. 1996. *The Ghost and the Darkness*. DVD. Constellation

Films, Douglas-Reuther Productions. Hollywood, CA: Paramount Pictures.〔『ゴースト&ダークネス』UIP〕

Hoppenstand, Gary, and Ray B. Browne. 1987. *The Gothic World of Stephen King: Landscape of Nightmares*. Bowling Green, OH: Bowling Green State University Popular Press.

Hough, Andrew. 2012. "Stephen King Announces Sequel to The Shining after 36 Years of Suspense." *The Telegraph*. Accessed 5 June 2015. http://www.telegraph.co.uk/culture/books/booknews/9554162/
Stephen-King-announces-sequel-to-The-Shining-after-36-years-of-suspense.html.

Hughes, William. 2006. "Gothic Criticism: A Survey, 1764–2004." In *Teaching the Gothic*, edited by Anna Powell and Andrew Smith, 10–28. Basingstoke, UK: Palgrave McMillan.

Humphrey, David. 2014. "Gender and Sexuality Haunts the Horror Film." In *A Companion to the Horror Film*, edited by Harry M. Benshoff, 38–55. Malden, MA: John Wiley & Sons, Inc.

Huron, David, Daryl Kinney, and Kristin Precoda. 2006. "Influence of Pitch Height on the Perception of Submissiveness and Threat in Musical Passages." *Empirical Musicology Review* 1 (3):170–177.

Hutchings, Peter. 2004. *The Horror Film*. Harlow, UK: Pearson Longman.

Irving, Washington. 1996 [1820]. "The Legend of Sleepy Hollow." In *The Sketch-Book of Geoffrey Crayon, Gent.*, edited by Susan Manning, 291–318. Oxford: Oxford University Press.

Jabbi, Mbemba, Jojanneke Bastiaansen, and Christian Keysers. 2008. "A Common Anterior Insula Representation of Disgust Observation, Experience and Imagination Shows Divergent Functional Connectivity Pathways." *PLoS ONE* 3 (8):e2939. doi: 10.1371/journal.pone.0002939.

Jackson, Rosemary. 1981. *Fantasy, the Literature of Subversion*. London: Methuen.

Jackson, Shirley. 2006 [1959]. *The Haunting of Hill House*. New York: Penguin.〔『丘の屋敷』渡辺庸子訳、東京創元社刊〕

James, Henry. 1969 [1898]. *The Turn of the Screw, and Other Stories*. Harmondsworth, UK: Penguin.

Jancovich, Mark. 1994. *American Horror from 1951 to the Present*. BAAS pamphlet/British Association for American Studies. Staffordshire, UK:

Keele University Press.

Jancovich, Mark. 1996. *Rational Fears: American Horror in the 1950s*. Manchester: Manchester University Press.

Jensen, Arnt, creator. 2010. *LIMBO*. Videogame. Playdead. Copenhagen, Denmark.

Johansen, Kristine E. R. 2013. "Horror and Personality: A Bio-Cultural Approach to Horror Fiction and an Empirical Investigation of the Personality Profile of Horror Fans." MA diss., Department of English, Aarhus University.

Jones, Stephen. 1997. *Clive Barker's A-Z of Horror*. London: BBC Books.

Jones, Steve. 2013. *Torture Porn: Popular Horror after "Saw."* Basingstoke, UK: Palgrave Macmillan.

Joshi, S. T., ed. 2007. *American Supernatural Tales*. New York: Penguin.

Katz, Richard. 1999. "'Blair' Fare a Big Hit on the Web." *Variety*. Accessed 10 September 2016. http://variety.com/1999/digital/news/blair-fare-a-big-hit-on-web-1117750209/.

Kaufman, Kevin. 2004. *The 100 Scariest Movie Moments*. DVD. Kaufman Films. New York: Bravo.

Keller, James. 2004. "'Nothing That Is Not There and the Nothing That Is': Language and the Blair Witch Phenomenon." In *Nothing That Is: Millennial Cinema and the Blair Witch Controversies*, edited by Sarah L. Higley and Jeffrey Andrew Weinstock, 53–64. Chicago: Wayne State University Press

Kendrick, Walter M. 1991. *The Thrill of Fear: 250 Years of Scary Entertainment*. New York: Grove Weidenfeld.

Kendrick, James. 2014. "Slasher Films and Gore in the 1980s." In *A Companion to the Horror Film*, edited by Harry M. Benshoff, 310–328. Malden, MA: John Wiley & Sons.

Kenrick, Douglas T. 2013. *Sex, Murder, and the Meaning of Life: A Psychologist Investigates How Evolution, Cognition, and Complexity Are Revolutionizing Our View of Human Nature*. New York: Basic Books.

Kermode, Mark. 2003. *The Exorcist*. Rev. 2nd ed. London: BFI Publishing.

Kerr, Margee. 2015. *Scream: Chilling Adventures in the Science of Fear*. New York: PublicAffairs.

Khader, Jamil. 2013. "Will the Real Robert Neville Please, Come Out?

Vampirism, the Ethics of Queer Monstrosity, and Capitalism in Richard Matheson's *I Am Legend*." *Journal of Homosexuality* 60 (4):532–557. doi: 10.1080/00918369.2013.735934.

Khan, Ali S. 2011. "Preparedness 101: Zombie Apocalypse." *Public Health Matters Blog*, May 16. http://blogs.cdc.gov/publichealthmatters/2011/05/preparedness-101-zombie-apocalypse/.

King, Stephen. 1978. "Foreword." In *Night Shift*, 5–19. London: Hodder and Stoughton.〔『深夜勤務 ナイトシフト1』高畠文夫訳、扶桑社刊〕

King, Stephen. 1980 [1978]. *The Stand*. London: New English Library.〔『ザ・スタンド』深町眞理子訳、早川書房刊〕

King, Stephen. 1981. *It*. New York: New American Library.〔『It』小尾芙佐訳、文藝春秋刊〕

King, Stephen. 1983. *Christine*. London: New English Library.〔『クリスティーン』深町眞理子訳、新潮社刊〕

King, Stephen. 1983a [1981]. *Danse Macabre*. New York: Berkeley Books.〔『死の舞踏：ホラー・キングの恐怖読本』安野玲訳、筑摩書房刊〕

King, Stephen. 1983b. *Pet Sematary*. Garden City, NY: Doubleday.〔『ペット・セマタリー』深町眞理子訳、文藝春秋刊〕

King, Stephen. 1986. "The Raft." In *Skeleton Crew*. By Stephen King, 278–306. New York: New American Library.〔「浮き台」田村源二訳、『スケルトン・クルー3 ミルクマン』扶桑社刊〕

King, Stephen. 1992. *Needful Things*. New York: New American Library.〔『ニードフル・シングス』芝山幹郎訳、文藝春秋刊〕

King, Stephen. 1999 [1974]. *Carrie*. New York: Pocket Books.〔『キャリー』永井淳訳、新潮社刊〕

King, Stephen. 2011 [1977]. *The Shining*. London: Hodder & Stoughton.〔『シャイニング』深町眞理子訳、文藝春秋刊〕

King, Stephen. 2011. "Afterword." In *Full Dark, No Stars*. By Stephen King, 365–368. New York: Gallery Books.〔『ビッグ・ドライバー』高橋恭美子、風間賢二訳、文藝春秋刊〕

Kirkman, Robert, and Tony Moore. 2003–. *The Walking Dead*. Berkeley, CA: Image Comics.

Kjeldgaard-Christiansen, Jens. 2016. "Evil Origins: A Darwinian Genealogy of the Popcultural Villain." *Evolutionary Behavioral Sciences* 10 (2):109–122. doi: 10.1037/ebs0000057.

Klein, Joshua. 1999. "The Blair Witch Project." *A. V. Club*. Accessed 3 February 2016. http://www.avclub.com/article/the-blair-witch-project- 13607.

Kosofsky Sedgwick, Eve. 1982. Review of *The Literature of Terror: A History of Gothic Fictions from 1765 to the Present Day*. *Studies in Romanticism* 21 (2):243–253.

Kripke, Eric, creator. 2005–. *Supernatural*. CW Channel. Burbank, CA: Warner Bros. Television Distribution.

Kruuk, H. 2002. *Hunter and Hunted: Relationships between Carnivores and People*. New York: Cambridge University Press.

Krzywinska, Tanya. 2002. "Hands-On Horror." In *ScreenPlay: Cinema/Videogames/Interfaces*, edited by Geoff King and Tanya Krzywinska, 206–223. London: Wallflower.

Kubrick, Stanley, dir. 1980. *The Shining*. DVD. The Producer Circle Company, Hawk Films, Peregrine Productions. Burbank. CA: Warner Bros.〔『シャイニング』ワーナー・ブラザース〕

Laland, Kevin N., and Gillian Brown. 2011. *Sense and Nonsense: Evolutionary Perspectives on Human Behaviour*. 2nd ed. New York: Oxford University Press.

Landay, Lori. 2014. "Interactivity." In *The Routledge Companion to Video Game Studies*, edited by Mark J. P. Wolf and Bernard Perron, 173–184. New York: Routledge.

Langan, John. 2008. "A Devil for the Day: William Peter Blatty, Ira Levin, and the Revision of the Satanic." In *American Exorcist: Critical Essays on William Peter Blatty*, edited by Benjamin Szumskyj, 45–70. Jefferson, NC: McFarland.

Lawrence, Francis, dir. 2007. *I Am Legend*. DVD. Burbank, CA: Warner Bros. Pictures.〔『アイ・アム・レジェンド』ワーナー・ブラザース〕

LeDoux, Joseph E. 1996. *The Emotional Brain: The Mysterious Underpinnings of Emotional Life*. New York: Simon & Schuster.

Levin, Ira. 1997 [1967]. *Rosemary's Baby*. New York: Penguin〔『ローズマリーの赤ちゃん』高橋泰邦訳、早川書房刊〕

Levin, Ira. 1997b. *Son of Rosemary*. New York: Dutton.〔『ローズマリーの息子』黒原敏行訳、早川書房刊〕

Levin, Ira. 2002 [1972]. *The Stepford Wives*. New York: Perennial.〔『ステップフォードの妻たち』平尾圭吾訳、早川書房刊〕

Levin, Ira. 2012. "Stuck with Satan." The Criterion Collection. Accessed 26 June 2015. http://www.criterion.com/current/posts/2541-stuck-with-satan-ira-levin-on-the-origins-of-rosemary-s-baby.

Lewis, C. S. 2001 [1940]. *The Problem of Pain*. San Francisco: Harper San Francisco.〔『痛みの問題』 中村妙子訳、新教出版社刊〕

Lilja, Hans-Åke. 2015. "International King." *Lilja's Library*. Accessed 2 June 2015. http://www.liljas-library.com/internationalking.php

Lima, Robert. 1974. "The Satanic Rape of Catholicism in *Rosemary's Baby*." *Studies in American Fiction* 2 (2):211–222.

Lloyd Smith, Allan. 2004. *American Gothic Fiction: An Introduction*. New York: Continuum.

LoBue, Vanessa, and Judy S. DeLoache. 2008. "Detecting the Snake in the Grass: Attention to Fear-Relevant Stimuli by Adults and Young Children." *Psychological Science* 19 (3):284–289. doi: 10.1111/j.1467-9280.2008.02081.x.

Loewenstein, Adam. 2005. *Shocking Representation: Historical Trauma, National Cinema, and the Modern Horror Film*. New York: Columbia University Press.

Lovecraft, H. P. 1973. *Supernatural Horror in Literature*. New York: Dover.〔『文学における超自然の恐怖』〕大瀧啓裕訳、学研刊〕

Luckhurst, Roger. 2005. "Introduction." In *Late Victorian Gothic Tales*, edited by Roger Luckhurst, ix-xxxi. New York: Oxford University Press.

Lynch, Teresa, and Nicole Martins. 2015. "Nothing to Fear? An Analysis of College Students' Fear Experiences With Video Games." *Journal of Broadcasting & Electronic Media* 59 (2):298–317. doi: 10.1080/08838151.2015.1029128.

Macmillan, Malcolm. 1997. *Freud Evaluated: The Completed Arc*. Cambridge, MA: MIT Press.

Madary, Michael, and Thomas K. Metzinger. 2016. "Real Virtuality: A Code of Ethical Conduct. Recommendations for Good Scientific Practice and the Consumers of VR-Technology." *Frontiers in Robotics and AI*. doi: 10.3389/frobt.2016.00003. http://journal.frontiersin.org/article/10.3389/frobt.2016.00003/full

Maddrey, Joseph. 2004. *Nightmares in Red, White, and Blue: The Evolution of the American Horror Film*. Jefferson, NC: McFarland.

Magistrale, Tony. 1990. "Shakespeare in 58 Chapters: *The Shining* as Classical Tragedy." In *The Shining Reader*, edited by Tony Magistrale, 155–168. Mercer Island, WA: Starmont House.

Magistrale, Tony. 2010. *Stephen King: America's Storyteller*. Santa Barbara, CA: Praeger.

Magistrale, Tony. 2013. "Why Stephen King Still Matters." In *A Companion to American Gothic*, edited by Charles L. Crow, 353–365. John Wiley & Sons.

Manchel, Frank. 1995. "What About Jack? Another Perspective on Family Relationships in Stanley Kubrick's *The Shining*." *Literature/Film Quarterly* 23 (1):68–78.

Mar, Raymond A., and Keith Oatley. 2008. "The Function of Fiction is the Abstraction and Simulation of Social Experience." *Perspectives on Psychological Science* 3 (3):173–192. doi: 10.1111/j.1745-6924.2008.00073.x.

Marks, Isaac M. 1987. *Fears, Phobias, and Rituals: Panic, Anxiety, and Their Disorders*. New York: Oxford University Press.

Marks, Isaac M., and Randolph M. Nesse. 1994. "Fear and Fitness: An Evolutionary Analysis of Anxiety Disorders." *Ethology and Sociobiology* 15 (5–6):247–261. doi: 10.1016/0162-3095(94)90002-7.

Maurer, Adah. 1965. "What Children Fear." *The Journal of Genetic Psychology* 106 (2):265–277.

Matheson, Richard. 2006 [1954]. *I Am Legend*. London: Gollancz. 〔『アイ・アム・レジェンド』尾之上浩司訳、早川書房刊〕

McCauley, Kirby, ed. 1980. *Dark Forces: New Stories of Suspense and Supernatural Horror*. New York: Viking.

McConnell, Mariana. 2008. "Interview: George A. Romero on *Diary of the Dead*." *CinemaBlend*. Accessed 27 April 2015. http://www.cinemablend.com/new/Interview-George-A-Romero-On-Diary-Of-The-Dead-7818.html.

McElhaney, Joe. 2007. "Urban Irrational: *Rosemary's Baby*, Polanski, New York." In *City That Never Sleeps: New York and the Filmic Imagination*, edited by Murray Pomerance, 201–213. New Brunswick, NJ: Rutgers University Press.

McKendry, Bekah. 2013. "The History of Haunted Houses." *America Haunts*.

http://www.americahaunts.com/ah/2014/03/t he-history-of-haunted-houses/.

Meehan, Michael, Sharif Razzaque, Brent Insko, Mary Whitton, and Frederick P. Brooks. 2005. "Review of Four Studies on the Use of Physiological Reaction as a Measure of Presence in Stressful Virtual Environments." *Applied Psychophysiology and Biofeedback* 30 (3):239–258. doi: 10.1007/s10484-005-6381-3.

Mellmann, Katja. 2002. "E-Motion: Being Moved by Fiction and Media? Notes on Fictional Worlds, Virtual Contacts and the Reality of Emotions." *PsyArt: An Online Journal for the Psychological Study of the Arts*. http://psyartjournal.com/article/show/mellmann-e_motion_being_moved_by_fiction_and_medi. Accessed 4 January 2017.

Mendez, Mike, dir. 2013. *Big Ass Spider!* DVD. Epic Pictures Group. Hollywood, CA: Epic Pictures Releasing.〔『MEGA SPIDER メガ・スパイダー』インターフィルム、アメイジング D.C.〕

Meyer, Stephenie. 2005. *Twilight*. New York: Atom.

Meyer, Stephenie. 2006. *New Moon*. New York: Atom.

Meyer, Stephenie. 2007. *Eclipse*. New York: Atom.

Meyer, Stephenie. 2008. *Breaking Dawn*. New York: Atom.

Mikami, Shinji, creator. 1996. *Resident Evil*. Videogame. Capcom. Tokyo: Japan.〔『バイオハザード』カプコン〕

Miner, Steve, dir. 1999. *Lake Placid*. DVD. Phoenix Pictures, Rocking Chair. Los Angeles, CA: Fox 2000 Pictures.〔『U.M.A. レイク・プラシッド』東宝東和〕

Mitchell, David Robert, dir. 2014. *It Follows*. DVD. RADiUS-TWC. New York: Northern Lights Films, Animal Kingdom, Two Flints.〔『イット・フォローズ』ポニーキャニオン〕

Miyazaki, Hidetaka, creator. 2015. *Bloodborne*. Videogame. FromSoftware. San Mateo, CA: Sony Computer Entertainment.

Morton, Lisa. 2012. *Trick or Treat: A History of Halloween*. London: Reaktion.

Murphy, Bernice M. 2009. *The Suburban Gothic in American Popular Culture*. New York: Palgrave Macmillan.

Murphy, Ryan, and Brad Falchuk, creators. 2011–. *American Horror Story*. FX. Los Angeles, CA: 20th Century Fox Television.

Mustazza, Leonard. 1990. "The Red Death's Sway: Setting and Character in

Poe's 'The Masque of the Red Death' and King's *The Shining*." In *The Shining Reader*, edited by Tony Magistrale, 105–120. Mercer Island, WA: Starmont House.

Myrick, Daniel, and Eduardo Sánchez, dirs. 1999. *Curse of the Blair Witch*. Haxan Films, New York: SyFy.

Nakata, Hideo, dir. 1998. *Ringu*. DVD. Omega Project. Japan: Toho. 〔『リング』東宝〕

National Safety Council. 2011. *Injury Facts 2011 Edition*. Itasca, IL: National Safety Council.

Ndalianis, Angela. 2012. *The Horror Sensorium: Media and the Senses*. Jefferson, NC: McFarland.

New, Joshua, Leda Cosmides, and John Tooby. 2007. "Category-Specific Attention for Animals Reflects Ancestral Priorities, Not Expertise." *Proceedings of the National Academy of Sciences* 104 (42):16598–16603. doi: 10.1073/pnas.0703913104.

New, Joshua, and Tamsin C. German. 2015. "Spiders at the Cocktail Party: An Ancestral Threat that Surmounts Inattentional Blindness." *Evolution and Human Behavior* 36 (3):165–173. doi: 10.1016/j.evolhumbehav.2014.08.004.

Newman, Kim. 2011. *Nightmare Movies: Horror on Screen since the 1960s*. Revised and updated ed. London: Bloomsbury.

Ng, Andrew Hock Soon. 2015. "The Inhumanity of Christ: Damnation and Redemption in Richard Matheson's *I Am Legend*." *Studies in the Literary Imagination* 46 (2):91–108. doi: 10.1353/sli.2013.0015.

Norenzayan, Ara, Scott Atran, Jason Faulkner, and Mark Schaller. 2006. "Memory and Mystery: The Cultural Selection of Minimally Counterintuitive Narratives." *Cognitive Science* 30 (3):531–553. doi: 10.1207/s15516709cog0000_68.

Notkin, Deborah L. 1982. "Stephen King: Horror and Humanity for Our Time." In *Fear Itself: The Horror Fiction of Stephen King (1976–1982)*, edited by Tim Underwood and Chuck Miller, 131–142. London: Pan.

Nowell, Richard. 2011a. *Blood Money: A History of the First Teen Slasher Film Cycle*. New York: Continuum.

Nowell, Richard. 2011b. "'There's More Than One Way to Lose Your Heart': The American Film Industry, Early Teen Slasher Films, and Female

Youth." *Cinema Journal* 51 (1):115–140. doi: 10.2307/41342285.

Nuttall, Louise. 2015. "Attributing Minds to Vampires in Richard Matheson's I Am Legend." *Language and Literature* 24 (1):23–39. doi: 10.1177/0963947014561834.

Nutter, David, dir. 2005. "Wendigo." In *Supernatural*, created by Eric Kripke. Burbank, CA: Warner Bros. Television Distribution.

Öhman, Arne. 2008. "Fear and Anxiety: Overlaps and Dissociations." In *Handbook of Emotions*, edited by Michael Lewis, Jeannette M. Haviland-Jones, and Lisa Feldman Barrett, 709–729. New York: Guilford.

Öhman, Arne, Anders Flykt, and Francisco Esteves. 2001. "Emotion Drives Attention: Detecting the Snake in the Grass." *Journal of Experimental Psychology: General* 130 (3):466–478. doi: 10.1037/0096-3445.130.3.466.

Öhman, Arne, Daniel Lundqvist, and Francisco Esteves. 2001. "The Face in the Crowd Revisited: A Threat Advantage with Schematic Stimuli." *Journal of Personality and Social Psychology* 80 (3):381–396. doi: 10.1037//0022-3514.80.3.381.

Öhman, Arne, and Susan Mineka. 2001. "Fears, Phobias, and Preparedness: Toward an Evolved Module of Fear and Fear Learning." *Psychological Review* 108 (3):483–522.doi: 10.1037//0033-295X.108.3.483.

Onyett, Charles. 2010. "Amnesia: The Dark Descent Review." Accessed January 18 2016. http://www.ign.com/articles/2010/09/03/ amnesia-the-dark-descent-review.

Pallesen, Karen Johanne, et al. 2005. "Emotion Processing of Major, Minor, and Dissonant Chords." *Annals of the New York Academy of Sciences* 1060 (1):450–453. doi: 10.1196/annals.1360.047.

Patterson, Kathy Davis. 2005. "Echoes of *Dracula*: Racial Politics and the Failure of Segregated Spaces in Richard Matheson's *I Am Legend*." *Journal of Dracula Studies* 7:19–26.

Pearson, Maisie K. 1968. "Rosemary's Baby: The Horns of a Dilemma." *The Journal of Popular Culture* 2 (3):493–502. doi: 10.1111/ j.0022-3840.1968.0203_493.x.

Peli, Oren, dir. 2009. *Paranormal Activity*. DVD. Oren Peli d.b.a. Solana Films, Blumhouse Productions. Hollywood, CA: Paramount Pictures.〔『パラノーマル・アクティビティ』プレシディオ〕

Penkunas, Michael J., and Richard G. Coss. 2013. "Rapid Detection of Visually

Provocative Animals by Preschool Children and Adults." *Journal of Experimental Child Psychology* 114 (4):522–536. doi: 10.1016/j.jecp.2012.10.001.

Pennington, Jody. 2009. "The Good, the Bad, and *Halloween*: A Sociocultural Analysis of John Carpenter's Slasher." *p.o.v.: A Danish Journal of Film Studies* (28):54–63.

Perron, Bernard. 2009. *Horror Video Games: Essays on the Fusion of Fear and Play*. Jefferson, NC: McFarland.

Phillips, Kendall R. 2005. *Projected Fears: Horror Films and American Culture*. Westport, CT: Praeger.

Pinker, Steven. 1997. *How the Mind Works*. New York: Norton.

Pinker, Steven. 2002. *The Blank Slate: The Modern Denial of Human Nature*. New York: Viking.

Pinker, Steven. 2007. "Toward a Consilient Study of Literature." *Philosophy and Literature* 31 (1):162–178. doi: 10.1353/phl.2007.0016.

Pizzolatto, Nic, creator. 2014. *True Detective*. New York: HBO.

Plantinga, Carl, and Greg M. Smith, eds. 1999. *Passionate Views: Film, Cognition, and Emotion*. Baltimore, MD: The Johns Hopkins University Press.

Platts, Todd K. 2013. "Locating Zombies in the Sociology of Popular Culture." *Sociology Compass* 7 (7):547–560. doi: 10.1111/soc4.12053.

Platts, Todd K. 2014a. "The New Horror Movie." In *Baby Boomers and Popular Culture: An Inquiry into America's Most Powerful Generation*, edited by Thom Gencarelli and Brian Cogan, 147–163. Santa Barbara, CA: ABC-Clio.

Platts, Todd K. 2014b. "The Walking Dead." In *The Zombie Film: From White Zombie to World War Z*, edited by Alain Silver and James Ursini, 294–297. Milwaukee, WI: Applause Theatre & Cinema Books.

Plumwood, Val. 2012. "Meeting the Predator." In *The Eye of the Crocodile: Val Plumwood*, edited by Lorraine Shannon, 9–21. Canberra: Australian National University E Press.

Polanski, Roman, dir. 1968. *Rosemary's Baby*. DVD. William Castle Enterprises. Hollywood, CA: Paramount Pictures Corporation.〔『ローズマリーの赤ちゃん』パラマウント映画〕

Prince, Stephen. 2004. "Introduction: The Dark Genre and Its Paradoxes." In

The Horror Film, edited by Stephen Prince, 1–11. New Brunswick, NJ: Rutgers University Press.

Publishers Weekly. 2002. "Fiction Book Review: *Hunted Past Reason* by Richard Matheson." *Publishers Weekly.* Accessed 6 May 2015. http://www.publishersweekly.com/978-0-7653-0271-7.

Pulliam, June. 2007. "The Zombie." In *Icons of Horror and the Supernatural: An Encyclopedia of Our Worst Nightmares*, edited by S. T. Joshi, 753–753. Westport, CT: Greenwood.

Punter, David. 1996. *The Literature of Terror: A History of Gothic Fictions from 1765 to the Present Day.* Vol. 1, *The Gothic Tradition.* New York: Longman.〔『恐怖の文学：その社会的・心理的考察：1765 年から 1872 年までの英米ゴシック文学の歴史』石月正伸ほか訳、松柏社刊〕

Quammen, David. 2003. *Monster of God: The Man-Eating Predator in the Jungles of History and the Mind.* New York: W.W. Norton.

Quinlan, Sean M. 2014. "Demonizing the Sixties: Possession Stories and the Crisis of Religious and Medical Authority in Post-Sixties American Popular Culture." *The Journal of American Culture* 37 (3):314–330. doi: 10.1111/jacc.12218.

Quirke, Antonia. 2002. *Jaws.* BFI Modern Classics. London: British Film Institute.

Ragona, Ubaldo, and Sidney Salkow. 1964. *The Last Man on Earth.* DVD. Italy, USA: Produzioni La Regina, American International Productions.

Rakison, David H., and Jaime Derringer. 2008. "Do Infants Possess an Evolved Spider-Detection Mechanism?" *Cognition* 107 (1):381–393. doi: 10.1016/j.cognition.2007.07.022.

Ranki, Jyri, and Michael Kasurinen, producers. 2010. *Alan Wake.* Videogame. Remedy Entertainment. Seattle, WA: Microsoft Game Studios.〔日本語版はマイクロソフト、イーフロンティア〕

Raynal, Frédérick, and Bruno Bonnel. 1992. *Alone in the Dark.* Videogame. Lyons, France: Infogrames Entertainment, SA.

Reesman, Jeanne Campbell. 1990. "Stephen King and the Tradition of American Naturalism in *The Shining.*" In *The Shining Reader*, edited by Tony Magistrale, 121–138. Mercer Island, WA: Starmont House.

Reeves, Matt, dir. 2007. *Cloverfield.* DVD. Bad Robot. Hollywood, CA: Paramount Pictures.〔『クローバーフィールド／HAKAISHA』パラマウント

映画〕

Revonsuo, Antti. 2000. "The Reinterpretation of Dreams: An Evolutionary Hypothesis of the Function of Dreaming." *Behavioral and Brain Sciences* 23 (6):877–901; discussion 904–1121. doi: 10.1017/S0140525X00004015.

Reyes, Xavier Aldana. 2016. "Introduction: What, Why, and When Is Horror Fiction?" In *Horror: A Literary History*, edited by Xavier Aldana Reyes, 7–17. London: The British Library.

Rice, Anne. 1976. *Interview with the Vampire*. New York: Knopf〔『夜明けのヴァンパイア』田村隆一訳、早川書房刊〕

Rockoff, Adam. 2002. *Going to Pieces: The Rise and Fall of the Slasher Film, 1978–1986*. Jefferson, NC: McFarland.

Romero, George A, dir. 1968. *Night of the Living Dead*. DVD/Video. USA: Image Ten, Laurel Group.

Roscoe, Jane. 2000. "*The Blair Witch Project*: Mock-Documentary Goes Mainstream." *Jump Cut: A Review of Contemporary Media* 43: 3–8. https://www.ejumpcut.org/archive/onlinessays/JC43folder/BlairWitch.html

Roth, Eli, dir. 2005. *Hostel*. DVD. Next Entertainment. USA, Czech Republic: Screen Gems.〔『ホステル』ソニー・ピクチャーズ・エンターテインメント〕

Rottenberg, Jonathan, Rebecca Ray, and James Gross. 2007. "Emotion Elicitation Using Films." In *The Handbook of Emotion Elicitation and Assessment* edited by James A. Coan and John J. B. Allen, 9–28. New York: Oxford University Press.

Rozin, Paul, Jonathan Haidt, and Clark R. McCauley. 2005. "Disgust: The Body and Soul Emotion." In *Handbook of Cognition and Emotion*, edited by Tim Dalgleish and Mick J. Power, 429–445. John Wiley & Sons.

Rubey, Dan. 1976. "The *Jaws* in the Mirror." *Jump Cut: A Review of Contemporary Media* (10–11):20–23.

Sagal, Boris, dir. 1971. *The Omega Man*. DVD/Video. Walter Seltzer Productions. Burbank, CA: Warner Bros.〔『地球最後の男オメガマン』ワーナー・ブラザース〕

Saler, Benson, and Charles A. Ziegler. 2005. "Dracula and Carmilla: Monsters and the Mind." *Philosophy and Literature* 29 (1):218–227. doi: 10.1353/phl.2005.0011.

Salisbury, Mark, and Ian Nathan. 1995. "*Jaws*: The Oral History." *Empire*

Online. http://web.archive.org/web/20150525034309/http://www.empireonline.com/interviews/interview.asp?IID=1516

Sánchez, Eduardo, and Daniel Myrick, dirs. 1999. *The Blair Witch Project*. DVD. Orlando, FL: Haxan Films.〔『ブレア・ウィッチ・プロジェクト』〔アスミック・エース、クロック・ワークス、松竹〕

Savini, Tom, dir. 1990. *Night of the Living Dead*. DVD. Los Angeles, CA: Columbia Pictures.

Scalise Sugiyama, Michelle. 2001. "Food, Foragers, and Folklore: The Role of Narrative in Human Subsistence." *Evolution and Human Behavior* 22 (4):221–240. doi: 10.1016/S1090-5138(01)00063-0.

Scalise Sugiyama, Michelle, and Larry Scalise Sugiyama. 2011. "'Once a Child is Lost, He Dies': Monster Stories Vis-a-Vis the Problem of Errant Children." In *Creating Consilience: Integrating the Sciences and the Humanities*, edited by Ted Slingerland and Mark Collard, 351–371. New York: Oxford University Press.

"Scary Maze prank—The Original." 2006. Posted by Can't We All Just Get Along. *YouTube*. Accessed 1 May 2015. https://www.youtube.com/watch?v=oh87njiWTmw

Schneider, Steven Jay, ed. 2004. *Horror Film and Psychoanalysis: Freud's Worst Nightmare*. New York: Cambridge University Press.

Schneider, Steven Jay, and Daniel Shaw, eds. 2003. *Dark Thoughts: Philosophic Reflections on Cinematic Horror*. Lanham, MD: Scarecrow.

Scott, Ridley, dir. 1979. *Alien*. DVD. Brandywine Productions, Los Angeles, CA: Twentieth Century-Fox Productions.〔『エイリアン』20 世紀フォックス〕

Sears, John. 2011. *Stephen King's Gothic*. Cardiff, UK: University of Wales Press.

Seligman, Martin E. P. 1971. "Phobias and Preparedness." *Behavior Therapy* 2 (3):307–320. doi: 10.1016/S0005-7894(71)80064-3.

Serling, Rod, creator. 1959-1964. *The Twilight Zone*. CBS Television Distribution.

Shoemaker, Pamela J. 1996. "Hardwired for News: Using Biological and Cultural Evolution to Explain the Surveillance Function." *Journal of Communication* 46 (3):32–47. doi: 10.1111/j.1460-2466.1996.tb01487.x.

Shteynberg, Garriy, et al. 2014. "Feeling More Together: Group Attention Intensifies Emotion." *Emotion* 14 (6):1102–1114. doi: 10.1037/a0037697.

Shubin, Neil. 2008. *Your Inner Fish: A Journey into the 3.5-Billion-Year History of the Human Body*. New York: Pantheon.

Skal, David J. 2001. *The Monster Show: A Cultural History of Horror*. Rev. ed. New York: Faber and Faber.

Simmons, Dan. 1991. *Summer of Night*. New York: Putnam.〔『サマー・オブ・ナイト』田中一江訳、扶桑社刊〕

Simmons, Dan. 2009 [1989]. *Carrion Comfort*. New York: St. Martin's Press.〔『殺戮のチェスゲーム』柿沼瑛子訳、早川書房刊〕

Slater, Mel, David-Paul Pertaub, Chris Barker, and David M. Clark. 2006. "An Experimental Study on Fear of Public Speaking Using a Virtual Environment." *CyberPsychology & Behavior* 9 (5):627–633. doi: 10.1089/cpb.2006.9.627.

Smith, L. J. 1991–2011. *The Vampire Diaries*. New York: Hodder.

Smith, L. J. 1996–1998. *The Night World*. New York: Hodder.

Smith, Murray. 1995. *Engaging Characters: Fiction, Emotion, and the Cinema*. Oxford: Clarendon.

Smuts, Aaron. 2009. "Art and Negative Affect." *Philosophy Compass* 4 (1):39–55. doi: 10.1111/j.1747-9991.2008.00199.x.

Spielberg, Steven, dir. 1975. *Jaws*. DVD. Universal City, CA: Universal Pictures, Zanuck/Brown Company.〔『ジョーズ』CIC〕

Spignesi, Stephen J. 1991. *The Shape Under the Sheet: The Complete Stephen King Encyclopedia*. Ann Arbor, MI: Popular Culture.

Špinka, Marek, Ruth C. Newberry, and Marc Bekoff. 2001. "Mammalian Play: Training for the Unexpected." *Quarterly Review of Biology* 76 (2):141–168. doi: 10.1086/393866.

Steckenfinger, Shawn A., and Asif A. Ghazanfar. 2009. "Monkey Visual Behavior Falls into the Uncanny Valley." *Proceedings of the National Academy of Sciences* 106 (43):18362–18366. doi: 10.1073/pnas.0910063106.

Steen, Francis F., and Stephanie A. Owens. 2001. "Evolution's Pedagogy: An Adaptationist Model of Pretense and Entertainment." *Journal of Cognition and Culture* 1 (4):289–321. doi: 10.1163/156853701753678305.

Stern, D. A. 1999. *The Blair Witch Project: A Dossier*. New York: Onyx.〔『ブレア・ウィッチ・プロジェクト完全調書』大森望訳、角川書店刊〕

Stevenson, Robert Louis. 2002 [1886]. *The Strange Case of Dr Jekyll and Mr*

Hyde and Other Tales of Terror. London: Penguin.

Stoker, Bram. 1997 [1897]. *Dracula: Authoritative Text, Contexts, Reviews and Reactions, Dramatic and Film Variations, Criticism*. 1st ed. *A Norton Critical Edition*. Edited by Nina Auerbach and David J. Skal. New York: W.W. Norton.

Straub, Peter. 1979. *Ghost Story*. New York: Coward, McCann & Geoghegan, Inc.〔『ゴースト・ストーリー』若島正訳、早川書房刊〕

Strauss-Schulson, Todd, dir. 2015. *The Final Girls*. DVD. Stage 6 Films. Los Angeles, CA: Sony Pictures Home Entertainment.〔『ファイナル・ガールズ 惨劇のシナリオ』ソニー・ピクチャーズ・エンタテインメント〕

Swanger, David. 2008. "Shock and Awe: The Emotional Roots of Compound Genres." *New York Review of Science Fiction* 20 (5):1, 8–18.

The Numbers. 2015. "*Night of the Living Dead*—Box Office Data." *The Numbers*. Accessed 1 April 2015. http://www.the-numbers.com/movie/Night-of-the-Living-Dead-(1968).

The Numbers. 2015a. "The Blair Witch Project—Box Office Data." *The Numbers*. Accessed 15 March 2015. http://www.the-numbers.com/movie/Blair-Witch-Project-The.

The Numbers. 2015b. "The Numbers—Leading Genres." *The Numbers*. Accessed 15 March 2015. http://www.the-numbers.com/market/genres.

The Numbers. 2015c. "The Numbers—Movie Budget and Financial Performance Records." *The Numbers*. Accessed 15 March 2015. http://www.the-numbers.com/movie/budgets/.

The Numbers. 2015d. "*Paranormal Activity*—Box Office Data." *The Numbers*. Accessed 23 April 2015. http://www.the-numbers.com/movie/Paranormal-Activity.

Therrien, Carl. 2014. "Immersion." In *The Routledge Companion to Video Game Studies*, edited by Mark J. P. Wolf and Bernard Perron, 451–458. New York: Routledge.

Tooby, John, and Leda Cosmides. 2001. "Does Beauty Build Adapted Minds? Toward an Evolutionary Theory of Aesthetics, Fiction, and the Arts." *SubStance* 30 (1–2):6–27.

Toprac, Paul, and Ahmed Abdel-Meguid. 2011. "Causing Fear, Suspense, and Anxiety Using Sound Design in Computer Games." In *Game Sound Technology and Player Interaction: Concepts and Developments*, edited

by Mark Grimshaw, 176–191. Hershey, PA: Information Science Reference.

Tudor, Andrew. 1997. "Why Horror? The Peculiar Pleasures of a Popular Genre." *Cultural Studies* 11 (3):443–463. doi: 10.1080/09502389733569l.

Turner, Peter. 2015. *The Blair Witch Project*. Leighton Buzzard: Auteur.

Twitchell, James B. 1985. *Dreadful Pleasures: An Anatomy of Modern Horror*. New York: Oxford University Press.

Tybur, Joshua M., Debra Lieberman, Robert Kurzban, and Peter DeScioli. 2013. "Disgust: Evolved Function and Structure." *Psychological Review* 120 (1):65–84. doi: 10.1037/a0030778.

Underwood, Ron, dir. 1989. *Tremors*. DVD. No Frills. Universal City, CA: Universal Pictures.〔『トレマーズ』ユニバーサル・ピクチャーズ〕

Valerius, Karyn. 2005. "Rosemary's Baby, Gothic Pregnancy, and Fetal Subjects." *College Literature* 32 (3):116–135. doi: 10.1353/lit.2005.0048.

Valli, Katja, and Antti Revonsuo. 2009. "The Threat Simulation Theory in Light of Recent Empirical Evidence: A Review." *American Journal of Psychology* 122 (1):17–38.

Vanaman, Sean, Jake Rodkin, Dennis Lenart, Eric Parsons, Nick Herman, and Sean Ainswort. 2012. *The Walking Dead*. Videogame. San Rafael, CA: Telltale Games.

Velikovsky, J. T. 2014. "Two Successful Transmedia Film Case Studies: *The Blair Witch Project* (1999) and *The Devil Inside* (2012)." In *Transmedia Practice: A Collective Approach*, edited by Debra Polson, Ann-Marie Cook, J. T. Velikovsky, and Adam Brackin, 103–117. Freeland: Inter-Disciplinary Press.

von Gersdorff, Satine Buch Rosenørn. 2016. "What Doesn't Kill You Makes You Smarter: A Biocultural Account of Death in Literature." MA diss., Department of English, Aarhus University.

Vorderer, Peter, Francis F. Steen, and Elaine Chan. 2006. "Motivation." In *Psychology of Entertainment*, edited by Jennings Bryant and Peter Vorderer, 3–17. Mahwah, NJ: Lawrence Erlbaum.

Wade, Nicholas. 2006. *Before the Dawn: Recovering the Lost History of Our Ancestors*. New York: Penguin.

Walpole, Horace. 1996 [1764]. *The Castle of Otranto: A Gothic Story*. New York: Oxford University Press.〔『オトラント城奇譚』井口濃訳、講談社

刊〕

Walton, Kendall. 1990. *Mimesis as Make-Believe: On the Foundations of the Representational Arts*. Cambridge, MA: Harvard University Press.

Wan, James, dir. 2010. *Insidious*. DVD. Great Britain, Canada, USA: Haunted Movies.〔『インシディアス』ショウゲート〕

Wan, James, dir. 2013. *The Conjuring*. DVD. Evergreeen Media. New Line Cinema. Burbank, CA: Warner Bros. Pictures.〔『死霊館』ワーナー・ブラザース〕

Weaver, James B., and Ronald C. Tamborini, eds. 1996. *Horror Films: Current Research on Audience Preferences and Reactions*. Mahwah, N.J.: Lawrence Erlbaum.

Weaver, Angela D., A. Dana Ménard, Christine Cabrera, and Angela Taylor. 2015. "Embodying the Moral Code? Thirty Years of Final Girls in Slasher Films." *Psychology of Popular Media Culture* 4 (1):31–46. doi: 10.1037/ppm0000006.

Wee, Valerie. 2005. "The Scream Trilogy, 'Hyperpostmodernism,' and the Late-Nineties Teen Slasher Film." *Journal of Film and Video* 57 (3):44–61.

Weinstock, Jeffrey Andrew. 2004. "Lostness (Blair Witch)." In *Nothing That Is: Millennial Cinema and the Blair Witch Controversies*, edited by Sarah L. Higley and Jeffrey Andrew Weinstock, 229–244. Chicago: Wayne State University Press.

Wengrow, David. 2014. *The Origins of Monsters: Image and Cognition in the First Age of Mechanical Reproduction*. Princeton, NJ: Princeton University Press.

Whale, James, dir. 1931. *Frankenstein*. DVD/Video. Universal City, CA: Universal Pictures Corporation.〔『フランケンシュタイン』大日本ユニバーサル社〕

Wiater, Stanley. 1996. "A Shockingly Brief and Informal History of the Horror Writers Association." Horror Writers Association. http://horror.org/aboutus.htm.

Wiater, Stanley, ed. 1997. *Dark Thoughts on Writing: Advice and Commentary from Fifty Masters of Fear and Suspense*. New York: Underwood.

Wilde, Oscar. 2003 [1890]. *The Picture of Dorian Gray*. New York: Penguin.

Willits, Tim, dir. 2004. *Doom 3*. Videogame. Activision. Austin, TX: Aspyr

Media.〔『Doom 3』株式会社サイバーフロント〕
Wilson, Edward O. 1984. *Biophilia*. Cambridge, MA: Harvard University Press.
Wilson, Edward O. 1998. *Consilience: The Unity of Knowledge*. New York: Knopf.
Winter, Douglas E. 1984. *Stephen King: The Art of Darkness*. New York: New American Library.
Winter, Douglas E. 1988. "Introduction." In *Prime Evil: New Stories by the Masters of Modern Horror*, edited by Douglas E. Winter, 11–21. New York: New American Library.
Winter, Douglas E., ed. 1988. *Prime Evil: New Stories by the Masters of Modern Horror*. New York: New American Library.
Winter, Douglas E. 1990 [1985]. "Richard Matheson." In *Faces of Fear: Encounters with the Creators of Modern Horror*, edited by Douglas E. Winter, 37–52. London: Pan Books.
Winter, Douglas E. 1998. "The Pathos of Genre." *Dark Echo Horror*. http://www.darkecho.com/darkecho/darkthot/pathos.html.
Wisker, Gina. 2005. *Horror Fiction: An Introduction*. New York: Continuum.
Wood, Robin. 1979. "An Introduction to the American Horror Film." In *American Nightmare: Essays on the Horror Film*, edited by Andrew Britton, Richard Lippe, Tony Williams and Robin Wood, 7–28. Toronto: Festival of Festivals.
Wood, Robin. 1987. "Returning the Look: *Eyes of a Stranger*." In *American Horrors: Essays on the Modern American Horror Film*, edited by Gregory A. Waller, 79–85. Urbana: University of Illinois Press.
Wood, Robin. 2004. "Foreword: 'What Lies Beneath?'" In *Horror Film and Psychoanalysis: Freud's Worst Nightmare*, edited by Steven Jay Schneider, xiii–xviii. Cambridge, UK: Cambridge University Press.
Wright, Geoffrey, dir. 1999. *Cherry Falls*. DVD. Rogue Pictures. USA, London: October Films.
Youngstrom, Eric, and Carroll E. Izard. 2008. "Functions of Emotions and Emotion-Related Dysfunction." In *Handbook of Approach and Avoidance Motivation*, edited by Andrew J. Elliot, 367–384. New York: Psychology Press.
Zacks, Jeffrey M. 2015. *Flicker: Your Brain on Movies*. New York: Oxford University Press.

マ行

ハ行

タ行

ナ行

サ行

カ行

索引

訳者あとがき

本書は、Mathias Clasen 著 *Why Horror Seduces*（Oxford UP, 2017）の全訳である。著者のクラーゼンはデンマークのオーフス大学英文学科で文学とメディアについて教鞭を執っており、ホラーについての論文を数多く発表している。いわゆる進化論批評と呼ばれる、ダーウィンの進化論に基づいて芸術作品を解釈する、最近欧米で盛んになってきた文学理論の若手論客のひとりで、進化論批評、さらに、より広く進化論と人間とのかかわりについて扱う専門的な学術雑誌 *Evolutionary Studies in Imaginative Culture* の編集者もつとめるなど、その力量は国際的に高く評価されている。ちなみに、この雑誌の編集長は進化論批評の草分けで第一人者、ミズーリ大学のジョゼフ・キャロルであるが、本書の謝辞では、クラーゼンはキャロルを「もっとも辛辣な批評家、もっとも頼りになる援助者、もっとも容赦がなく同時に寛容な編集者であった。彼の援助と励ましなくしては本書は決して書かれることはなかっただろう」と称賛し、満腔の謝意を表している。その他、『ストーリーの起源』〔小沢茂訳、国文社〕のブライアン・ボイド、『ストーリーテリング・アニマル』のジョゼフ・ゴッツチョールら、第一線で活躍する進化論批評の研究者との交流にも触れられており、大学院在籍中からこうした巨匠たちの薫陶を受けていたようである。進化論批評の未来を背負って立つ若きホープといえよう。象牙の塔の学究としてだけではなく、デンマークのお化け屋敷型人気アトラクション「ディストピア・ホーンテッド・ハウス」(Dystopia Haunted House) にもアドバイザーとして参加しているると書かれており、欧州では既に進化論批評は単に狭い文学愛好家のサークルで議論されるだけではなく、巨額の資金が動くビジネスの根幹としても機能していることがうかがえる。

進化論批評は「なぜ、人間は時間と労力をかけてフィクション—進化論批評ではストーリーという用語が使われることが多いが、日本ではなじみがなく誤解を招くのでフィクションとしておく—を楽しむのか」という問いから始まり、フィクションは鑑賞者が安全地帯にいながらさまざまなシナリオで人生のシミュレーションを行い、擬似的に経験を積むことができるから、と考える。前述のゴッツチョールはパイロット訓練生が高価な実機を操縦する前にフライトシミュレータで経験を積むことになぞらえている。同様にボイドはフィクションは「人生シミュレータ」であるとし、認知能力の向上(とりわけ「心の理論」と呼ばれる他者の視点をとって世界を解釈する能力の向上)と、価値観の共有による協力行為の改善をその主な「効能」として挙げている。こうした主張の背景には、動物が遊ぶのは生存のために必要な筋肉や神経を発達させるためだ、という考え方がある。追いかけっこをして狩りに不可欠な強い筋肉を手に入れるように、人類はフィクションという「認知的な遊び」(ボイド)を通して複雑な社会の中で生き抜くすべを学ぶのだ、というわけである。

クラーゼンは他の進化論批評家がフィクション一般を論ずるのと異なり、ホラーという特定のジャンルに焦点を当てる。なぜ、人は怖いものに金を出すのか—端的に言えば、これがクラーゼンの問いであり、本書はそれに対する答えとして書かれている。前述の紹介からもわかるとおり、進化論批評家であるクラーゼンの主張はボイドやゴッツチョールら、進化論批評の主流派のものの同一線上にある。最良のホラーは「感情的なシミュレーションを可能にし、わたしたちに重要なテーマについて考えるように促す。それらは社会的な交流、心理学的なプロセスの仕組みについての知見を与えてくれ、恐怖とともに貴重な疑似経験をさせてくれる」。荒唐無稽な設定や人間離れしたキャラクターなどが登場する場合でも、心理面の描写はリアルであり、極限状況における人間の感情のシミュレーションとしてのホラーを鑑賞することで「心理学的、実存的」な「真に価値ある教訓」を得ることができる、というのがクラーゼンの主張だ。ゴッツチョールはあらゆるフィクションは基本的に問題の提示と、キャラクターによるその解決で成立している——キャラクターが様々な問題を解決するストーリーをシミュレーションとして擬似的に体験することで鑑賞者の問題解決能力が向上する——と述べたが、読者や観客にとってもっともわかりやすい「問題」とは捕食動物や敵に追いかけられたり危害を加えられそうになったり、といった極限状況における生きるか死ぬかの問題であろう。またそうした苦難の時こそ人間の真価が問われるものである。イソップ寓話に見える「まさかの友は真の友」の話（熊に襲われた時に逃げた友人と絶交する話）や、『論語』の「年寒くして松柏の凋むに後るるを知る」という言葉にも見える通り、平常時には現れ得ない本心や能力が非常時には現れてくるから、「感情のシミュレーション」としてはフィクションの中でもホラーが最適だ、ということにもなる。

では、いったいいかなる「心理学的、実存的」で「真に価値ある教訓」を得ることができるのか——それが第六章以降、それぞれひとつずつの作品を俎上に載せて論じられることになる。対象となるのは、『ジョーズ』、『ローズマリーの赤ちゃん』、『シャイニング』、『ナイト・オブ・ザ・リビングデッド』など、ホラー・ファンならずとも一度は聞いたことのあるような古典的作品ばかりである。前段で提示された理論的基盤をもとに、明快に各作品が料理されていく手腕は圧巻の一言に尽きる。ボイドの『ストーリーの起源』がややもすれば衒学的で晦渋な色彩が濃かったのに比べると、非常に読みやすく、それでいて深い示唆を与えてくれる解釈ばかりだ。

２０１７年に出版された本書は各界で高く評価された。コロンビア大学シカゴ校教授で進化論と文化、宗教などについての幅広い著書のあるスティーヴン・アスマは、本書が「ヴィクトリア朝以前から現在までのホラーの素晴らしい概観だけでなく、恐怖の進化論的、生物学的基盤についての正統な主張を含んで」いるために「芸術作品のジャンルとしてのホラー、あるいは心理学的現象としての恐怖に関係する複数の分野での学部生向けの素晴らしい教科書」になるであろうと述べ、「クラーゼンの本の卓越したところは、模範的題材となるようなホラーのテクストや映画の綿密な分析にある。遠い昔に進化したわたしたちの感情にもっとも効果的に働きかけるホラーの常套手段を例証しているからだ」として、理論的総論、応用的各論の両者に関して優れた著作であると絶賛している。また、ハーバード大学教授で心理学者としては知らぬ者のないスティーヴン・ピンカーは「クラーゼンは恐怖を引き起こすエンターテインメントというパラドックスに光を当て、人間の本性と芸術の本質を照らし出してくれた」と、単にホラーというジャンルのみならず、人間とは何か、芸術とは何かというより広く普遍的な問いに答えてくれる著作であると高く評価している。スティーヴン・キングの息子で自身もベストセラー作家のジョー・ヒルは「進化心理学という鋭い刃を用いてホラーというジャンルの皮を生きたまま剥がし、その下でピクピクとうごめいている赤く濡れた腱を剥き出しにしている」と、ホラー作家ならではの鮮烈な表現で褒めちぎったあと、本書が「ファンとアーティストの間に称賛、議論、喜びを引き起こすだろう」と述べ、「恐怖をかきたてるようなフィクションに興味のある人にとっての必読書である」と断言している。訳者がこうした綺羅星のようなレビューに付け加えるならば、難解な印象のある進化論批評のすぐれた実例を提供してくれる著作、ということになるだろうか。進化論批評は1990年代にその萌芽が見られるが、理論の構築が先行して具体的な作品分析の試みが十分に追いついていないようにも思える。その状況の中でホラーという幅広い層に訴えかけるジャンルで、進化論批評をかくも明快に実践してみせた本書は、進化論批評という文学理論そのものの未来をも切り拓いてくれるようなすぐれた論考であると言えるのではないだろうか。

最後になるが、本書の出版にあたっては、風媒社編集長、劉永昇氏に大変お世話になった。この場を借りてあつく御礼申し上げる。

[著者]
マティアス・クラーゼン
1978年生まれ。2012年にデンマークのオーフス大学で博士号取得、現在、同大学准教授。

[訳者]
小沢　茂（おざわ・しげる）
1977年生まれ。名古屋大学大学院文学研究科博士後期課程満期退学。愛知淑徳大学文学部教授。

装幀◎三矢千穂

ホラーは誘《いざな》う　ダーウィンに学ぶホラーの魅力

2021年7月12日　第1刷発行　（定価はカバーに表示してあります）

著　者　マティアス・クラーゼン

訳　者　小沢　茂

発行者　山口　章

発行所　名古屋市中区大須 1-16-29
振替 00880-5-5616　電話 052-218-7808　風媒社
http://www.fubaisha.com/

＊印刷・製本／モリモト印刷　乱丁本・落丁本はお取り替えいたします。

ISBN978-4-8331-3184-1